U4
.JULES

U4 est un ensemble de quatre romans
qui peuvent se lire dans l'ordre de votre choix.

À l'origine de cette aventure collective,
quatre auteurs français, qui signent chacun un titre :

Koridwen, de Yves Grevet
Yannis, de Florence Hinckel
Jules, de Carole Trébor
Stéphane, de Vincent Villeminot

© 2015 Éditions Nathan et éditions Syros, SEJER,
25, avenue Pierre-de-Coubertin, 75013 Paris, France
Loi n° 49-956 du 16 juillet 1949 sur les publications destinées
à la jeunesse, modifiée par la loi n° 2011-525 du 17 mai 2011
ISBN : 978-2-74-851657-9
Dépôt légal : août 2015

CAROLE TRÉBOR

U4

.JULES

SYROS

NATHAN

Aux biquets
Simultanément
Derrière leurs écrans

« *Ma vie n'est pas derrière moi*
ni avant
ni maintenant
Elle est dedans. »

Jacques Prévert, *Soleil de nuit*

« *La fatalité, c'est personne,*
la responsabilité, c'est quelqu'un. »

Paul Ricœur, *Le Juste I*

1ᴱᴿ NOVEMBRE

Cela fait dix jours que le filovirus méningé U4 (pour « Utrecht », la ville des Pays-Bas où il est apparu, et « 4ᵉ » génération) accomplit ses ravages.

D'une virulence foudroyante, il tue quasiment sans exception, en quarante heures, ceux qu'il infecte : état fébrile, migraines, asthénie, paralysies, suivies d'hémorragies brutales, toujours mortelles.

Le virus s'est propagé dans toute l'Europe. Berlin, Lyon, Milan... Des quartiers, des villes, des zones urbaines entières ont été mises successivement en quarantaine pour tenter de contenir l'épidémie. En vain.

Plus de 90 % de la population mondiale ont été décimés. Les seuls survivants sont des adolescents.

La nourriture et l'eau potable commencent à manquer. Internet est instable. L'électricité et les réseaux de communication menacent de s'éteindre.

—

Avant l'épidémie, Warriors of Time – WOT pour les initiés – était un jeu vidéo en ligne dit «massivement multi-joueurs». En fonction de leur niveau, les joueurs pouvaient voyager à travers les époques d'un monde fictif, Ukraün, afin de changer le cours des événements et ainsi accomplir leur quête. Régulièrement, les joueurs se rendaient sur le forum pour élaborer des stratégies ou recevoir les conseils des combattants Experts, voire de Khronos lui-même, le maître de jeu.

Le 1er novembre, avant-dernier jour de fonctionnement du réseau mondial Internet, WOT compte environ cent cinquante Experts encore en vie sur le territoire français. Ceux d'entre eux qui se connectent au forum ce jour-là, pour oublier la réalité ou échanger des informations sur la progression de la catastrophe, reçoivent ce message :

De : maître de jeu
À : Experts
Ceci est sans doute mon dernier message.
Les connexions s'éteignent peu à peu dans
le monde entier. Gardez espoir. Nous sommes
toujours les Guerriers du temps. Je connais
le moyen de remonter le temps. Je l'ai toujours
connu. Mais seul, je ne peux rien faire.
Rejoignez-moi. Ensemble, nous pourrons éviter
la catastrophe en réécrivant le passé. Croyez
en moi, croyez en vous, et nous gagnerons
contre notre ennemi le plus puissant : le virus.

Rendez-vous le 24 décembre à minuit sous la plus vieille horloge de Paris.

Khronos

—

Jules, Koridwen, Stéphane et Yannis font partie de ces Experts. *U4* est leur histoire.

UN

4 NOVEMBRE, DÉBUT D'APRÈS-MIDI

J'ai faim. Il n'y a plus rien à manger dans la cuisine. Plus d'eau courante depuis ce matin, plus de gaz depuis hier, plus d'électricité depuis trois jours. J'ai eu beau actionner tous les interrupteurs en tâtonnant sur le mur, à l'aveugle, essayer d'allumer les luminaires du séjour, pas de résultat, rien, aucune lumière. L'appartement est plongé dans l'obscurité dès la tombée de la nuit, vers 19 heures.

J'ai heureusement retrouvé deux torches dans la commode de l'entrée. Il faut que je me procure d'urgence des piles pour les alimenter et des bougies pour compléter mon éclairage. Je dois aussi me faire une réserve de charbon de bois et d'allumettes pour entretenir le feu de la cheminée. Il commence à faire froid. Et j'ai besoin de vivres.

Lego miaule sans arrêt. Il n'a plus de croquettes spéciales chatons. Il crève de faim lui aussi. Il déchiquette les fauteuils et les canapés pour se venger. Il lamine tout ce qui traîne, il m'a même piqué ma montre. Je me l'étais achetée avec mon argent de poche, par Internet. J'en avais fait un objet collector, en gravant moi-même au dos le sigle de WOT avec mon cutter. Impossible de remettre la main dessus.

Il me faut donc aussi des piles pour le réveil, sinon je n'aurai même plus l'heure.

J'ai tellement peur de sortir. Je dois affronter Paris avant que la nuit n'envahisse les rues.

La ville que j'observe par la fenêtre n'est plus la mienne, cette ville est inacceptable.

Hier, j'ai vu des hommes en combinaisons d'astronautes, avec des sortes de masques à gaz. Ils ramassaient les cadavres et les entreposaient dans leurs camions blindés. Tous ces corps, qu'ils entassent les uns sur les autres, où les emmènent-ils ? Vers les fosses communes ? Ou bien vont-ils les brûler ? Ces hommes, ils savent peut-être ce qui tue tout le monde. C'est quoi, ce putain de virus qui frappe et extermine en quelques heures ? Est-ce qu'ils pourraient me dire pourquoi moi, je ne suis pas mort ? J'ai eu envie de courir les rejoindre, mais je n'ai pas bougé de ma fenêtre, incapable de réagir. Leur demander secours, ça m'obligerait à admettre la réalité de ces morts, de ce silence, de cette odeur. Et ça, non, je ne le peux pas. Je ne le veux pas.

Sortir.

Il faut que je sorte, il faut que j'aille nous chercher à manger.

Tant pis si j'attrape la maladie.

Quitte à mourir, je préfère mourir de l'épidémie à l'extérieur que mourir de faim à l'intérieur.

Mon grand-père m'avait dit de ne pas sortir. Mais peut-être suis-je immunisé contre le virus ? Peut-être suis-je en vie pour remplir la mission de Khronos avec les autres Experts ? Je dois tenir jusqu'au 24 décembre et me rendre sous la plus vieille horloge de Paris pour savoir si ce retour dans le passé est possible.

C'est quoi, ce bruit dans le salon ?

Merde, le grincement s'intensifie. J'y vais.

C'est une nouvelle invasion de rats ! Ils sont énormes. Comment sont-ils entrés chez moi, ces saloperies de rongeurs ? Bon Dieu, quel cauchemar !

– Cassez-vous, sales bêtes ! N'approchez pas !

Mon timbre hystérique sonne bizarrement. Est-ce bien ma voix ? Ils sont hyper-agressifs, comme s'ils avaient muté génétiquement. Il y en a un qui s'agrippe à ma cheville, je balance la jambe pour qu'il me lâche. Un autre tente déjà de me mordre le pied. Ils me font trop flipper, je fonce vers la porte et je décampe hors de l'appartement.

Je dévale les escaliers au milieu de bataillons de rats. Sur le palier du quatrième, je trébuche sur quelque chose de suintant, de visqueux, je glisse et me retrouve à quatre pattes sur le sol de marbre. Je ferme les yeux de toutes mes forces, horrifié par l'odeur de pourriture qui me pique la gorge et fait couler mes larmes, je n'ai jamais senti une odeur aussi atroce de ma vie. Respirer devient pénible. Je suis pris de tremblements violents qui m'empêchent de contrôler mes mouvements.

Je sais contre quoi j'ai buté et je sais qu'il faut que je me relève d'urgence.

Sinon je risque de mourir.

La chose molle et spongieuse à laquelle je me suis heurté est un cadavre.

Une victime du virus.

Qui est peut-être déjà en train de me contaminer.

Je me mets à genoux, les jambes trop chancelantes pour tenir debout, et je fixe le corps, hypnotisé : c'est ma voisine du dessous et, affalé par terre près d'elle, son fils, mort lui aussi. Je suis anesthésié. Incapable de ressentir la moindre émotion. Mes oreilles bourdonnent. Son visage est blanc presque verdâtre, des traces violacées strient son cou, sa peau semble tendue sur ses os, les globes oculaires sont enfoncés, comme couverts d'un film plastique. Elle est totalement rigide, on dirait une statue de cire du musée Grévin, mais le pire, ce sont les larves, les vers qui réduisent toute sa chair en bouillie au niveau de l'abdomen. Pourquoi est-elle morte sur le palier ? Pourquoi pas chez elle ? Ça m'aurait évité de la voir. Mais non, qu'est-ce que je raconte, est-ce que je perds la tête ? La pauvre, elle a peut-être voulu emmener son fils chez le pédiatre au deuxième étage, elle a été paralysée brutalement par la maladie. Et elle est morte là, dans la cage d'escalier, son fils à ses côtés.

J'en ai vu des victimes du virus sur Internet fin octobre, avant la coupure du réseau : d'abord la fièvre, puis la paralysie, les vomissements, et le sang qu'elles crachent, le sang qui sort de partout, de tous les pores de leur peau.

Je n'arrive pas à détacher mes yeux du corps de ma voisine. La menotte de l'enfant est encore posée sur la paume de sa mère, comme si elle avait voulu lui tenir la main jusqu'au dernier moment. Lequel est mort d'abord ? L'horreur de ma question me tétanise et une nausée me soulève le cœur. Des spasmes violents me submergent, je vomis par jets. Mais je n'ai plus que de la bile. La maman a succombé en premier, le petit s'est accroché à sa main avant de périr lui aussi. Elle n'a pas eu la force ni le temps d'ouvrir la porte pour mourir chez elle. Une rafale de spasmes me plie de nouveau en deux. Mais plus rien ne sort de moi, seulement mon désespoir et ma répulsion.

Je me relève, vacillant, et me tiens à la rampe pour ne pas chuter. J'ai l'esprit vide, cet état de demi-sommeil me protège du reste du monde aussi bien qu'une épaisse couche de coton. Et lorsque j'arrive au rez-de-chaussée, je suis un somnambule.

Dès que je mets un pied sur l'avenue de l'Observatoire, je suffoque, toujours cette odeur de décomposition très forte, de viande macérée, d'œuf pourri, de poisson avarié.

Et j'ai l'impression que ces effluves sont vivants, qu'ils se faufilent partout, qu'ils s'insinuent en moi comme les Ombres néfastes de Voldemort. Le bitume est parsemé de corps boursouflés et raides. C'est encore plus irréel que du cinquième étage, d'où les rues me paraissaient figées sous les nuées d'oiseaux noirs. C'est irréel, mais je ne peux plus le réfuter, ils sont bien là, ces cadavres, monstrueux. Leur présence me glace de l'intérieur, je n'avais jamais vu un mort en vrai, et là, tous ces corps d'un coup. Ils n'ont plus rien d'humain, ils se décomposent déjà, survolés par des essaims de mouches. Est-ce que ce sont bien des hommes ? Ou des restes d'hommes ?

Et tout ce silence... Ce silence qui m'assourdit plus que le vacarme de la circulation, les démarrages des bus au feu vert, le chahut des enfants, les pots d'échappement des mobylettes. Les bruits de Paris me manquent. Depuis quelques jours, il n'y a même plus de sirènes. Où sont les hommes en combinaisons d'astronautes que j'ai vus hier ? Ces hommes protégés sont-ils les seuls à avoir survécu au virus ? Et qui sont-ils ?

Pourquoi n'y a-t-il plus personne dans les rues ? Même plus de silhouettes fugitives ? Personne à qui parler.

Un jappement craintif de chien rompt le vide, je me retourne : c'est le labrador blanc de nos voisins du troisième, il est très docile. Je m'approche de lui, plein d'espoir, et tressaille, horrifié par cette chose verdâtre qu'il tient dans sa gueule : un bras. Ce qui fut un jour un bras. Mon estomac se retourne, un goût de bile me brûle la gorge. Je mets un mouchoir sur mon nez et traverse le boulevard jonché de bennes renversées. Des sacs lacérés, des journaux gratuits trempés, des emballages de McDo et des canettes font office de parures funèbres pour les corps. Le même chaos règne dans le jardin des Grands Explorateurs : accrochés aux arbres et aux grilles métalliques, des fragments de plastique claquent au vent. Et une épaisse couche de feuilles mortes recouvre les allées de notre « Petit Luxembourg », comme nous l'appelons dans le quartier.

L'atmosphère pullule certainement de maladies, bactéries, ou ce genre de trucs. Il me faudrait un casque de protection ou au moins un masque antigrippe, je pourrais en trouver en pharmacie. Un souffle de vent projette vers moi une insupportable bouffée de miasme putride. Je n'arrive plus à respirer, comme si j'avais une pierre à la place du cœur qui empêcherait le sang de couler dans mes veines. Je tousse pour ôter de ma gorge ce goût de moisi trop consistant.

Est-ce que tous les Parisiens sont morts ? Je voudrais aller voir si mes copains ont survécu eux aussi. Je n'ose pas, j'ai trop peur de tomber sur leurs cadavres.

Et mes parents ? Mon frère ? Vais-je les revoir ? Personne pour me répondre.

Trop peur.

J'ai encore communiqué avec les Experts sur le forum de WOT il y a trois jours. Je frémis… Et s'ils étaient morts depuis le dernier message de Khronos ?

Je m'oblige à avancer vers le Luxembourg, dans l'espoir d'y voir moins de corps, d'y respirer un oxygène moins pollué. Des voitures arrêtées s'accumulent dans la rue. L'odeur ne me quitte plus, elle a imprégné mes vêtements, je pue la mort maintenant. L'entrée du Luxembourg en face du lycée Montaigne est fermée, je repars vers le boulevard Saint-Michel par la rue Auguste-Comte. J'essaye de ne pas trébucher sur des cadavres étalés devant l'École des Mines, de ne pas m'effondrer, là, sur le trottoir. J'ai envie de m'allonger parmi eux, eux que je ne sais plus comment nommer. Envie de me recroqueviller sur le béton et de ne plus me relever ; de m'abandonner à l'épuisement qui me submerge, qui fait que chacun de mes pas est un effort insurmontable.

Mais j'avance. Sans croiser âme qui vive.

Un bus a percuté les balustrades du Luxembourg, des voitures défoncées se sont encastrées derrière lui.

Le supermarché n'est plus très loin, rue Monsieur-le-Prince.

Le pire, après la puanteur et le silence entrecoupé des cris des charognards voraces, c'est l'immobilité absolue de tout ce qui vivait. La vie, c'est le mouvement, et de mouvement, il n'y en a plus. Hormis les tourbillons d'oiseaux noirs et les cavalcades de rats gris.

Je réalise soudain que je suis tout près de la mairie du 5ᵉ, et je décide finalement de remonter la rue Soufflot : je suis avide de nouvelles. Là-bas, j'aurai peut-être une chance d'établir un lien avec d'autres rescapés. Autant vérifier s'il n'y a pas une affiche, un quelconque *Avis aux survivants* placardé.

Impassible et majestueux, le Panthéon abrite toujours ses tombeaux d'hommes célèbres, comme c'est dérisoire aujourd'hui ! Au croisement de la rue Saint-Jacques, je crois apercevoir une silhouette près du mausolée de pierre. Est-ce que je rêve ? Elle a déjà disparu de mon champ de vision.

J'accélère vers la place du Panthéon et, là, mon cœur bondit dans ma poitrine : je ne suis pas seul !

4 NOVEMBRE, MILIEU D'APRÈS-MIDI

Des ados errent devant le Panthéon, le regard vague. Je m'approche, le cœur battant. Je ne vois bizarrement aucun adulte parmi eux. Est-ce qu'ils ont tous perdu leurs parents ? Une fille blafarde, maigre, en blouson de cuir noir et jean taille basse, qui a plein de piercings sur le nez et les oreilles, sautille sur place avec nervosité ; un grand gaillard en tenue de sport fait les cent pas comme un fauve en cage ; une autre, assise sur les marches qui mènent au monument, colle son front à ses genoux, son corps complètement replié oscille d'avant en arrière, comme si elle s'autoberçait ; un dernier gars aux yeux égarés, fantôme vêtu de noir, semble flotter dans l'espace. Ils ne se parlent pas, ils gardent leurs distances. Je me dirige vers la brune multipiercée, elle a l'air plus sympa que les autres, j'inspire avant de l'aborder :

– Salut…

Elle recule quand je m'approche.

– Salut, répond-elle, méfiante.

– Tu… tu es toute seule ?

Elle hoche la tête, les yeux brillants, fait un pas de plus en arrière. Merde, elle me fuit ou quoi ? Je me dépêche de lui demander avant qu'elle ne se sauve :

21

– Tu fais quoi, là ?

– J'attends les militaires, ils disent qu'ils vont mettre en place des zones de sécurité et qu'ils nous accueilleront dès qu'ils seront prêts.

– Ils sont déjà venus ?

– Non, mais j'aimerais savoir où sera le R-Point.

Sa voix est rauque, comme s'il y avait longtemps qu'elle n'avait pas parlé. Je n'ai pas le temps de l'interroger sur le sens du mot R-Point parce qu'elle s'éloigne déjà en me désignant une affichette placardée sur la façade de la mairie, près des colonnes. Est-ce qu'elle craint que je la contamine ? Peut-être se tiennent-ils loin les uns des autres par peur de se refiler le virus ? Je lis rapidement :

Un R-Point sera bientôt aménagé à proximité de votre arrondissement. De l'eau potable, des denrées de première nécessité et des médicaments seront déposés dans cette zone de sûreté militaire. Vous devrez vous présenter dans un centre de tri pour nous permettre de vous répertorier, puis de vous informer dès que possible du R-Point à intégrer.

C'est signé : *Gouvernorat militaire de Paris/cellule de crise/armée de terre.*

Ce sont sûrement ces forces de sécurité militaire qui sillonnent les rues dans des blindés fermés et font voler leurs drones et leurs hélicos au-dessus de Paris. Les hommes en combinaisons que j'ai aperçus de ma fenêtre en font partie. Quand est-ce qu'ils vont nous larguer de quoi boire, de quoi manger ? Peut-être sera-t-il indispensable de se réfugier dans ce lieu qu'ils appellent R-Point...

En attendant, je redescends vers la supérette de la rue Monsieur-le-Prince, où des chiens errants déchiquettent un cadavre, près d'une meute de rats repus qui rient de contentement sur un tas de chairs sanguinolentes. La panique me prend à la gorge et, avec elle, de nouveau, le désir de mourir. Pourquoi ne suis-je pas mort ? Alors je me dis, fais comme dans WOT, fais comme si tu étais dans le jeu, dans le monde d'Ukraün, ne te laisse pas impressionner, ne laisse pas l'Ennemi, quel qu'il soit, prendre le dessus. Et l'Ennemi, c'est la mort que je dois esquiver. Mes adversaires, ce sont les cadavres que je dois habilement feinter. Sur Ukraün, je ne perdais jamais de vue mon objectif ; je repérais les gardiens des mines de fer, dupais leur surveillance et déjouais les pièges des autres mercenaires. Je dois agir exactement de cette façon. J'ai une mission : la mine, c'est-à-dire le supermarché. Les soldats ennemis, ce sont les morts. Je me mets en mode Guerrier. J'avance d'un pas rapide, le dos droit. Je suis Spider Snake, il est désormais bien plus que mon avatar sur WOT. Il m'accompagne dans la vraie vie. J'enjambe les cadavres sans prêter attention aux détails qui pourraient me détourner de mon objectif. Être opérationnel coûte que coûte. J'y suis, pas de chance, le supermarché est fermé, il va falloir que je pète la vitre pour y pénétrer. Bon, avec quoi exploser du verre ? Avec une chaise du bar ouvert le plus proche, OK, je la balance de toutes mes forces dans la devanture qui éclate en mille morceaux.

Et j'envahis la mine, où sont stockées les réserves de matière première indispensables à ma survie dans un monde hostile, un monde dans lequel je suis désormais un Expert au service de Khronos. J'y ai droit, c'est maintenant le territoire de Spider Snake, j'ai surmonté tous les pièges.

Dans le supermarché, ça pullule de rats – ennemis de seconde zone –, je leur file des grands coups de pied. Bref repérage des lieux : pas de présence d'êtres humains détectée, ni vivants ni morts – aucun ennemi de premier niveau à signaler. OK, l'expédition peut se poursuivre. Je mets la main sur un caddie, le remplis de tout ce dont j'ai besoin : eau minérale, packs de lait, conserves, gâteaux, chips, piles, allumettes, croquettes… Je ne trouve pas de mort-aux-rats.

Quand je sors du magasin, il commence déjà à faire sombre. J'avais oublié de tenir compte de ce point non négligeable. Paris la nuit sans électricité, sans feux rouges, sans lampadaires ni phares, c'est Paris dans les ténèbres. J'entrevois le croissant de lune qui sera trop fin pour me guider si la nuit tombe avant mon retour. Je ne dois pas traîner. Un vrombissement d'hélicoptères en patrouille effraye les rats et les chiens qui se réfugient derrière des poubelles éventrées, les lâches. Des corbeaux noirs prennent leur envol comme un essaim de frelons furieux.

Je pousse mon caddie dans les rues, victorieux. Sans un regard aux corps entre lesquels je zigzague. En apnée, je me sépare de moi-même, j'oublie l'odeur de mort qui est devenue mienne. Aucune émotion ne doit troubler ma concentration, avant que j'aie mis mon trophée en lieu sûr.

Je prends ma décision sur le perron de mon immeuble.

J'ai encore une tâche à accomplir. C'est inexorable, je dois le faire, ce geste achèvera ma mission d'approvisionnement.

Je grimpe les quatre étages jusqu'aux corps de la mère et du fils. Je veux les transporter dans la rue. La femme est trop lourde, je la fais rouler avec précaution dans les escaliers, je sens sa chair putréfiée se décomposer sous les vêtements. Pourvu qu'elle ne se désagrège pas, qu'elle ne s'effrite pas, qu'elle ne se... Je réprime un haut-le-cœur, ce n'est pas le moment de faiblir, ma première mission de survie pour Khronos est sur le point d'être accomplie. Spider Snake n'a JAMAIS la nausée. Je dépose le corps, doucement, sur la terre du Petit Luxembourg, à l'abri d'un marronnier. Son fils est plus léger, j'arrive à le porter, j'ai peur qu'un de ses petits membres ne se détache dans les escaliers. Je l'installe tout contre sa mère, au pied de l'arbre, dans le parc.

J'aurais pu être à sa place, mourir, me disloquer, retourner à la terre.

Alors seulement je m'autorise à remonter chez moi, tirant tant bien que mal mon lourd caddie dans les escaliers. La porte de mon appartement est ouverte ! J'abandonne mon fardeau sur le palier et j'entre doucement, pour ne pas me faire repérer tant que je ne suis pas sûr de l'identité du visiteur. Il n'y a personne dans le salon, un bruit provient de la chambre de mes parents... Mon cœur bondit, je cours, oubliant toute prudence, et m'arrête sur le seuil de la pièce : un jeune homme de dos ouvre un à un les tiroirs de ma mère, jette les vêtements au sol avec fureur. Ses habits sont déchiquetés, sales, il saigne à l'épaule. J'ai l'impression qu'on m'enfonce une lance dans la poitrine.

Il se retourne d'un coup comme s'il avait entendu mon cœur s'emballer :

– Putain, Jules, t'étais fourré où ?

Ses yeux sont injectés de sang.

C'est mon frère.

Et il est défoncé.

4 NOVEMBRE, FIN D'APRÈS-MIDI

Pierre n'est pas mort. J'en frémis de joie. Mon frère. Je fais un pas vers lui, plein d'espoir, je me sens bien plus léger tout à coup. Mais il se tend comme un félin prêt à bondir ; son visage est blafard, crispé, ses yeux sont fous, enfoncés dans leurs orbites, ses pupilles trop dilatées. Il me fait peur, le con.

Est-ce qu'il me reconnaît ? Se rappelle-t-il qu'il a un petit frère ?

– Où sont ses bijoux ?

Il hurle, il y a de la panique dans sa voix qui vire dans les aigus. Je ne comprends pas, de quoi parle-t-il ?

– Reste pas planté là, les diamants de maman, ils sont où ?

– Maman est… Tu as des nouvelles ? Tu ?…

– Maman est morte, tous les adultes sont morts ! T'étais où ? Encore fourré devant ton écran, t'es au courant de rien ?!

Maman est morte, tous les adultes sont morts. Mais qu'est-ce qu'il en sait ? Il me vrille du regard.

– Putain, tu pues la mort, Jules, qu'est-ce que t'as foutu ? t'as plein de sang et de chair sur toi !

– J'ai porté des cadavres…

Il ne me laisse pas le temps de finir ma phrase :

– T'es toujours aussi bizarre, t'as pas peur de choper cette saloperie de virus ?

Je hausse les épaules, non, je crois que je n'ai plus vraiment peur d'être contaminé, plus maintenant. Pierre se désintéresse de moi, recommence sa fouille fébrile.

– J'ai besoin des bijoux de maman.

– Pourquoi ?

– Y a une bande dans les beaux quartiers, ils s'organisent. Le Gang du 16e. Ils se font payer en bijoux de famille, en tableaux de maître et en armes.

– Mais tu ne peux pas prendre les diamants de maman… Pas pour te payer ta drogue.

– Il ne s'agit pas d'acheter mes doses, petit con, je veux intégrer leur bande, ils seront bientôt les maîtres du trafic, il faut que je fasse mes preuves, tu captes ? Avec ça, je vais me choper une arme.

Je recule, il me fait de plus en plus flipper. Un gros rat se réfugie sous la commode qu'il met à sac. J'inspire une grande bouffée d'air pour me donner le courage de lui dire ce que j'ai à lui dire :

– Tu veux pas arrêter tout ça ?

– Quoi ? Arrêter quoi ?

– La drogue, tout ça. Tu veux pas rester avec moi ?

Une boule grossit dans ma gorge.

– Arrête tes conneries, on est tous foutus, t'as pas compris ? Je veux m'éclater la tronche en attendant mon tour.

– Je peux changer les choses, Pierre, ne repars pas. Arrête la drogue. Je t'aiderai ; j'irai te chercher des médocs à la pharmacie. Pierre, s'il te plaît.

– De quoi tu parles ? Comment veux-tu changer les choses ? Papa et maman sont morts, *dead*.

– Je sais comment éviter la catastrophe. J'en ai le pouvoir, je vais essayer, avec d'autres, les Experts de Warriors of Time…

Il me fixe de ses pupilles trop dilatées, qui envahissent toute sa prunelle bleue. Son visage est aussi translucide que celui d'un fantôme sans couleurs.

– T'es encore plus cinglé que tous les survivants réunis, et j'en ai vu, des mecs péter les plombs, crois-moi. Jules, putain, ton jeu vidéo t'a tapé sur le système, les parents avaient raison de s'inquiéter. C'est fini, STOP, il n'est plus question de se battre pour quoi que ce soit. Y a plus d'espoir, là, c'est la fin du monde. Le seul truc, c'est que je ne sais pas pourquoi nous, on n'est pas encore morts.

Il sort la boîte à bijoux de maman d'un tiroir.

– Ah, la voilà !

– Non ! Ne lui prends pas ça ! Arrête ! Tu ne peux pas lui faire ça ! Elle y tenait plus que tout.

– Elle ne voulait jamais rien donner de toute façon ! Maintenant, lâche-moi, tu n'as aucune leçon à me faire !

– Ces diamants lui viennent de mamie.

Je lui fais face.

– Laisse-moi passer.

– Non.

Il essaye de me frapper avec le coffret en bois. J'esquive. Il attaque de nouveau, me balance un coup sur la tête.

Ça résonne dans mon crâne. Je titube. Et puis, il y a ce rat dans le tiroir que mon frère a laissé ouvert, ses moustaches frémissantes, ce sale rat qui se vautre dans les foulards de ma mère. Je hurle, je l'attrape par le ventre et le lance au visage de Pierre.

– Arrête, t'es malade, mec !

Mon frère recule, le visage strié de griffures. Je ne suis plus vraiment moi-même. Envahi d'un flot de rage. Je ne veux pas avoir peur. Je me jette sur Pierre en criant, le saisis par le cou. Il attrape mes poignets et m'oblige à desserrer mon étreinte, il m'assène un coup de tête en plein nez. Le sang jaillit. Il me pousse violemment, je m'écroule, me cogne contre l'angle du meuble. Il me martèle le ventre de coups de pied. Je suffoque, je ne suis pas fort, non, je suis juste trop gros, trop massif et sonné. Mon frère reprend le coffret. Je distingue vaguement sa silhouette qui s'éloigne. Sale drogué, je pense en essuyant avec mon poignet le sang qui coule de mon nez, sale voleur, je renifle, « sale voleur ! » je crie, « sale drogué » je crie encore, et la voix enrouée, la voix qui s'étrangle : « Mort vivant ! »

J'attends que la tête me tourne moins avant de me relever doucement, mes jambes ne me portent pas, mais je ne sais pas si c'est de faiblesse ou de désespoir. Mes jambes ne me portent pas parce que je ne veux pas tenir debout. Mes jambes ne me portent plus parce que je ne veux plus avancer. C'est trop dur. Je suis trop seul.

La nuit tombe. J'allume ma torche avant que l'obscurité ne soit totale. Le faisceau vacille, les piles sont déchargées. Il me faut des piles neuves. Dans les ténèbres, tout vire au cauchemar, les dents des rats s'allongent, leurs prunelles s'exorbitent. Je cours jusqu'à l'entrée, rentre mon caddie et m'apprête à fouiller dedans, quand un gros rat gris s'accroche à ma cheville : je hurle et me débats pour m'en débarrasser. Je tire le caddie jusqu'à ma chambre : j'ai laissé la porte fermée, aucun rat n'a pu s'y introduire. C'est mon seul refuge. J'entre et referme derrière moi. Où est mon Lego ? Caché sous le lit.

– Viens me voir, bébé chat, viens.

Je le serre dans mes bras et le caresse sous le cou, il est aussi tremblant que moi.

– Qu'est-ce qu'on va devenir, hein, mon chaton ?

Est-ce qu'on va mourir, bouffés par des rats ? Ou alors, je suis déjà mort.

Il est parti où, bordel, mon frère ? J'étouffe. Peut-être que ça serait plus simple de mourir. De disparaître. De me vider de mon sang en quelques heures, comme tout le monde.

Une nausée m'envahit, je touche mon front trempé, ça y est, j'ai le virus, je vais bientôt ressentir les premiers symptômes. Je regarde ma main : ce n'est pas du sang, juste de la sueur. Me calmer. Je dois me calmer. Je n'ai pas été contaminé. Respirer régulièrement. Lego vient me lécher le visage. Je le blottis contre moi et je pleure. Je pleure sans m'arrêter. Je ne peux plus arrêter mes larmes. Maman, papa, au secours, ne m'abandonnez pas tout seul comme ça. Pierre, où es-tu ? Reviens, toi aussi, je t'en prie, je t'aiderai. On s'aidera.

Affalé sur mon lit, dos au mur, je projette le faisceau de ma torche sur les moulures du plafond, étranges décors végétaux d'une autre époque.

Et mes grands-parents ? Se pourrait-il qu'ils aient survécu, isolés dans leur campagne ? Je n'ai plus de nouvelles d'eux, mais ils sont peut-être encore vivants.

Coupés du monde, mais vivants.

Le rythme de ma respiration se régule.

Ce sont les derniers que j'ai réussi à avoir au téléphone, impossible de me souvenir quand précisément. La chronologie des deux dernières semaines ne s'est pas ancrée dans la réalité du temps ni dans celle de ma vie, elle suit un cours parallèle. Je ne compte plus les jours depuis des jours. Les seuls repères qui m'aident à élaborer une vague temporalité sont sonores : il y a eu la première phase de cris, de chutes, de bruits incessants de sirènes. Elle n'a pas duré longtemps, cinq jours peut-être, du 22 au 26 octobre. C'était avant de voir les corps s'entasser sur les trottoirs. Je n'y croyais pas encore, à cette histoire de virus.

Je crois que c'était le 21 ou le 22, j'ai appelé mes parents, tout allait bien, ils avaient eu une grosse journée de salon à Hong Kong. Je suis allé au collège, Pierre au lycée. Il a profité de leur absence pour fumer un joint au petit déjeuner, ce qui m'a particulièrement écœuré.

Au souvenir de ces premiers bruits s'associent les scènes, irréelles, observées par la fenêtre, celles d'humains vivants déposant des humains morts sur les trottoirs avant de mourir à leur tour ; celles des dernières infos captées sur iTELE et BFM TV, toujours les mêmes images de catastrophe, des gyrophares, des pompiers, des policiers, des ambulances, des militaires, des spécialistes en blouse blanche dans des laboratoires, des médecins évoquant un virus inconnu devant des présentateurs hochant la tête d'un air effaré, sans sourire du tout. En bas de l'écran, un ruban faisait défiler les nouvelles les plus récentes de l'épidémie, le nombre de victimes, le bilan qui s'alourdissait minute après minute : *La pandémie, d'origine inconnue, prend de l'ampleur… L'épicentre se situe aux Pays-Bas, à Utrecht… Le filovirus U4 a une prévalence à 82 %, une mortalité de 98 %…* Ces pourcentages m'épouvantaient, m'asphyxiaient, j'avais éteint la télé.

Après, je m'étais connecté à Internet pour en apprendre un peu plus : toutes les vidéos montraient des tas de cadavres à même le sol dans les rues, des rangées de dépouilles dans le monde entier, des morts en direct, des usines nucléaires à l'arrêt, des hommes avec des masques de protection, des foules en panique que des militaires n'arrivaient pas à contenir.

J'avais arrêté YouTube.

Trop cauchemardesque.

Et maintenant je suis isolé sans Internet, sans télévision, sans personne et sans plus rien savoir.

Mes grands-parents, je les ai eus en ligne avant la coupure de téléphone. Je crois bien que c'était il y a une semaine déjà, je continuais d'essayer à tout prix de joindre mes parents et tombais à chaque fois sur les répondeurs de leurs portables. J'avais essayé d'appeler Jérôme et Vincent, mes potes du collège. Rien non plus. Mais mon grand-père, miracle, avait décroché. « Jules, mon petit, tu es vivant ? Comment vas-tu ? » m'avait-il demandé d'une voix vibrante d'anxiété. Je leur avais raconté ce que je vivais du haut de mon cinquième étage, leur avais demandé s'ils avaient des nouvelles de papa, maman,

Pierre. Ils n'en avaient pas, ils restaient cloîtrés chez eux. Je n'en pouvais plus d'être tout seul à la maison, j'avais chialé comme un môme, gémi que j'avais trop peur, que j'allais prendre le train pour venir les retrouver à Milly-la-Forêt. «Non, mon lapin, c'est trop dangereux, ne sors surtout pas de l'appartement, surtout pas, attends les ordres de l'armée, ils sauront quoi faire pour stopper la pandémie. Et rappelle-nous demain», voilà ce qu'il m'avait répondu, paniqué par la perspective que je sois contaminé.

Depuis, je n'ai plus réussi à joindre mes grands-parents, j'ai appelé dix, quinze, vingt fois peut-être. Rien. Même pas de tonalité.

Puis la radio a cessé de fonctionner, le son s'est brouillé. Et la télé a suivi. Rien ne captait, aucun canal. Et enfin Internet.

Le monde se transformait, je ne sortais pas.

Le monde s'effondrait, moi j'attendais.

Mon frère m'abandonne, je suis plus seul que jamais.

Je me souviens des conserves et des confitures de ma grand-mère, que je goûtais avant tout le monde.

Ils ont largement de quoi tenir tout l'hiver.

Le monde s'effondre, et moi je vais les rejoindre.

18 NOVEMBRE, MILIEU D'APRÈS-MIDI

Porte d'Orléans, je zigzague à vélo entre les voitures à l'arrêt, le poignard de tranchée de mon arrière-grand-père dans ma poche. Je suis en mode Spider Snake depuis que j'ai découvert les corps vidés de leur sang de mes grands-parents dans leur salon.

Je suis le Nettoyeur, comme le fut mon arrière-grand-père pendant la guerre de 14-18, le nettoyeur de tranchées.

Il m'a fallu trois jours pour pédaler jusqu'à Milly-la-Forêt, j'ai commencé par emprunter l'autoroute A6, où je progressais au milieu des voitures abandonnées pour l'éternité comme autant de tombeaux à ciel ouvert ; j'ai traversé des villages puants, sans autre son que les cris des charognards, des chats sauvages et des chiens errants. Et j'ai trouvé le chemin de Milly, la maison de ma famille, puis les corps décharnés de mes grands-parents adorés.

Je m'en suis voulu d'avoir cru possible qu'ils aient survécu. J'ai maudit le virus, hanté par l'écho hystérique des paroles de Pierre : « Maman est morte, tous les adultes sont morts ! » J'ai pris une bêche, creusé un grand trou dans la terre dure, déposé leurs chers corps ; je leur ai dit au revoir, à bientôt, que la Terre vous protège, je vous reverrai, à bientôt.

Je suis resté une semaine chez eux, puisant dans leurs réserves abondantes, ils étaient précautionneux.

Et un jour, je me suis souvenu du Poignard.

Cette arme qui avait appartenu à mon arrière-grand-père m'avait toujours fasciné. Mon grand-père la glissait parfois hors de son fourreau, et me la montrait ; il frôlait de son doigt la lame de métal au bout acéré comme un gros clou : « Ce couteau a été réalisé à partir d'une pointe de baïonnette, il fallait une arme plus petite, plus facile à manier pour tuer l'ennemi dans les tranchées, et voilà comment est né le poignard de tranchée ! » Il mimait le mouvement basique qui consistait à enfoncer d'un seul coup horizontal la lame dans le corps de l'adversaire. Mais gare à moi, pas de bêtise, je n'avais pas le droit d'y toucher sans lui. Interdit. Trop dangereux, trop tranchant. Ce couteau avait alors la taille de mon bras d'enfant.

Quand j'ai sorti le Poignard de son étui, j'ai su que cette pique, longue d'une quarantaine de centimètres, serait mon arme de Guerrier. Je serais désormais le Nettoyeur. Je me suis répété en boucle le dernier message de Khronos. Retourner dans le passé, c'est le seul espoir auquel me raccrocher. Je veux y croire. Éviter la catastrophe, « vaincre le virus », c'est possible, grâce à nous, les meilleurs joueurs de WOT.

Depuis, je refoule ma terreur. Avec les autres Experts, nous serons invincibles. Parce que, quand je joue, je me sens bien, je suis fort, j'ai des idées, j'existe, je suis

reconnu et reconnaissable : je suis Spider Snake, le merce-
naire respecté, craint et insoumis.

Et parce qu'on est les combattants les plus puissants,
Khronos nous propose de modifier le cours du temps, de
prévenir le Mal. Il n'y a rien de fou, rien d'aberrant, rien
d'anormal à cela.

C'est logique, au contraire, tout se tient.

J'ai bêché la terre, ramassé des poires, puis j'ai eu si
peur des ténèbres la nuit que j'ai épuisé leurs réserves de
bougies et de piles de torche.

Je suis reparti.

J'ai repris la route vers Paris, traversé de nouveau les
villages nauséabonds, saccagés par les sangliers, envahis
de rats, de meutes de chiens, de chats, de renards ; je me
suis nourri des restes amoncelés par terre dans les stations-
service aux devantures fracassées ; j'ai bu des dizaines de
canettes de soda ; dormi sur des sols collant de crasse et
de poussière. J'ai mis seulement deux jours pour revenir.

Et voilà, maintenant, je fonce à vélo, je remonte l'avenue du Général-Leclerc, où les cadavres me semblent
moins nombreux qu'à l'aller. Je veux arriver à l'appartement avant la nuit, et il est déjà 16 h 30. L'humidité froide
imprègne autant mes vêtements que l'odeur de mort.

Je suis prêt. Je connais ma mission, remonter dans le
temps avec l'aide de Khronos, comme je savais si bien
le faire sur Ukraün. J'y crois. En pédalant à toute vitesse,
je me sens pousser des ailes de héros, j'acquiers la force
d'un mutant. Une onde d'énergie m'électrise le corps.
La magie circule, c'est évident. Khronos est mon Professeur X, et je veux bien être l'un de ses *X-Men*. Je suis un

des Warriors of Time, tel est mon destin. Trois chiens déboulent devant la statue en bronze du lion de la place Denfert-Rochereau ! À croire qu'ils n'attendaient que moi pour surgir. J'accélère. Ils s'élancent droit vers moi. Flippants. Putain, ils me chargent, ils sont hyper-musclés, vigoureux, les oreilles hautes, le front large, le museau carré. Ce sont des pitbulls, je suis mal barré. Ils me bloquent le passage, s'alignent devant moi, m'obligeant à freiner d'un coup sec. Je dérape, manque de tomber, me rattrape au dernier moment et pose finalement un pied à terre. Je me contracte sur ma selle, il paraît que les chiens sentent la peur et que ça excite leur colère. Je suis en danger. Rester digne. Les mains crispées sur le guidon, j'hésite à le lâcher pour prendre mon Poignard à ma ceinture. Se positionnant en demi-cercle autour de moi, les chiens m'évaluent comme des gladiateurs. Je suis bloqué, qu'est-ce que je peux faire ? Demi-tour ? Mauvais plan, ils ont largement la force de me faire chuter, je suis une proie facile. Et ils sont rapides. Que ferait Spider Snake ? Il se servirait de son arme… Je lâche le guidon d'une main que je glisse lentement vers mon couteau, mais au même moment un sifflement strident retentit, et les prédateurs détalent simultanément, pareils à des robots, en direction du boulevard Arago, où je distingue une silhouette dans la pénombre. Je voudrais remercier le maître des chiens, mais lorsque j'essaye de crier, un borborygme enroué sort de ma gorge. Je n'ai pas parlé depuis très longtemps, j'en ai oublié le son de ma propre voix. Malgré les battements désordonnés de mon cœur, encore affolé, je repars à toute vitesse. Autant m'éloigner de ces chiens féroces.

Ce n'est qu'en bas de mon immeuble que je prends le temps de souffler et de régulariser ma respiration. Je me débarrasse de mon vélo dans le hall, m'appuie à la rampe métallique de l'escalier. Qu'est-ce qu'ils m'ont foutu la trouille, ces molosses! J'ai cru qu'ils allaient me dévorer. Je ralentis au deuxième étage, sur le palier du docteur, le pédiatre de tous les enfants du quartier. Il soignait déjà ma mère quand elle était enfant. La porte est entrouverte. Et s'il était vivant? Lui qui est médecin… Pourquoi n'y ai-je pas pensé plus tôt? Je tends l'oreille, est-ce que je rêve? Je crois entendre des gémissements. Il y a quelqu'un! Je ne suis pas seul dans l'immeuble! Je pousse la porte, traverse à grands pas la salle d'attente vide et froide, pénètre dans le cabinet: l'odeur me prend à la gorge, toujours ces effluves de putréfaction, je ne m'y ferai jamais. Le docteur est allongé par terre, à côté du réfrigérateur où il rangeait ses vaccins et médicaments. Je m'approche, la pièce n'est pas encore plongée dans l'obscurité, mais ça ne va pas tarder. J'allume ma lampe de poche et fais quelques pas vers le corps. Mince, j'ai écrasé un petit objet de verre. Je baisse la tête et découvre plusieurs seringues qui jonchent le sol. J'en ai brisé une. Des éclats de verre se sont incrustés dans ma semelle, elle est fichue. Le pédiatre est mort, je reconnais les marbrures de sa peau, qui vire au vert, le gonflement de son ventre en décomposition, les vers qui grouillent. A-t-il lui aussi succombé au cours de la dernière semaine d'octobre? Près de sa main, une seringue. Que cherchait-il à faire? Et ces plaintes de plus en plus audibles, d'où proviennent-elles?

On dirait une voix d'enfant.

18 NOVEMBRE, FIN D'APRÈS-MIDI

– Il y a quelqu'un ?

Les pleurs s'arrêtent. C'est quoi, ce délire ?

– Hé, parle ! T'es plus tout seul ! T'es où ?

Rien. Silence total. Je passe fébrilement la pièce en revue, la table d'auscultation, le bureau de chêne massif, l'armoire, le pèse-bébé, la balance, le mètre… Je ne vois personne. Est-ce que j'ai eu une hallucination ?

– J'habite au cinquième étage. N'aie pas peur, montre-toi.

L'enfant, je suis maintenant sûr que c'est un gamin, renifle.

Et c'est là qu'une toute petite fille s'extirpe de sa cachette, sous le bureau du docteur, elle s'était glissée à la place des tiroirs qu'elle avait réussi à enlever. Et la cloison verticale du meuble la dissimulait. Elle est maigre, blafarde, et me dévisage de ses grands yeux gris dans le faisceau de ma lampe. Ses lèvres sont violettes, elle doit avoir froid, il fait à peine dix degrés dans la pièce. Ses habits sont tellement sales que j'ai du mal à imaginer leur couleur d'origine, son tee-shirt a sans doute été rose un jour, son pantalon orange, ses chaussettes jaunes sont

40

trouées. Son tee-shirt est lacéré par endroits, et ses bras couverts de morsures. Sa frange est aplatie sur son front. Ses cheveux, plaqués sur son crâne et ses épaules, sont si gras qu'ils semblent mouillés. Sont-ils blonds ou châtains, impossible de le savoir tant ils sont crasseux. Autour de sa bouche, je remarque des plaques blanchâtres, sans doute des résidus de nourriture. Quel âge peut-elle avoir ? Six ou sept ans ? Je me penche sous le bureau, repère des papiers de bonbons, des miettes de chips et de gâteaux, j'en déduis qu'elle s'est nourrie avec ce qu'elle a pu trouver. Le cabinet communique avec l'appartement par une porte qui est grande ouverte. Depuis combien de temps est-elle là ? Elle tient dans sa main, noire de crasse, un petit jus de pomme avec une paille et elle porte un sac à dos mauve, décoré d'une image de Dora l'exploratrice. Elle ne lâche pas son doudou, un singe bleu aux pieds rouges.

– Qui es-tu ? Je ne t'ai jamais vue dans l'immeuble !

Pas de réponse.

– Tu connais le docteur ?

Elle hoche la tête sans un mot.

OK, j'ai compris, elle ne parlera pas. Un truc lié à la parole a dû se bloquer chez elle. Faut que je lui pose les bonnes questions, si elle ne communique que par hochements de tête.

– C'est qui ? Ton docteur ?

Non.

– Il fait partie de ta famille ?

Oui.

– C'est ton grand-père ?

Oui. Et elle baisse la tête.

– Et tes parents, ils sont où ?

Son regard est trop grave, elle ne le sait pas plus que je ne sais où sont les miens.

– Ils sont chez toi, dans ta maison ? Tu habites à Paris ?

Elle ne répond rien, ne fait aucun signe de tête. Bon, ça devient lassant, ça serait bien qu'elle dise quelque chose, histoire que je sache comment elle a survécu à l'épidémie. Et soudain elle avance vers son grand-père, saisit avec douceur la main ridée.

J'en fais quoi, moi, de cette petite fille ?

– Tu es là depuis longtemps ?

Elle tend son index vers le calendrier accroché au mur, un calendrier médical distribué par Sanofi, où je lis : *Des enfants en bonne santé, des enfants heureux.* Elle y a barré les chiffres de tous les jours passés ici ; et je réalise qu'elle est là depuis le 25 octobre. Elle a survécu toute seule pendant plus de trois semaines. Sacrée petite fille !

– Tu t'appelles comment ?

Elle ne parle toujours pas. Elle est coriace. Et si elle était vraiment muette ?

– Tu es muette ?

Pas de réponse, à peine un vague haussement d'épaules. Son visage est impénétrable. Que peut-elle ressentir ? J'ai une idée, j'arrache une feuille du bloc d'ordonnances, attrape un stylo et je les lui tends en lui demandant de m'écrire son prénom. Pourvu qu'elle sache écrire. Elle inscrit de son écriture d'enfant : *Alicia.* Puis, d'un air très sérieux, elle me montre son doudou, et note : *Lui, sai babouche.* Elle sait écrire, mais pas bien. Elle est un peu plus vieille que je ne pensais, elle doit être en CE1 ou

CE2 maxi. Babouche, ça me dit quelque chose, ah oui, c'est le singe dans le dessin animé *Dora l'exploratrice* !

– OK, Alicia, je ne sais pas où sont tes parents, je ne sais pas où sont les miens non plus, mais je crois que je connais le moyen de tout arranger. En attendant, je vais m'occuper de toi, ça te va ? Tu ne seras plus seule. Pour commencer, on va aller chercher de quoi manger. Tu viens ?

Elle ne lâche pas la main de son grand-père, lui caresse la joue. Est-ce qu'elle a compris qu'il était mort ? Comment je me débrouille pour gérer cette situation, moi, je ne suis pas psychologue…

– Alicia, il faut dire au revoir à ton grand-père maintenant, le laisser en paix, tu comprends ?

La colère dans ses yeux brillants me fait l'effet d'une gifle. Elle serre ses lèvres et la main de son grand-père, bien décidée à ne pas l'abandonner. Je m'approche de leur étrange duo et j'éclaire le corps raidi du pédiatre avec ma lampe torche, je discerne des miettes sur sa chemise : mon Dieu, oui ! La petite a essayé de le nourrir pendant les trois semaines, et peut-être a-t-elle cru qu'elle y parvenait… Elle s'est occupée de lui comme s'il était vivant. Son visage se déforme soudain sous l'emprise d'une terreur inouïe, elle met ses mains devant sa bouche pour retenir un hurlement, je me retourne, sur mes gardes, ma main déjà sur le manche du Poignard : un gros rat pointe son nez dans le cabinet. Si elle a tellement peur des rats, elle a dû vivre des nuits de cauchemar. Je braque ma torche vers elle : les entailles sur ses bras, ce sont des morsures de rats, elle en est couverte. Bon. Inspirer, expirer. Je relève la tête, calme ; pose ma lampe sur la table pour éclairer au mieux la pièce et les contemple, elle et le rat. C'est le moment d'agir. Je saute sur le rongeur et plante dans sa gorge la pointe d'acier, qui a déjà tué du rat dans les tranchées. Il succombe d'un coup. Je l'attrape par la queue, réprime ma répugnance, incompatible avec mon rôle d'exterminateur, et le présente d'une main ferme à Alicia. Elle ne perd pas une miette du spectacle, les yeux écarquillés.

– Regarde, Alicia, ce que je fais de ces sales bêtes. Avec moi, ils ne s'en prendront plus jamais à toi, je te le jure au nom du Poignard sacré de mon ancêtre ! Je te protégerai, j'en fais le serment, le premier rat qui essayera de t'approcher subira le même sort. Et ensuite, je sauverai le monde, et je te ramènerai auprès de ton grand-père, je te le promets. Viens avec moi.

Elle enlace le corps de son grand-père, insensible à l'insupportable odeur ; elle embrasse ses joues barbues ; se redresse sans un mot ; et, lentement, s'éloigne de lui, aimantée par le trophée poilu qui pend encore au bout de mes doigts. A-t-elle conscience que le monde dans lequel nous avons vécu n'existe plus ? Elle s'immobilise, toute petite devant moi, lève ses immenses yeux trop sérieux vers mon visage, prend une inspiration et saisit ma main. C'est à ce moment seulement que je laisse tomber le rongeur par terre.

Et de sentir sa confiance en moi, à travers sa menotte gelée et poisseuse, me redonne du courage. Les enfants, d'habitude, ça m'indiffère. Mais elle a un truc spécial, cette petite fille. Je vais la protéger, personne ne lui fera de mal, jamais. Est-ce qu'elle a un manteau, un vêtement chaud? Elle enfile un anorak à l'effigie de Dora l'exploratrice. Mon cœur bondit dans ma poitrine. Comme elle me paraît dérisoire, cette joyeuse petite héroïne, sur le dos d'une minuscule fillette aux immenses yeux gris teintés de points d'interrogation.

Quand je referme la porte du cabinet, elle sursaute et se retourne pour faire face à l'appartement où elle vient de passer trois semaines. Elle fixe la porte, pétrifiée. Alors je l'attrape sous les épaules et la soulève de terre, elle n'oppose aucune résistance et se laisse aller dans mes bras. Elle est si légère. Je grimpe les marches, la petite collée à moi. Et je sens ses larmes à travers mon pull. J'entends ses gémissements, qui ressemblent plus à des hoquets qu'à des pleurs. Voilà le premier son, terrible, qui sort de sa bouche. Je la serre contre ma poitrine. Pour elle, je suis un géant, un héros, un sauveur. Le Nettoyeur de Khronos a une nouvelle mission, exterminer les rats qui terrorisent celle qui est maintenant pour moi la Minuscule. Je m'immobilise au cinquième étage:

– Alicia, tu aimes les chatons?

Sa frimousse se détache de mon pull, elle pose sur moi un regard intrigué.

– Je vais te présenter Lego. Tu vas le rassurer, il est tout petit et il a très peur des oiseaux noirs qui crient trop fort dehors. Il va t'adorer. D'accord?

Elle hoche la tête, renifle, essuie de sa paume son nez qui coule. J'ouvre tant bien que mal la porte, entre dans l'appartement, il fait froid. Il va falloir allumer un feu de cheminée. Je garde la Minuscule dans mes bras jusqu'à ma chambre où j'ai enfermé mon Lego depuis plus de dix jours, avec son distributeur d'eau et de croquettes. Il a dû se sentir abandonné, mais au moins il était à l'abri des rats, de la soif et de la faim. Ses miaulements désespérés nous accueillent ; il a fini toutes ses croquettes, et les trois litières que je lui avais laissées ont un aspect peu réjouissant. Heureusement, c'est un chat de gouttière, il est résistant. Il était temps que je rentre. Pour l'instant, il m'en veut, il ne vient même pas me voir. Normal. Alicia gigote pour descendre. Je la pose par terre, elle s'agenouille près du chaton, le prend dans ses bras et le berce, son museau collé tout contre son cou. Il se blottit contre elle sans aucune hésitation. Il tremblote un peu. Alicia lui présente Babouche qu'elle installe entre ses jambes.

Tranquillisé, je les laisse faire connaissance et file récupérer de quoi boire et manger dans la cuisine. La petite en a besoin, moi aussi après mes kilomètres à vélo. L'évier est rempli de vaisselle, le sol collant d'une crasse luisante. Il va falloir en finir avec ce chaos domestique, m'atteler au rangement et au lavage des lieux. Je vérifie aussi mes stocks de bûches et d'allumettes, ils sont suffisants pour tenir une petite semaine, de ce côté-là tout va bien. Mais demain, une mission approvisionnement et mort-aux-rats va s'imposer. Je m'apprête à ouvrir une boîte de raviolis à l'aide de Poignard, quand soudain la voix fluette d'Alicia résonne jusqu'à moi : « Arrête de chiper ! Arrête de chiper ! Arrête de chiper ! » Elle répète trois fois cet ordre étrange puis c'est de nouveau le silence. La phrase qu'elle vient de prononcer avec autorité relève pour moi du mystère absolu. Je tends l'oreille : plus un bruit, plus un mot. Je transperce le couvercle de ma conserve quand un miaulement effrayé de Lego m'arrête pour de bon : cette fois, c'est sûr, il y a un problème. Je cours jusqu'à ma chambre. J'avais oublié de refermer la porte : un rat furieux est en train de mordre Alicia sous l'épaule. Ses dents sont plantées dans son bras menu. Le sang coule, elle remue pour qu'il lâche prise, mais il s'agrippe avec tant d'acharnement que, si je n'agis pas, il va lui arracher un bout de chair. Merde, j'ai oublié mon couteau dans la cuisine ! Les lèvres serrées, le visage déterminé, les sourcils froncés, la petite protège Lego, qu'elle a calé contre elle avec son autre bras. Elle m'impressionne. Elle n'abandonnera jamais le chaton. Je me glisse sous mon bureau, saisis mon skate et projette d'un coup la sale bestiole de toutes mes forces contre le mur : elle s'explose la tête, avant de retomber sur le sol. La Minuscule me scrute avec gravité, puis, fugace, éblouissant, son sourire l'illumine tout entière. Et je peux imaginer la petite fille qu'elle a été avant l'espace d'un instant. Mais c'était Avant. Cet éclat dans son regard, c'est sa manière de me remercier, j'ai tenu ma promesse, même s'il s'en est fallu de peu que j'échoue.

Elle recommence à bercer la petite boule de poils blancs et noirs.

– Alicia, il faudrait que je nettoie ta plaie et que tu te laves. Je vais faire chauffer de l'eau, d'accord ?

Elle se contente d'un haussement d'épaules.

– Et il faudra aussi changer de vêtements, j'irai t'en chercher des neufs dans un magasin demain, ceux-là sont trop sales.

Là, elle fait non de la tête et ses yeux me lancent de nouveau ces fichus éclairs de colère. Pourquoi refuse-t-elle de mettre des habits propres ? C'est quoi, son problème ?

– Mais pourquoi ? Alicia ?

Elle hausse les sourcils à plusieurs reprises, à croire que vraiment je suis un gros balourd imbécile qui ne comprend rien à rien. Elle se lève sans lâcher Lego, et c'est là que je remarque qu'elle a gardé son sac à dos mauve et que la Dora brodée sur la pochette extérieure porte un pantalon orange, un tee-shirt rose et des chaussettes jaunes. Les mêmes couleurs que celles des habits d'Alicia. Ou plutôt, je devrais dire qu'Alicia a les mêmes habits que Dora. Elle retire son sac à dos, l'ouvre et en sort un livre de *Dora*, des feutres, un carnet, une étoile en peluche bleue ciel qui crie « You hou », une étoile en plastique jaune qui s'éclaire, une autre violette dont les branches en ressorts font « dzouing-dzouing », et une bleue qui fait « pouêt-pouêt ». Certes, merci Alicia, tu as une chouette collection, et ensuite ? Elle étale toutes ses étoiles avec le sérieux d'une présentatrice scientifique, et je n'ose interrompre son rituel, car c'est ce dont il s'agit manifestement. Elle marque ensuite sur son carnet, de son écriture malhabile : *je sui Dora l'ecloratriss*. Puis elle me jette un coup d'œil, réfléchit, sourcils froncés, et écrit de nouveau : *tu ai Diego*. Ah d'accord, si elle y tient, pourquoi pas, même si franchement je préfère être le Nettoyeur. Qui est Diego déjà dans la série ? Le cousin de Dora, si je me souviens bien... Imperturbable, elle replace méticuleusement toutes ses affaires dans son sac, qu'elle remet sur son dos, puis elle s'allonge sur mon lit,

Lego tout contre elle. Sans un mot. La démonstration est terminée. Bien, bien, bien, je crois que j'ai compris, Alicia ne peut pas enlever ses vêtements parce que son costume de *Dora l'ecloratriss* lui permet de se sentir Dora, d'être Dora, et qu'elle risque de perdre cette identité si elle ne le porte plus. Bien, bien, bien, je comprends et je me résigne. C'est sa panoplie de survie.

J'allume une petite lampe électrique à pile, et je laisse mes deux petits compagnons se reposer en refermant bien la porte derrière moi. Je prépare le feu dans le salon, fais chauffer les raviolis. Demain il va falloir trouver de la mort-aux-rats, de la nourriture, des bougies et aussi du désinfectant pour les morsures de la Minuscule. Une fois rassasié, je finis de nettoyer la vaisselle, qui luit sous le halo vacillant de la pleine lune à travers la vitre sale.

Ce qui me préoccupe et risque d'être le plus ardu, ça sera de mettre la main sur un pantalon orange, un tee-shirt rose et des chaussettes jaunes.

19 NOVEMBRE, MATIN

— **A**licia, tu ne bouges pas d'ici, je te laisse la clé de ma chambre, en cas de problème, tu t'enfermes à double tour, tu as compris ?

J'attrape mon caddie et sors en bloquant le loquet de la porte. Il est 10 heures. Malgré le foulard que j'ai mis sur mon visage, la puanteur de l'avenue de l'Observatoire se glisse jusqu'à mes narines et me brûle la gorge. Un froid humide est tombé sur Paris. Les arbres ont perdu toutes leurs feuilles, comme les rues leurs habitants. Je me demande pourquoi je continue à marcher sur le trottoir, couvert de détritus, je pourrais tout aussi bien avancer dans la rue au milieu des voitures arrêtées. Mais les conducteurs et leurs passagers commencent à se décomposer sérieusement à l'intérieur, ça me fiche la trouille. Je frissonne à l'idée qu'ils se transforment tous en zombies, comme dans *World War Z*. Je vais passer par le Luxembourg, peut-être que ça sentira moins mauvais.

Une nuée de moineaux s'envole à mon arrivée. Je piétine des tas de feuilles mortes, sensation familière, devenue étrange dans ce monde inconnu. Sauter dans les flaques d'eau et les tas de feuilles, c'est possible. Rien ne me l'interdit, je pourrais le faire. Mais je n'y arrive pas : c'est trop normal, trop joyeux. Le son de mes chaussures dans les feuilles réveille en moi des souvenirs d'enfance, des échos de rires, incompatibles avec le silence trop dense qui m'entoure. Je longe la terrasse du restaurant, où traînent encore des tasses de café et des verres vides. Le Sénat de pierres blanches se dévoile devant moi, je lis machinalement les inscriptions sur l'affiche de l'exposition qui était présentée au musée de l'Orangerie :

Quatre-vingts villes et territoires vous invitent à une découverte de leurs monuments, places et lieux de vie. Par cette exposition, nous voulons rendre hommage à tous les acteurs qui, chaque jour, font vivre et revivre le patrimoine, le portent à notre connaissance, le restaurent, le renouvellent, le...

Je ne peux aller jusqu'au bout de la phrase, oppressé par l'ampleur du vide que ces mots soulèvent en moi.

Avancer. Ne pas me figer, mettre du mouvement, me libérer du poids de l'immobilité. Ou mourir. Il y a de plus en plus de corbeaux dans le grand bassin dont les eaux, de loin, paraissent aussi noires et vivantes qu'eux. Je n'ai pas vu un seul cadavre dans le parc. Ni âme qui vive ni mort vivant. J'aspire une grande bouffée d'air frais, mais je ne me débarrasse pas de ma nausée. Il y a un kiosque vert pas loin, mes parents m'y achetaient des crêpes et des ballons gonflés à l'hélium. Je m'y rends d'un pas chancelant, j'ai besoin de sucre. Tout l'étalage est resté en plan. Et personne n'a rien pris. Je suis le premier client de la journée... Client, un bien grand mot dans ce monde où l'argent n'a plus de sens. Je peux entrer dans une banque, m'approprier des billets inutiles. Quelles marchandises auront de la valeur désormais ? Les armes pour se défendre, les produits frais, les médicaments tant qu'ils seront valables ? L'image de Pierre volant les bijoux de maman me percute aussi violemment que le coup de boule qu'il m'a asséné avant de disparaître.

Je m'empare d'une canette de Coca, que j'avale en trois rasades bienfaitrices. Le manque de sucre se dissipe instantanément. Les barres de Mars, de Twix, de Lion s'entassent dans leurs présentoirs, je les fourre toutes dans mon caddie. C'est déjà ça de pris. La Minuscule va se régaler. Et j'en mange une, histoire de me caler.

Maintenant, mission « mort-aux-rats ». Un vent froid souffle sur le parc, les sculptures blanches se détachent, presque lumineuses dans la grisaille de cette journée. J'ai l'impression que la statue de Diane chasseresse, qui m'a toujours fasciné, va se baisser et frapper sa proie. Quant au lion de marbre sur la rambarde des escaliers, il semble prêt à dévorer le corbeau noir qui a osé se poser sur sa tête. Leur immobilité me paraît de plus en plus incertaine. Je vois les canines du lion pousser, le bras de la déesse se tendre. Je cligne des yeux. Mieux vaut déguerpir au plus vite de cet endroit fantomatique.

À la sortie du parc, des silhouettes traversent la place Edmond-Rostand à toute vitesse. Elles remontent vers la rue Soufflot. « Ho, attendez ! Ne partez pas ! », je leur crie. Mais quand je déboule devant la fontaine, il n'y a personne d'autre que des pigeons nerveux, des corbeaux querelleurs et des vautours médisants. Ces commères emplumées se prennent pour les nouveaux gardiens de Paris.

Est-ce bien là ma ville ?

Perché sur la montagne Sainte-Geneviève, le Panthéon impose son ombre macabre à tout le quartier. Nous l'avions visité avec ma classe de CM2. Je me souviens des tombeaux, de l'obscurité et de l'écho des chuchotements entre les murs. Je me demande ce que penserait Victor Hugo de ce chaos qui engloutit le monde...

Il faut que j'aille dans un magasin de bricolage pour trouver la mort-aux-rats la plus puissante, il y en a un grand près de la place d'Italie, boulevard Vincent-Auriol. C'est vrai que ça fait une trotte, mais je peux descendre la rue Mouffetard et remonter l'avenue des Gobelins. J'en ai pour une bonne demi-heure de marche.

Dans la rue Mouffetard, des vitrines ont été cassées, des devantures fracassées. Le vent a fait tomber les mannequins. Des journaux trempés par la pluie donnent aux pavés une allure de mosaïque. Des bouts d'os, des fragments de viande pourrie, des carcasses de poulets déchiquetées sont éparpillés par terre. Les chiens se sont servis dans les boucheries et charcuteries de la rue. Je dois conserver mon calme, faire appel à la force intérieure de Spider Snake. Il ne faut pas fléchir. Des légumes et des fruits, picorés par les moineaux, se détériorent sur les étals. Mais les pommes et les oranges sont en bon état. J'en remplis deux gros sacs et les mets au fond de mon caddie : des vitamines pour Alicia. La porte du magasin de jouets est ouverte, je ne résiste pas à la tentation d'y entrer, je choisis une poupée Dora pour la Minuscule.

Malheureusement, dans la boutique d'habits pour enfants qui se trouve à côté, je ne déniche qu'un tee-shirt rose conforme à ses exigences, me voilà bien.

Si je ne compte pas les *X-Men* et *Iron Man* qui prennent la pose sur les façades des cinémas, je ne croise personne dans l'avenue des Gobelins.

Et j'ai la curieuse sensation de parcourir la place d'Italie pour la première fois. Un métro est en arrêt sur la voie aérienne qui surplombe le boulevard Vincent-Auriol, là où se trouve le Bricomarché. Sa devanture a été brisée à plusieurs endroits à coups de hache, une ouverture plus large que les autres permet de se faufiler à l'intérieur. Mais pas moyen d'y introduire mon caddie. Je me glisse prudemment dans la fissure. Il fait sombre là-dedans. J'allume ma lampe de poche, récupère un panier avant d'arpenter les allées jusqu'à la zone des insecticides, fongicides et autres tueurs de nuisibles. Je vide l'étagère des paquets de mort-aux-rats, auxquels j'ajoute des produits contre les cafards, les termites, les puces. Au rayon animalerie, je m'approvisionne en sacs de croquettes pour Lego. Et soudain, j'entends un bruit.

Je me fige. Je ne rêve pas, il y a quelqu'un d'autre dans le magasin, quelqu'un qui fait peut-être ses courses en même temps que moi. Je diminue l'intensité de ma torche et me concentre pour identifier l'endroit précis d'où le son émane. Je tends l'oreille, il provient des rayons au fond du magasin, ceux des terreaux, pots, graines et plantes. Rien d'intéressant pour moi.

Je m'en approche le plus discrètement possible, en dirigeant le rond de lumière vers le bas, et me dissimule derrière un étalage de pots de peinture pour espionner sans être repéré. Spider Snake est méfiant, il garde de sa longue expérience de la guerre la conscience que l'Ennemi peut surgir n'importe où, n'importe quand et n'importe comment. Je décale discrètement l'un des pots qui obstruent mon champ de vision. Et là, catastrophe : je fais tomber un autre pot qui tenait en équilibre sur celui que j'ai écarté. Erreur fatale.

– Qui est là ?!

C'est le timbre inquiet d'une voix de fille. Je sors mon couteau, m'extirpe de ma cachette :

– Je m'appelle Spid… Euh, Jules, n'aie pas peur…

– Je n'ai pas peur, montre-toi !

Mais l'hystérie de son intonation me prouve le contraire. Je me dirige vers l'allée perpendiculaire et avance jusqu'à son rayon. Elle braque sa torche vers moi.

– Je te connais, toi, t'étais au collège Montaigne, non ?

– Oui ! Oui ! Toi aussi !?

J'exulte de joie, je la serrerais contre moi si j'osais. Elle m'a déjà vu, elle sait qui je suis ! Elle s'approche en tirant un caddie, elle est de petite taille, pas plus de 1,55 mètre, menue, mais oui, je la reconnais aussi, c'est Katia, on était ensemble en troisième l'année dernière et elle est passée en seconde. Dans mon souvenir, elle était plutôt mauvaise élève, comme moi, mais contrairement à moi, elle était super-délurée, bavarde, insolente. Elle était drôle, c'était le clown de la troisième B. Elle a failli redoubler, mais elle s'est rattrapée au dernier trimestre, ce qui n'a pas été mon cas. Retour au présent : Katia est là, qui me fait face. Elle ne rit pas du tout. Et elle tient un canif dans sa main droite.

– Tu fais quoi ?

– Je fais des réserves de mort-aux-rats, mon appartement est pris d'assaut.

– T'es tout seul ?

– Bah, il y a les deux Minuscules à la maison.

– Minuscules ?

– Mon chat et Alicia, une petite fille.

– Une petite fille ? Qui ? Ta sœur ?

– Ouais, ma petite sœur Alicia.

Je ne sais pas pourquoi je lui mens. Elle hoche la tête. Une ombre voile ses yeux bleus très clairs, presque diaphanes. Je remarque à quel point ses longs cheveux blonds, presque blancs, sont aujourd'hui gras ; ils pendent le long de ses épaules, sans aucun volume. Je suis frappé par la saleté de ses vêtements, que j'éclaire de ma torche ; son jean est parsemé de taches de graisse. Elle était pourtant plutôt coquette, avant. Mais c'était Avant.

– Ça va toi ? Tu t'en sors ? T'es toute seule ?

– Non, on est en bande. On s'est regroupés. On s'aide. On essaye de survivre. Tu sais, y en a plein qui ont pété un câble, ou qui veulent mourir. Nous, on se serre les coudes.

– Y a qui dans ta bande ? J'en connais ?

– Ouais, y a Jérôme et Vincent, vous traîniez pas mal ensemble l'année dernière.

Mon cœur bondit. Jérôme et Vincent, c'était mes super-potes. Mais je les ai vus de moins en moins après mon redoublement de troisième. Peut-être un peu à cause de WOT, ça les saoulait, je crois, j'y jouais trop pour eux.

– Quand tu dis que vous vous êtes regroupés, ça veut dire quoi ?

– Ça veut dire que mes parents et mes frères sont morts le même après-midi, et que moi, putain, moi, je ne mourais pas, tu comprends. Moi je restais au milieu de leurs cadavres. Et je ne voulais qu'une chose, tu sais quoi ?

Je crois que je m'en doute, sa voix chavire.

– Je voulais mourir, mourir, je voulais rester avec eux. Je me suis collée contre leurs corps, je les ai embrassés, tous, les uns après les autres, j'ai hurlé leurs noms, j'ai caressé leurs visages, ils se raidissaient, ils se marbraient de stries violettes, j'ai fermé leurs paupières, mais rien à faire, je ne mourais pas, j'étais immunisée contre ce putain de virus, et je me disais, pourquoi moi ? Et je pensais à me laisser mourir de faim pour rester près d'eux. Et puis Maïa est arrivée chez moi. Tu la connais ?

Je fais signe que oui.

– Elle était dans un état, elle aussi, les prunelles rouges, tu vois, d'avoir trop pleuré, les cheveux emmêlés, les habits n'importe comment. Elle avait perdu sa mère. Et toutes les deux, on a pleuré ensemble, on est sorties dans les rues de Paris, on a traversé les champs de cadavres, on est allées sur le pont des Arts, là où les amoureux accrochent leurs cadenas à la con sur la balustrade… Tu vois ?

Je vois exactement.

– Dans la Seine, il y avait des déchets qui dérivaient, et puis des rats qui nageaient, et des corps qui flottaient, ça faisait comme des paquets de linge sale… Mais c'était des morts, des putains de morts.

Elle se tait, renifle, s'essuie le nez avec son poignet, sans me quitter des yeux.

– On voulait sauter dans l'eau marron ensemble, on ne voulait pas vivre, mais on n'a pas réussi, bordel, on n'a même pas pu sauter. Alors on est revenues dans le quartier, on a cherché d'autres survivants. Et on est tombées sur Jérôme et Vincent.

Son histoire n'est pas si différente de la mienne, sauf qu'elle a retrouvé plus rapidement ses amis. Moi, quand je suis sorti, je n'ai croisé personne, à part les flippés devant le Panthéon.

– On s'est installés dans l'immeuble de Jérôme sur le boulevard Saint-Michel. C'est de l'haussmannien, on peut se chauffer au feu de cheminée. Et il est juste à côté du Petit Luxembourg, où on a l'intention de cultiver des trucs, quand il n'y aura plus de produits frais. Sinon on va crever. On essaye de s'organiser, enfin, on commence à peine. C'est les débuts. C'est Jérôme qui a pris la direction des opérations. Chacun sa spécialité.

– Ah… Et toi, tu t'occupes de quoi ?

– Des plantes, des graines, du jardinage.

Là, elle me dégaine un sourire incertain, et ça me fait quelque chose de très doux qui glisse le long de ma colonne vertébrale, juste de voir le sourire triste de cette fille.

– Je ne sais rien faire, alors on m'a attribué cette mission, et moi, ça me va !

– Et Vincent ?

– Il est chargé des armes. Approvisionnement, entretien, maniement.

Ça ne rigole pas, leur truc. Une organisation militaire, ça plairait à Khronos. Faudrait que je leur parle du rendez-vous du 24 décembre.

– Bon, Jules, faut que j'y aille, sinon les autres vont s'inquiéter. Tu sais quoi, viens nous voir demain, on pourrait t'accueillir parmi nous, on ne manque pas de place. Mais on manque de bras. Surtout qu'on craint le pire. Il paraît qu'il y a des bandes de salopards qui font déjà leur loi dans les beaux quartiers et veulent diriger Paris. Ils pillent tout ce qu'ils peuvent, ils ont emmagasiné plein d'armes.

– Je sais où habite Jérôme. Mon immeuble est à l'autre bout du square, à côté du lycée Montaigne. Je dois partir moi aussi, les Minuscules m'attendent à la maison.

– J'ai prévu de rejoindre Maïa à la pharmacie de l'avenue des Gobelins. Elle est préposée aux médicaments. Elle en remplit des charrettes depuis une semaine, elle en récolte un max, après elle va les classer par date et fonction. Elle s'y connaît, sa mère était pharmacienne, et elle lui a appris plein de trucs.

Nous nous approchons du store métallique, Katia le longe jusqu'à une petite porte de service qui donne sur la rue. Ah d'accord, je comprends mieux comment elle a fait entrer son caddie...

– À demain ?

– Oui, sûr...

Elle s'éloigne dans la rue. Je sors derrière elle et récupère mon caddie, ça sera plus pratique de le charger à l'intérieur. J'ai à peine mis un pied dans le magasin que Katia hurle. Il y a un grand fracas. Des grognements, des aboiements. Un bruit de lutte. Bon Dieu, qu'est-ce qui se passe ?

19 NOVEMBRE, MIDI

Je saisis une grosse pelle métallique près des caisses et me précipite dehors. Et je les vois, furieux, massifs, impitoyables : trois pitbulls qui s'acharnent sur elle. Ce sont les molosses qui ont essayé de me bouffer quand je suis rentré de Milly-la-Forêt ! Nous sommes très très mal barrés. Katia s'est roulée en boule, la tête protégée par ses bras, et ils essayent d'atteindre sa gorge. J'aperçois son canif par terre, il a roulé à quelques mètres d'elle. Elle n'a pas réussi à l'utiliser. Un des chiens me repère, gronde et montre ses crocs. Je serre la bêche, m'approche de lui, il me saute dessus avec un grognement sauvage, je lui assène un gros coup sur la tête, il s'affale dans un gémissement. Les autres me prennent pour cible. Le plus musclé me charge, je lâche la pelle, sors mon Poignard, essaye de le piquer avant qu'il n'ait le temps de me mordre. Mais il esquive, je le touche à peine au flanc, il n'a qu'une petite éraflure. Il est vigoureux et malin, il me tourne autour. Aucune chance de les semer en courant, ce sont des animaux de combat.

Et ils doivent être affamés pour attaquer comme ça.

Il y a le canif à un mètre, dont l'acier luit sur le béton.

Le pitbull se rue sur moi, cherche ma gorge. Merde, le Poignard m'échappe des mains. Nous faisons un roulé-boulé. Je m'échine à laisser mon visage hors de portée de ses griffes et de ses mâchoires. Si, pour une fois, mon poids de déménageur pouvait me servir à quelque chose… Il me mord le bras, je me dégage, le serre par le cou, le plaque au sol, l'enjambe, applique tout mon corps sur lui, serre ses flancs entre mes genoux et mes coudes. Je l'attrape par la nuque, bloque sa tête en arrière. Il est immobilisé. Pour le moment. Je faiblis de seconde en seconde. Un gémissement me fait lever les yeux: une silhouette en contre-jour a réussi à planter l'autre pitbull avec le canif. Le nouvel arrivant est plutôt grand. J'entrevois le visage de Katia, où les larmes et le sang se mélangent. Notre sauveur ne s'attarde pas près d'elle. Il bondit jusqu'à moi et plante son couteau dans le cou massif de l'animal dont je sens le corps s'affaisser. Épuisé, je m'allonge par terre, le dos sur le béton, et reprends mon souffle, le cœur battant à tout rompre. Les yeux vers les nuages, qui me paraissent à cet instant plus vivants que la ville morte. La tête de notre héros s'interpose dans mon champ de vision, entre moi et le ciel; et je le reconnais tout de suite, son visage fin, ses pommettes saillantes, ses yeux gris-brun, comme enfoncés dans leurs orbites, les cheveux coupés ras, les épaules larges. C'est Jérôme.

– Salut Jules, ça me fait plaisir de te voir, la vache, que tu sois vivant, c'est…

Sa voix s'étrangle sous le coup de l'émotion. Je souris, trop content moi aussi de le retrouver, mon ami. Et je m'accroche à la main qu'il me tend pour m'aider à me relever. Il me serre dans ses bras. C'est bon, sa présence. Ça me réchauffe au fond de moi, là où tout est glacé, là où quelque chose est mort. C'est comme un souffle d'air qui me regonfle le cœur.

– Jérôme, tu es ?… Tu as… ? Tes parents ? Ta sœur ?…

Il s'assombrit, ses lèvres tremblent un peu et, l'espace d'un instant, son visage n'exprime qu'un immense désespoir, qui me vrille le cœur. Il fouille mon âme de ses yeux ténébreux, où je lis une volonté farouche de survivre, comme une promesse qu'il aurait faite à quelqu'un. Je comprends sans qu'il ait besoin de me le dire qu'ils sont morts tous les trois, son père, sa mère et sa sœur. Mais je comprends aussi qu'il ne donne pas au désespoir le droit de s'accrocher à ses basques. Un hurlement inhumain nous tétanise sur place :

– Mes chiens ! Ordures ! Monstres ! Vous les avez tués ! Je me vengerai. Nous reviendrons, on vous massacrera ! Tous ! Bande de minables ! Vous ne savez pas à qui vous avez affaire. Vous n'avez aucune idée, aucune idée de notre force, nous sommes nombreux ! Plus nombreux que dans vos pires cauchemars !

Encore flageolant, je sonde les profondeurs de la place d'Italie pour essayer de voir à quoi ressemble ce Maître des chiens, aux intentions beaucoup plus hostiles que je ne le pensais. Mais il est trop loin. À sa voix, je ne lui donne pas plus de quinze ou seize ans. Jérôme s'élance pour le poursuivre, mais l'autre s'enfuit dans les rues, insaisissable.

– Reviens quand tu veux, Démon, on sera là pour te recevoir, toi et tous les autres Dévoreurs… maugrée-t-il.

Un bruit sourd sur le sol nous fait nous retourner simultanément : Katia s'est évanouie.

Jérôme s'assoit près d'elle, pose délicatement sa tête sur ses genoux.

– Jules, fonce chercher Maïa à la première pharmacie de l'avenue des Gobelins, qu'elle rapporte de quoi la désinfecter, la panser, et même des antibiotiques.

Guère rassuré par l'éventualité de me retrouver face à d'autres molosses, je traverse la place, faisant fuir les rats à grands coups de basket. Faudra que je ressorte mes Doc Martens, ma mère a fait poser des protections métalliques sous leurs talons, elles seront plus efficaces pour éclater les rongeurs. Devant la mairie du 13e, une fille énergique tire un gros caddie rempli de médicaments. C'est Maïa. Son visage se fige de stupeur :

– Jules ?

Je hoche la tête sans un mot.

– Ça va ? Tu t'en sors ? Tu…

Elle s'arrête en pleine phrase, m'attrape brusquement le poignet :

– Qu'est-ce qui t'est arrivé ?

Quoi ? À moi ? Mais je vais bien… Quoique, sa question me fait prendre conscience d'une vive douleur au bras gauche, je baisse les yeux : une tache de sang s'agrandit sur ma veste. Je défaille, j'ai la phobie du sang. Je m'appuie contre le mur de pierre et murmure :

– Katia, elle a besoin de soins. On a été attaqués par des pitbulls. Vite ! Elle est de l'autre côté de la place.

Je me laisse glisser le long de la paroi et m'assois, les fesses sur le bitume.

– J'y vais, j'ai tout ce qu'il faut. Attends-moi là, je reviens m'occuper de toi ensuite.

Elle s'éloigne de sa démarche dynamique de grande sportive, elle nous battait tous à la course de vitesse, et c'était de loin la meilleure d'entre nous en cours de gym. Je m'allonge, ferme les yeux un instant. Pourquoi je suis encore vivant ? Pourquoi je dois vivre tous ces trucs ?

La vision des morsures de la Minuscule se télescope avec celle de Katia évanouie, il faut que je désinfecte ma petite elle aussi. Ces rongeurs transportent de sales maladies. Je ferai une halte dans une pharmacie sur le chemin du retour. Je me relève, aux aguets. Mon Poignard ! Je l'ai oublié sur le champ de bataille. Et mon caddie, devant le Bricomarché.

– Jules !? T'es où ?

Je reconnais la voix de mon pote. Ils approchent tous les trois, Maïa et Jérôme soutiennent Katia à moitié inconsciente, sa joue couverte d'un énorme pansement.

Jérôme me donne mon arme, je le remercie d'un bref mouvement de tête. Maïa se penche vers moi :

– Montre ton bras…

Ses boucles brunes frôlent mon visage.

– Ton vaccin contre le tétanos est à jour ?

– Je crois, ouais. Je vérifierai sur mon carnet de santé.

– Bon. Laisse-moi faire. J'ai mon brevet de secourisme et je m'y connais.

Je hoche la tête, elle m'inspire confiance, elle a l'air sûre d'elle. Je me souviens qu'elle vivait seule avec sa mère et qu'elle passait beaucoup de temps dans sa pharmacie.

Elle faisait ses devoirs sur un bureau que sa mère lui avait installé dans la pièce où étaient entreposés les stocks de médicaments. Parfois, elle l'aidait en allant chercher les commandes. Elle connaissait les noms des médicaments et leur fonction… Jérôme pose sa main sur mon épaule :

– Maïa, c'est notre Apothicaire, Jules. T'es entre de bonnes mains.

Elle roule la manche de mon pull, je serre les dents pendant qu'elle nettoie délicatement le sang qui coule sur mon bras.

– Eh bien, il ne t'a pas loupé, le pitbull ! Il est bien dressé.

Elle applique des bandes stérilisées sur la plaie, maintient la pression « pour stopper l'hémorragie », examine de nouveau :

– Le sang ne coule plus. Je vais pouvoir désinfecter avec l'eau de Dakin. Pas besoin de points de suture. Je te fais un bandage, tu le changes matin et soir et tu nettoies avec soin.

Je ferai tout ce qu'elle me dira de faire. Jérôme pose une question à voix basse à Katia :

– Tu as trouvé ce que je t'ai demandé ?

Je n'entends pas sa réponse, qu'importe, ça ne me concerne pas ; ce qui m'inquiète, c'est le temps qui passe, et ma petite qui est seule avec des rats pas loin.

– Faut que je rentre chez moi, la Minuscule va s'inquiéter.

– La Minuscule ?

– Je t'expliquerai.

– OK. Viens nous voir demain, Jules, me propose Jérôme.

Plus pâle que jamais, Katia me scrute. Le sourire qu'elle esquisse se transforme en rictus de douleur, mais elle réussit à murmurer :

– Mec, toi, tu seras le Plaqueur.

Cette agression a failli la tuer, et elle a la présence d'esprit de me coller un drôle de surnom.

– Euh... le Plaqueur ? Je suis déjà Spider Snake le Nettoyeur.

Jérôme me fait une chiquette sur le crâne et s'esclaffe :

– T'es toujours branché sur Warriors of Time, Spider Snake !

Je souris, s'il savait ! Malgré l'ironie de sa remarque, il y a plein de tendresse dans sa voix.

– Jules, tu as quand même réussi à plaquer un pitbull. T'es balèze.

C'est vrai, je réalise mon exploit. Je n'ai pas été fichu de me battre contre mon frère, mais là, j'ai été fort, c'est l'avantage de ma morphologie.

– Tu as sauvé la vie à Katia, Jules.

Le respect dans l'intonation de Maïa me paraît à peu près aussi irréel que tout ce qui constitue ma vie depuis près d'un mois. Maïa, c'était la fille dont tout le monde était amoureux, on fantasmait tous sur elle ; je n'ose même pas lever la tête, craignant de rougir ou de me liquéfier sur place si la moindre étincelle d'admiration brille dans ses yeux marron si foncé qu'ils sont presque noirs. Je me relève :

– Merci, Maïa.

Je dois retourner chercher mon caddie boulevard Vincent-Auriol et me procurer de quoi nourrir et désinfecter Alicia avant de rentrer.

Ça fait plus de deux heures que j'ai laissé Lego et Alicia à la maison. Pourvu qu'il ne leur soit rien arrivé.

J'accélère jusqu'à mon immeuble.

L'odeur de putréfaction dans la cage d'escalier est encore si dense qu'elle me soulève l'estomac. Je ferais bien de transporter tous les cadavres en décomposition hors de leurs appartements si je veux vivre ici. Première mesure d'urgence : exterminer mes ennemis rongeurs. En disposant mes sachets de mort-aux-rats à tous les étages, je réfléchis : et si la Minuscule, Lego et moi, on intégrait tous les trois la bande de Jérôme et Vincent ?

Les rats ne me fuient même pas dans la cage d'escalier : tenez, saletés, régalez-vous de ce que le Nettoyeur vous a rapporté, des bonbons roses qui vont vous transporter en droite ligne au paradis des rongeurs.

J'entrouvre la porte de ma chambre : Alicia dort en position fœtale, Lego blotti entre son ventre et ses jambes. Les fines moustaches de mon chaton vibrent, sa petite tête se soulève. Il bâille et cligne des yeux en signe de salut, mais ne daigne même pas se déplacer pour m'accueillir. Ils se sont adoptés, la Minuscule et lui. Ils sont dans leur bulle. Et moi je veux que personne ne la fasse éclater, cette bulle. Je relève la manche d'Alicia pour observer sa morsure en haut du bras. Je n'ai pas le savoir-faire de Maïa pour évaluer les progrès de la cicatrisation. Un sentiment d'impuissance me submerge et, tout à coup, il me semble effectivement plus raisonnable que nous nous installions dans l'immeuble de Jérôme.

Sous son épaule, la trace est bien nette, rouge, la blessure ne saigne plus. Ce n'est pas gonflé. Je mets de l'antiseptique sur la plaie de ma petite, qui gémit dans son sommeil.

Je les couvre tous les deux de ma couette, il fait 15 degrés maximum.

Cet appartement est vraiment trop crade. Cet après-midi, je suis le Nettoyeur au sens propre. C'est sûr, ma mère hallucinerait de me voir ranger, dépoussiérer, astiquer.

Et lorsque la nuit tombe, Alicia est toujours dans les bras de Morphée et toujours accoutrée de son déguisement poisseux et défraîchi de Dora. A-t-elle pu dormir plus d'une heure de suite pendant les trois dernières semaines ? Je ne la réveille pas et j'avale une boîte de conserve de raviolis froids. Je suis crevé.

Je me déshabille dans la salle de bains : un mince filet d'eau froide sort des robinets. Tant pis, j'ai besoin de me sentir propre, je me lave en frissonnant. Puis, ma torche dans la main, mon Poignard sous mon oreiller, je me fourre enfin sous la couette moi aussi, dans mon lit, où nous dormons tous les trois tête-bêche.

Et dès que je n'agis plus, les mêmes pensées obsédantes déboulent sans prévenir : pourquoi je suis vivant, pourquoi je vis tout ça ?

Les yeux grands ouverts, je guette des assaillants, prêt à bondir. Et ma peur du noir s'insinue, pernicieuse... Je n'ose plus faire un mouvement, persuadé qu'un zombie va attraper ma main si je la sors de la couette. Je ne dois pas me laisser aller, il faut que je me contrôle. La Minuscule a besoin que je sois fort. Un jour, j'étais petit, maman m'avait dit de chanter pour vaincre ma peur. Chanter. Je n'en peux plus d'avoir peur tout le temps, je veux revenir en arrière. Notre seule chance de réussir, c'est l'appel de Khronos. Chanter. *Tu vois, moi aussi j'ai peur, j'ai peur en permanence qu'on m'annonce une catastrophe ou qu'on m'appelle des urgences. Mais on a la chance d'être ensemble, de s'être trouvés tous les deux, c'est déjà prodigieux. Alors, haut les cœurs, haut les cœurs, on peut encore se parler, se toucher, se voir...* Qu'est-ce que j'ai pu l'écouter, cette chanson de Fauve, « Haut les cœurs » ! Je suis fatigué, trop fatigué pour résister au sommeil...

20 NOVEMBRE, MATIN

Il fait déjà jour quand je me réveille. Assise en face de moi, la Minuscule me fixe de ses yeux gris ; peut-être sont-ils bleus, et l'ombre de ses longs cils leur donne-t-elle cette couleur déconcertante ? Il y a quelque chose qui ne va pas, je me redresse brusquement, ses iris sont trop brillants, ses joues trop rouges, je jette un œil vers son bras : il est enflammé, gonflé autour de la morsure. Je touche son front : brûlant ! La blessure s'est infectée. Il faut que Maïa la soigne d'urgence, pourvu qu'il ne soit pas trop tard. Je ne dis rien, ce silence nous convient. Je fourre Lego dans sa caisse malgré ses miaulements indignés, je la porte en bandoulière et prends Alicia dans mes bras : direction l'immeuble de Jérôme.

Je me rends compte au bout de quelques minutes de marche que la petite pèse quand même son poids, mais j'y suis presque. L'immeuble n'est pas loin, de l'autre côté du Petit Luxembourg, à la toute fin du boulevard Saint-Michel.

La Minuscule geint. J'ai l'impression que sa température augmente un peu plus à chaque seconde. La perdre n'est pas envisageable.

Mais je n'en peux plus, si je ne m'arrête pas, je vais m'écrouler. Je me repose quelques minutes sur un banc du square, Alicia repliée contre moi. Lego miaule comme s'il était en train de subir la pire des tortures et me lance des œillades furieuses et revendicatrices à travers les parois de son panier. Je souffle un peu, Lego, tu permets ? La Minuscule est trempée de sueur, elle va avoir besoin de boire, il faut s'hydrater deux fois plus quand on a de la fièvre. Elle est si fragile, si le Maître des chiens traînait dans le coin, ses pitbulls ne feraient qu'une bouchée d'elle.

Courage, il faut repartir, il ne me reste plus qu'une centaine de mètres à parcourir jusqu'à l'immeuble de Jérôme. Je me lève trop brusquement, un vertige m'oblige à me rasseoir, un voile noir m'obscurcit la vue, je ne tiens plus debout, je n'ai pas assez mangé depuis hier. Je ferme les yeux pour atténuer la sensation d'étourdissement, et lorsque je me redresse avec une lenteur digne de mon grand-père, un adolescent est planté devant moi. C'est le gars vêtu tout en noir, à l'allure fantomatique, qui errait devant le Panthéon ! Une lueur flippante brille dans ses yeux égarés, qui me rappellent les complices de Magnéto dans les *X-Men*. Le seul truc rassérénant, c'est qu'il a un duvet pas très classe au-dessus des lèvres, et ça fait déjà moins mutant. Il a peint des bandes noires sur son visage, dans le genre Indien, et ses cheveux sont plaqués en arrière par une quantité impressionnante de gel. Je reste quand même sur mes gardes, serre plus fort la Minuscule contre moi. Le Sioux et moi, nous nous jaugeons sans un mot et sans un geste. Je ne saurais dire combien de temps dure notre face-à-face. Ami ou ennemi ? Spider Snake s'éveille en moi, prêt à dégainer le Poignard, à chercher une échappatoire parce que tout se complique avec Alicia dans les bras. Et c'est l'Indien qui brise le silence entre nous :

– Nous avons été choisis. Ceux qui ont survécu ont été choisis par Celui qui décide de tout.

Il n'a pas encore complètement mué, sa voix monte dans les aigus en fin de phrase. Je déglutis, la gorge de plus en plus sèche, malgré le froid humide. Qu'est-ce qu'il raconte ? Il a pété un câble, l'Apache. Il tend la main vers la Minuscule dans les vapes. Heureusement, elle ne peut pas le voir, sa tête repose sur mon épaule. Je recule instinctivement d'un pas, me cogne au banc, trébuche, déséquilibré par le corps d'Alicia et le casier de Lego.

– Toi, donne-moi la petite fille. Il faut faire un sacrifice.

– T'es malade !

Je suis coincé entre le banc et lui, qui me menace avec un gros couteau, je parie qu'il l'a récupéré dans la cuisine de sa mère, elle devait couper la viande avec, rien à voir avec mon Poignard de tranchée. Son expression de plus en plus hystérique et le rictus qui déforme son visage anguleux m'inquiètent davantage. Je dois éviter qu'il nous blesse d'un geste incontrôlé. Il faut que je gagne du temps. Avec la petite sur moi, je n'ai aucune chance de le vaincre, et ce mec est bien capable de nous tuer. Mieux vaut dévier son attention :

– Pourquoi tu veux ma sœur ? Elle a de la fièvre, je vais la faire soigner.

– Le Monstre a besoin de la vie des Petits pour rétablir la Paix. Il a besoin de se nourrir.

– Quel monstre ?

– Le Monstre des ténèbres, celui qui a envoyé l'épidémie.

Je frissonne malgré moi, même si cette histoire de monstre ne me préoccupe pas plus que ça. Bon, maintenant, comment échapper au Sioux fou ?

– Donne-moi la petite fille. Il attend, il faut la sacrifier avant la nuit. Pour assouvir sa faim. Je vais préparer le bûcher.

Le bûcher ? Et puis quoi encore ? Il a trop joué à des jeux d'*heroic fantasy*, lui. Il croit peut-être qu'on est au Moyen Âge ?

– Dis-moi, mec, il n'est même pas 10 heures du matin, on a du temps devant nous avant que la nuit tombe, tu ne veux pas attendre que je la guérisse avant de la donner au Monstre ? Il pourrait mal digérer un corps d'enfant malade.

Il ne répond pas, je prie pour qu'il soit séduit par la cohérence imparable de ma proposition. Je me concentre pour contrôler les tremblements de ma voix et de mes mains. Faire comme si sa requête était légitime, comme si je validais son histoire de monstre assoiffé de sang. Tout en parlant d'un ton neutre, je me décale lentement mais sûrement d'un pas transversal le long du banc, encore une enjambée et je ne serai plus bloqué. En attendant son verdict, j'essaye d'élaborer un plan. Si je tentais de lui broyer le pied avec mes Doc Martens aux semelles renforcées ? Non, mauvaise idée. Je n'ai vraiment pas eu de chance qu'il tombe sur moi, l'Apache fou… Mais oui, je sais… Un déclic se fait dans ma tête, sa folie c'est aussi ma chance. Ma seule chance de nous sortir de là.

Il tient son couteau de boucher dans la main, et ses yeux agités ont manifestement du mal à se fixer long-temps sur un même point.

– Essaye pas de m'embobiner avec tes plans foireux de maladie. Donne la petite.

– OK, tiens, prends-la.

Je lui tends brusquement Alicia toujours endormie. Il est surpris par la rapidité et la brutalité avec lesquelles je lui balance la petite contre le ventre, il titube en tentant de la maintenir contre lui d'un bras et ne sait plus quoi faire de sa main crispée sur son couteau. Je profite de ce moment de déséquilibre pour lui arracher son arme et la pointer aussi sec sur son cou. Retournement de situation, j'ai pris le dessus sur l'adversaire.

– Et maintenant, tu vas faire exactement tout ce que je te dis. Écoute-moi bien, espèce de malade mental, tu vas porter cette petite fille jusqu'à l'endroit où je dois la faire soigner et, au moindre faux pas, je te tranche la gorge. C'est compris ?

À lui de hocher la tête sans protester. Penaud, l'Apache du bitume, l'Indien de seconde zone.

Je maintiens fermement la pression du couteau contre son artère jusqu'à l'immeuble de Jérôme. Nous tombons pile sur Maïa et Katia, toujours aussi livide mais debout, la joue encore couverte d'un pansement suintant. L'Apothi-caire remarque soudain mon Poignard et recule d'un pas :

– Qui c'est, lui ?

– L'Indien fou, il voulait sacrifier Alicia à celui qu'il appelle le Monstre de Paris.

Les épaules voûtées, mon prisonnier garde les yeux baissés. Katia s'interpose :

– Ah, c'est donc lui ! J'ai entendu parler de ses délires. Un vrai ouf. Il erre la nuit, en hurlant et prophétisant la vengeance du Monstre.

Maïa prend alors les devants :

– Elle n'a pas l'air en forme, ta petite sœur, emmenons-la à l'infirmerie, c'est le plus urgent.

Les filles délestent le Fou de son fardeau et transportent Alicia hors de sa vue. Lorsque je suis sûr qu'elles sont toutes les trois en sécurité à l'intérieur, j'écarte Poignard, la peau de l'Indien est marquée d'un point rouge, là où la lame s'enfonçait légèrement dans sa chair.

– Toi, tu te casses, et que je ne te revoie plus, t'as compris. Si tu touches un seul cheveu de ma sœur, je te tue.

Et pour bien le persuader de ma capacité à transformer mes paroles en actes, j'appuie de nouveau fermement le couteau sur sa veine qui bat. Il faut qu'il capte que je ne rigole pas, que je ne suis pas un petit joueur. C'est gagné, il détale sans un mot, et j'espère un bref instant que j'en suis définitivement débarrassé, mais lorsqu'il est hors d'atteinte, il se retourne et crie de son timbre encore enfantin :

– Prends garde à toi, la vengeance du Monstre sera terrible !

Je hausse les épaules, pauvre Sioux à bascule… Je sursaute au contact de la main de Jérôme sur mon épaule :

– Ne t'inquiète pas trop, Jules, c'est un malade, ce mec. Il traîne dans le quartier. Pendant une de ses missions d'observation, Vincent l'a filé, le Fou s'est installé sur les quais de Seine, sous le pont Saint-Michel, avant l'île de la Cité. Il n'est pas trop dangereux, mais faut se méfier…

– Il était quand même prêt à utiliser son couteau, et il voulait sacrifier Alicia.

– C'est qui, cette petite ? Katia et Maïa m'ont dit que c'était ta sœur ? Depuis quand t'as une sœur, toi ?

– J'ai dit ça pour faire simple. En fait, c'est la petite-fille du pédiatre de mon immeuble.

– Tu sais, c'est la première enfant que je rencontre qui ait survécu. Pour l'instant, je n'ai vu que des ados.

– Pourvu que…

– Quoi ?

– Elle est brûlante, j'espère que ce n'est pas…

– Si c'était le virus, elle aurait commencé à perdre du sang. C'est juste toutes ses morsures de rat qui se sont infectées, Maïa va lui donner des antibiotiques.

Je respire de nouveau. Un miaulement furieux se fait entendre. Jérôme baisse la tête :

– Mais c'est Lego ! Salut toi ! Si vous venez vivre avec nous, j'espère qu'il va bien s'entendre avec Anakin.

Anakin, c'est le chat de Jérôme, c'est lui qui m'a tellement donné envie d'en avoir un moi aussi. Je suis heureux que Jérôme l'ait encore. Il me pousse vers l'entrée de l'immeuble.

– Viens, je te fais visiter. Et je vais te présenter ceux que tu ne connais pas.

– Vincent est là ?

– Non, il est en mission à l'extérieur. Il essaye de rassembler un maximum d'armes et de munitions pour qu'on puisse se défendre. On ne sait pas ce qui nous attend, personne ne sait rien, on est allés se renseigner à la mairie, les militaires gardent leurs distances, ils craignent la contagion. C'est le bordel total, alors on survit comme on peut.

Malgré la rationalité de ses paroles et le calme relatif de son intonation, je mesure l'abîme de ses doutes à son sourire tremblant.

– Même si c'est dur, on se serre les coudes, tu vois, ensemble, on se sent un peu moins paumés. Nous, on n'a que quinze ou seize ans, mais Cédric et Séverine, ils en ont déjà dix-sept, ils sont majeurs dans moins d'un an, ça aide.

Il fronce les sourcils, concentré sur les idées qu'il veut m'exposer.

– Je ne te dis pas qu'on va construire d'un claquement de doigts un monde qui nous convienne. Mais au moins, on essaye d'être autonomes, de s'en sortir, de gérer un peu tout ce merdier, parce que, après tout, on ne les connaît pas, les adultes qui ont survécu, les soldats, les politiques qui ont bénéficié d'une protection spéciale. Imagine, s'il s'agit de despotes ou de pervers qui abusent de leur pouvoir. Je ne vais pas laisser ma vie entre leurs mains.

Jérôme a toujours eu ce pouvoir de conviction, cette capacité à rallier les autres à sa cause, que ce soit sur un terrain de rugby, dans un conseil de classe, ou lors d'un règlement de comptes entre potes…

– T'es pas d'accord ?

– Si, je suis d'accord, mais il y a autre chose, Jérôme, il faut que je t'en parle, tu te souviens quand on jouait à Warriors of Time ?

– Pourquoi tu me parles de jeu vidéo maintenant ? Il n'y a même plus Internet.

Son étonnement, teinté d'agacement, ne m'échappe pas ; en quatrième, Jérôme et Vincent jouaient souvent avec moi. Je me souviens de leurs avatars, celui de Vincent, ObiTwo, celui de Jérôme, Devil99. Mais ils ne sont jamais devenus Experts et se sont lassés d'Ukraün. Je dois poursuivre tout de suite, avant qu'il ne change de sujet.

– Je t'en parle parce que le maître de jeu, Khronos, a donné rendez-vous à ses Experts pour…

Une claque dans le dos m'empêche d'en dire davantage : c'est Vincent, chargé comme une bourrique, un sac à dos sur le ventre, un autre sur le dos, encombré en plus d'un caddie, qui rentre de mission. Il me sourit de toutes ses dents, il est plus petit que Jérôme et moi, tout brun, tout sec. Mais c'est un teigneux, un bagarreur, il est bien à sa place de 9 sur le terrain de rugby, ce demi de mêlée est un meneur impitoyable. Et dans la cour du collège, c'est lui qui tapait les plus costauds et qui était capable de leur éclater la tronche s'il était furieux.

– Putain, Jules ! ça fait trop plaisir de te voir ! Tu nous rejoins dans l'immeuble, ça y est !? Jérôme nous en a parlé hier soir.

La sincérité de son affection déborde de ses yeux noirs en amande. Il pose son barda et me serre dans ses bras avec énergie avant de reprendre un de ses sacs et de me tendre l'autre :

– Venez, on va ranger les nouvelles armes dans le local. Tu vois, Jules, on a deux salles de munitions, une au rez-de-chaussée, là, vas-y, rentre. Et l'autre au dernier étage, tout près du toit-terrasse. T'as vu tout ce que j'ai accumulé en quinze jours ? Pas mal, hein ?

L'ancienne loge de la gardienne est littéralement transformée en entrepôt militaire : des pistolets, des mitraillettes, des matraques, des grenades, des fusils d'assaut…

– J'ai fouiné dans tous les commissariats, j'ai dévalisé les magasins d'armes et je suis allé jusqu'à l'École militaire aux Invalides et au fort de Vincennes. J'y ai fait main basse sur des pièces de collection hyper-efficaces. Je te montrerai.

– Waouh, t'as assuré !

C'est son père, commissaire de police, qui l'a initié aux armes. Vincent a toujours été le spécialiste de l'armement quand nous jouions ensemble à Warriors of Time. Mais nous nous limitions alors aux armes médiévales, mousquets, arquebuses, poignards, sabres…

– Et c'est pas fini, va falloir encore plus de matos, parce qu'il y a des bandes de tueurs qui sont en train de se rassembler et ça risque de chauffer d'ici quelque temps. Le Gang du 16e, avec les drogués qu'il a à sa solde, veut annexer le sud de Paris à son territoire. Faut qu'on soit vigilants.

Je frissonne à l'évocation du Gang du 16e, Pierre l'a-t-il intégré, comme il le souhaitait ? Jérôme me fait sortir de l'ancienne loge et annonce de son intonation de général :

– On reparle de tout ça ce soir au dîner, maintenant je fais visiter les lieux à Jules.

Je me sens en sécurité pour la première fois depuis le 22 octobre. Depuis presque un mois.

20 NOVEMBRE, MIDI

Vincent préfère s'attarder au rez-de-chaussée, dans son antre de soldat, pour charger quelques mitraillettes. Nous montons au premier étage. Je repère les paquets de mort-aux-rats roses disposés dans la cage d'escalier. Comme dans mon immeuble, il y a deux grands appartements par palier.

– Le premier étage, c'est le dortoir. On dort tous au même niveau, c'est plus prudent et ça nous évite de trop flipper. Les gros coups de blues nous assaillent souvent le soir…

J'approuve en silence, je ne suis pas le seul à me cogner aux ténèbres.

– Savoir que les autres sont là, ça fait du bien. Du coup, on a récupéré plein de lits à tous les étages et on les a mis au premier. Viens, je vais te montrer la pièce qui vous est réservée, à toi, Alicia et Lego.

Alors il avait déjà décidé qu'on s'installerait ! Lego, qui avait fini par se résigner à son sort, s'étire en entendant son nom. Mais aussitôt après, il hérisse tous ses poils lorsqu'un gros chat roux se frotte à nos jambes en ronronnant. Anakin a toujours été très câlin.

– Viens là, mon gros pépère, viens voir papa…

Jérôme, lui, est toujours aussi gâteux avec son chat, « son fils », comme il dit. Lego, qui ne semble pas fabriqué à partir du même bois qu'Anakin, fait au contraire le dos rond et la grosse queue. Mince alors, il n'a pas l'air très sociable, mon chaton de gouttière. Tant pis, il faudra bien qu'il s'habitue. Je le libère de son casier, et il détale sous un lit tandis que le paisible matou roux observe d'un œil amusé la cavalcade maladroite du nouveau venu. Dans ce qui devait être avant un salon, les anciens meubles de bois ont tous été plaqués contre les murs, il y a quatre lits simples et un canapé-lit. Il fait bon, ça sent le feu de cheminée.

– On entretient régulièrement les flammes pour que la chaleur se maintienne. Dans l'appartement d'en face, on a déjà entreposé des réserves de bois, d'allumettes, de charbon. Et on y a installé notre salon à nous, avec un canapé, des fauteuils. C'est un endroit où lire et discuter.

Jérôme me conduit dans le couloir étroit tapissé de papiers peints délavés, orné de gravures d'un ancien temps, de reproductions sans âge. Il y a des cloques d'humidité sur les murs.

– C'était l'appartement d'un couple de retraités, c'est un peu vieillot comme déco ! Voilà votre chambre à toi et Alicia.

Il s'agit d'une petite pièce avec des moulures au plafond, une cheminée privée, une coiffeuse élégante, un gros lit à baldaquin.

– Je crois que c'était la chambre de la grand-mère.

– Merci Jérôme, on sera bien, là, j'irai chercher des jouets, un tapis pour la Minuscule. Oui, on y sera bien, je ferai même du feu pour qu'on n'ait pas trop froid cet hiver.

Ne plus être seul, après les quatre plus longues semaines de ma vie, ça paraît irréel, c'est un peu magique.

– Bien sûr. Allez, on continue. Ah oui, la litière des chats est dans les toilettes !

– Je n'ai pas vu de rats chez vous ?

– On met de la mort-aux-rats depuis le début, on s'en sort plutôt bien. Au deuxième étage, il y a notre réfectoire et les réserves de nourriture. Je vais te présenter Séverine et Cédric, nos Cuistots.

– Ils sont ensemble ?

Je ne sais pas pourquoi je lui pose cette question, pas mon genre, quelque chose dans sa façon de parler d'eux m'a fait penser cela, le léger frémissement de sa voix, peut-être.

– Non, ils sont potes. Ils ont installé notre cuisine dans cet appartement pour utiliser les restes de gaz tant qu'il y en a encore à l'étage, ensuite, ils feront tout cuire dans la cheminée.

Une fille blonde, élancée, aux lèvres charnues et aux yeux bleu turquoise passe la tête par une porte du deuxième. L'ambiance est différente dans ce logement, il faudrait enlever les photos de famille encadrées qui décorent les murs, ça me fait froid dans le dos de penser que les enfants qui sourient face à l'objectif sont morts. Je me détourne, submergé par un assaut de culpabilité.

– Salut Séverine, je te présente mon pote Jules, il nous rejoint, on l'appelle le Plaqueur !

Son visage s'éclaire d'un sourire si chaleureux que ça me fait rougir, quel con. Comme si c'était le moment.

– Ah oui ! Katia m'a raconté ton exploit. Tu as plaqué un pitbull ! Tu es une force de la nature, toi !

Et elle me fait la bise comme à un vieux copain.

– On a tué et salé un cochon hier. Ça se conserve bien. Faut faire vite, avant que le bétail meure de faim. On va essayer aussi de ramener quelques animaux de la ménagerie du jardin des Plantes. On ne sait pas trop comment s'en occuper, mais Isa, notre Bibliothécaire, a promis de nous procurer un livre sur l'élevage pour les Nuls.

Elle éclate de rire, et je hoche la tête, bouche bée. Le regard de Séverine est rayonnant, Jérôme lui adresse un petit sourire en coin :

– Bonne idée, vous me direz quand vous allez chercher les cochons, je vous accompagnerai, vous n'y parviendrez pas tout seuls. Cédric a les mains dans la tambouille, Jules, si tu veux le rencontrer, faut que tu ailles dans la cuisine.

Le cuisinier est accroupi devant le four. Je le salue et il se redresse avec empressement. Il a rasé ses cheveux, il est sacrément grand et paraît d'autant plus maigre qu'il porte un pantalon noir moulant, taille basse, très à la mode.

– Salut, moi, c'est Cédric. On m'appelle le Cuistot. J'adore faire la cuisine depuis toujours, et tu verras, tu n'auras pas à te plaindre, je me débrouille très bien.

– Ah bien, d'accord, merci, c'est super, alors… Je vais découvrir ça bientôt.

Ses yeux pétillent d'amusement.

– T'es timide ou quoi ? Pourtant t'es super-costaud, on dirait un joueur de rugby.

Jérôme surgit entre nous :

– C'est vrai qu'il a joué un peu avec Vincent et moi ! Jules, on continue ?! Le temps presse !

Sur le palier, il se contente de me montrer la porte d'en face :

– Là, il y a les réserves, et je vais t'y coller. Puisque t'es fort comme un taureau, tu vas pouvoir nous approvisionner en boîtes de conserve, tu commenceras dès demain à faire le tour des supermarchés où on n'est pas encore allés…

Mon silence compte pour un « oui », Jérôme me connaît, il sait que je m'acquitterai à la perfection de ce type de mission.

– Au troisième étage, il y a l'appartement réservé à la pharmacie, avec les stocks de médicaments, mais aussi une infirmerie et une salle d'isolement en cas de maladie. C'est le domaine de Maïa, notre Apothicaire, tu l'as bien compris. Et de l'autre côté, c'est la bibliothèque, Katia et Isa ont commencé à remplir les rayonnages qu'on a installés. Isa va tout classer par thème, faut qu'on ait un maximum de documents sur tous les sujets concrets…

Je pousse la porte de l'infirmerie, j'ai un besoin viscéral de savoir si Alicia va mieux. Maïa range des boîtes de médicaments dans une étagère.

– Alicia dort, ça va aller, ne t'inquiète pas, demain elle se portera comme un charme. Je vais veiller sur elle cette nuit.

– Je peux la voir ?

L'Apothicaire joue avec une de ses boucles brunes, masse ses tempes, et son sourire franc révèle ses deux fossettes :

– Si tu veux, suis-moi.

Elle me précède dans un interminable couloir aux murs blancs d'où elle a pris soin d'ôter toutes les traces de la vie d'Avant, ce que je préfère, ça me met moins mal à l'aise. Au bout du corridor, près de la salle de bains, elle ouvre une porte et me laisse passer devant. Le visage de la Minuscule est parfaitement détendu sur l'oreiller bleu. Elle est pâle, et la noirceur de ses cernes me surprend, mais elle est profondément endormie et respire paisiblement. Je soupire de soulagement, et Maïa me serre brièvement le poignet :

– Rassuré ? me chuchote-t-elle en me lançant un coup d'œil espiègle.

Dans la pièce d'à côté, Katia est allongée dans un lit.

– Elle se repose aussi. Même si elle ne le montre pas, l'attaque des chiens a été un gros traumatisme pour elle. J'ai fait des points de suture sur sa plaie, j'espère que la cicatrice ne sera pas trop visible… chuchote Maïa.

Elle me raccompagne jusqu'à la porte d'entrée.

– Tu peux compter sur moi, Jules, je vais la remettre sur pied, ta petite sœur, tu sais, j'ai déjà un vrai savoir-faire de soigneuse grâce à ma mère.

Sa voix faiblit en prononçant ce dernier mot… Il résonne de façon étrange. En s'accrochant de toutes ses forces à sa fonction d'Apothicaire, elle a sans doute l'impression d'être encore liée à sa mère.

– Il faudra que je nettoie les vêtements d'Alicia pendant qu'elle dort, elle ne voudra pas en porter d'autres, je lui précise.

L'amusement, ou est-ce la tendresse, dans ses yeux sombres me foudroie.

– OK, je comprends. Je peux m'en charger si tu veux.

Je resterais bien avec elles, ma Minuscule et sa Gardienne. Mais Jérôme m'attend dans le salon, avec deux canettes de Coca :

– On va boire un coup sur la terrasse ?

Du toit, Paris s'étend devant nous. La terrasse offre un panorama de 360 degrés totalement hallucinant : à l'est, vue sur le Panthéon. Au nord, Montmartre. Au sud, j'aperçois jusqu'à l'hôpital du Kremlin-Bicêtre sur les hauteurs de la banlieue... À l'ouest, les tours du quartier d'affaires de Javel, la tour Eiffel, et plus loin les gratte-ciel de La Défense... Je m'assois sur le rebord près de lui :

– Wahou, c'est génial !

– Et c'est pratique aussi, on a une visibilité parfaite en cas d'attaque. Surtout avec les jumelles...

Le bruit de la canette qui s'ouvre, du pétillement du Coca me réconfortent instantanément. Je bois avec volupté, attendant que Jérôme parle. Il a toujours été plus bavard que moi.

– Tu sais, on s'est tous donné des surnoms, Katia, c'est la Planteuse, moi, ils ont décidé de m'appeler le Chef, c'est un peu caricatural, non ?

– Ça te va bien, t'inquiète !

– Vincent, c'est le Soldat, Maïa l'Apothicaire, Cédric et Séverine les Cuistots... Isa, c'est notre Bibliothécaire, elle est en mission à l'extérieur aujourd'hui.

– Bon, tu peux en rajouter deux, Alicia, c'est la Minuscule, et mon chat, c'est Lego !

– Et toi, tu es le Plaqueur !

Je hausse les épaules, désabusé, il va falloir m'adapter au Plaqueur. Au revoir le Nettoyeur. Son ton se teinte d'émotion, devient plus grave :

– Je suis content que tu sois avec nous, Jules. Tu sais, c'est tellement irréel, tout ce qui s'est passé en si peu de temps, on est là, tous, à s'acharner pour survivre, et parfois, je me dis « à quoi bon ? ». Mais quand je retrouve un pote, quand nous sommes tous réunis, ça m'aide, tu vois, ça m'aide à ne pas baisser les bras. Ça me paraît moins absurde. Enfin, un peu moins.

– T'es fort, Jérôme, franchement.

– On est forts parce qu'on est ensemble, Jules, crois-moi. Et tu seras un de nos meilleurs combattants, j'en suis sûr.

– Moi ? Tu sais que j'aime pas trop me battre.

– Je sais. Je te l'ai toujours dit, t'es un talonneur dans l'âme, tu ne cherches pas la bagarre, mais faut pas te chercher, sinon tu cognes.

Je souris, cette histoire de rugby remonte à loin entre nous. Jérôme, qui court vite, joue à l'arrière. Avec Vincent, ils m'avaient convaincu d'intégrer leur équipe, « tu serais super à l'avant, t'es une masse ! », mais ça ne m'avait pas plu de prendre des coups sur un terrain.

– Comment tu tiens le choc, Jules ? Et ton frère, il a survécu ?

– Pierre n'a pas été contaminé par le virus. Tout me paraît irréel à moi aussi. Et puis, il y a la Minuscule. Elle compte sur moi et elle compte pour moi, c'est bizarre, tu sais, quand je l'ai trouvée, elle était dans un tel état de dénuement, et moi, je revenais de Milly et je...

Il y a des mots qui sont trop définitifs, trop durs à prononcer, je baisse les yeux.

– Tu… tu es allé chez tes grands-parents, c'est ça ?

Il y est venu quelquefois en vacances à Pâques avec moi. Je hoche la tête plusieurs fois de suite comme un automate, incapable de stopper ce mouvement répétitif, je me balance d'avant en arrière, avec l'impression de tanguer. Jérôme ne dit plus rien, il attend que le désespoir passe. J'inspire un grand bol d'air. En haut, sur la terrasse, l'odeur de mort me paraît moins tenace, elle ne pénètre pas ma gorge.

– Quand je suis tombé sur elle, la Minuscule, avec son sac à dos de Dora l'exploratrice, j'ai ressenti quelque chose de spécial. Comme une onde de vie. Je ne sais pas, je ne pourrais pas l'expliquer, je ne suis pas très doué pour ces trucs psychologiques…

– Oui, je crois que je comprends, t'inquiète. T'as pas besoin de m'expliquer.

Je hoche la tête en silence.

– Toi, Jules, ta mission, c'est de sauver Alicia.

Il y a maintenant une boule d'émotion dans ma gorge qui fait barrage aux mots que je veux dire. Je dois m'y reprendre à plusieurs fois et je finis par murmurer :

– Et toi, Jérôme, où tu trouves la force de survivre ? Hein ? Comment tu fais, t'as l'air tellement solide… Tu rassembles tout le monde autour de toi…

– Je vais te dire un truc, Jules, plutôt LE truc qui me fait tenir. Quand ma petite sœur est morte, j'ai cru que j'allais devenir fou, et c'est ma mère qui m'a dit ce truc, tu sais, elle me forçait à ne regarder que ses yeux, que l'amour dans ses yeux, elle ne pouvait presque plus parler, elle avait trop mal, et elle a murmuré, c'était plus sa voix, je ne reconnaissais plus sa voix, c'était son fantôme, elle m'a dit quelque chose comme ça, ce truc qui m'aide : « Il faudra changer pour pouvoir continuer à vivre, t'adapter, promets-le-moi, ne te contente pas de survivre, mon amour, vis », et elle s'est, elle est…

Il se voûte, ses épaules tremblent.

– Elle… Elle avait tellement mal, elle transpirait du sang, tu sais, tu les as vus toi aussi, tous ceux qui sont morts, tu as vu comment ils perdaient tout leur sang… Elle était dans mes bras…

Il me parle d'une voix rauque, sourde, que je ne lui connaissais pas, comme s'il avait vieilli d'un coup. Une voix tellement dense qu'on croirait qu'il a vécu mille ans, sans déconner, mille ans.

– Elle est partie, et moi, je lui ai promis de vivre.

Mes parents, je ne les ai pas vus mourir. La boule dans ma gorge a triplé de volume, et cette fois elle m'empêche de répondre à Jérôme. Il se lève d'un bond :

– Jules, regarde, il y a un groupe de mecs dans le Petit Luxembourg, ils sont armés. Qu'est-ce qu'ils nous veulent ?

Il sort son talkie-walkie :

– Vincent, tu me reçois ?

– Oui, 5 sur 5.

– Visiteurs en approche, armés, préviens les autres, monte sur le toit… Et prends des armes.

20 NOVEMBRE, DÉBUT D'APRÈS-MIDI

Vincent déboule sur la terrasse, y pose deux fusils d'assaut et m'arrache les jumelles des mains :

– C'est le Gang du 16ᵉ ! Leur chef, c'est le petit mec blond et sec avec un fusil.

– Ils sont combien ?

– Une trentaine.

– Ils sont nombreux, constate Jérôme avec inquiétude.

– Notre chance, c'est qu'il y a pas mal de défoncés dans leur troupe. Et qu'ils ne savent pas que nous sommes armés. Nous avons l'effet surprise pour nous, il faut qu'on soit rapides.

Je ne comprends pas pourquoi ces gars viennent ici.

– Qu'est-ce qu'ils veulent ?

– Renforcer leur domination sur tout Paris. Dès qu'ils ont connaissance d'un groupe de gens qui s'organisent de façon autonome, ils attaquent, s'approprient le coin et déclarent qu'ils sont maîtres des lieux.

– Ils ont déjà fait ça souvent ?

– Ils se sont rendus maîtres de l'ouest de Paris, ils commencent à agrandir leur influence au sud. Ils ont des bases dans le 13e, le 14e, le 15e... C'est la première fois qu'ils pénètrent au centre, jusqu'à présent, ils restaient dans les arrondissements périphériques.

Jérôme me tend les jumelles :

– Toi aussi, Plaqueur, faut que tu localises le chef et ses deux lieutenants. C'est eux qu'il faut viser pour déstabiliser leur troupe de drogués.

La bande avance à découvert sans aucune organisation. L'un d'entre eux marche devant, plus déterminé ; c'est le blond dont parlait Vincent, leur chef ; il se retourne et fait signe aux autres d'accélérer. Ils ont le look branché des beaux quartiers, vêtements de marque, jean taille basse, baskets, blouson. Et parmi les suiveurs, je le remarque tout de suite : mon frère.

– Oh, Jules, qu'est-ce qui t'arrive, t'as vu un fantôme ?

Je hoche la tête en silence, incapable de dire un mot. Faut-il les prévenir de la présence de Pierre ?

– Il a vu son frère. Je l'ai repéré aussi, me devance le Soldat.

Il a un œil de lynx et ce sens inné de l'observation tactique : évaluer la cohésion d'ensemble d'un groupe, repérer les failles, localiser les chefs.

– Merde, maugrée Jérôme.

– Laissez-moi gérer mon frère, OK ?

– On essayera de l'esquiver, mais je ne peux rien te promettre de plus. L'objectif, c'est qu'ils se découragent et repartent le plus vite possible, me rétorque Jérôme du tac au tac.

À sa façon de me répondre, je prends conscience que, pour eux, c'est la guerre, ils ne sont plus dans la cour du collège ni sur Ukraün. Vincent décide sans hésiter du rôle de chacun :

– Maïa et Katia vont les maintenir à distance en tirant à partir des fenêtres du troisième étage. Séverine du deuxième étage. Jules, tu descends avec Cédric, vous prenez les pistolets posés sur la première étagère à droite dans la loge. Et vous les distribuez aux autres. Ensuite, vous redescendez pour les empêcher d'envahir l'immeuble s'ils parviennent jusqu'à la porte, sachant qu'arrivés là, ils seront à couvert sous la marquise. Jérôme et moi, on va éviter qu'ils atteignent l'entrée en les visant du toit.

OK, Spider Snake se conforme à la stratégie proposée par ObiTwo, l'avatar de Vincent. Je passe en mode action.

– Fais gaffe, la détente des pistolets est sensible, attention à ne pas déclencher le percuteur.

Descente au rez-de-chaussée, récupération des armes. De retour aux étages, je tends son pistolet à Maïa :

– Tu tires sur ceux qui sont à découvert et qui cherchent à pénétrer dans l'immeuble.

Elle prend l'arme et hoche la tête sans un mot. Je croise ses yeux noirs, j'y lis son effroi et sa résolution.

– Katia va mieux ?

– Elle pourra assurer, oui, donne-moi un pistolet pour elle. Elle tirera de l'appartement d'à côté pour donner l'impression qu'on est plus nombreux.

– Faites attention, une fois qu'ils vous auront repérées, ils n'hésiteront pas à vous tirer dessus.

– On s'allongera sur les balconnets, il y a de gros pots derrière lesquels se dissimuler. On a prévu le coup avec Vincent.

Je ne me résous pas à la laisser. Elle m'encourage d'une pression de sa main sur mon bras :

– On va les repousser, Jules. Vas-y maintenant.

Je cligne des yeux. Elle m'a fait sortir de Spider Snake. Vite, faut me remettre en mode action. Direction le réfectoire. *Idem*, armes, recommandations sommaires :

– Cédric, tu descends avec moi, tu sais tirer ?

Son haussement d'épaules n'est ni convaincu ni convaincant. Il ne sait pas se servir d'un pistolet, normal. Moi, c'est pareil. Des coups de feu retentissent. L'assaut a déjà commencé. Des rafales de mitraillette, trois par trois, Vincent et Jérôme ripostent d'en haut. Des cris.

Au rez-de-chaussée, Cédric se positionne dans la béance sous l'escalier, il y tient presque debout. Il est à l'abri et a une bonne visibilité pour tirer. Je me poste face à l'escalier, à l'angle de l'ancienne loge de la gardienne. Je suis protégé par le pan du mur, situé à quatre mètres de la porte que nous défendons. En cas d'intrusion, j'aurai le temps de tirer sur ceux qui essaieraient d'entrer, tout en restant couvert.

Soudain, une explosion terrifiante retentit, des bouts de bois sont projetés jusqu'à moi. Je suis aveuglé par la fumée. Une grenade, merde, ils ont balancé une grenade ! Je me place en position de tir, face à la porte, appuie sur la détente, me cache de nouveau pour tirer à l'aveugle et les dissuader d'entrer. Cédric fait feu lui aussi. Un corps tombe. Je sors une nouvelle fois à découvert, vise deux ennemis qui ont fait irruption dans le hall.

– Mets-toi à l'abri, Jules !

Je me colle à mon mur. C'est Vincent, il dévale les escaliers sans arrêter de tirer avec son fusil d'assaut. Je jette un coup d'œil, deux mecs tombent à terre, un troisième est dans sa ligne de mire. Vincent est maintenant à côté de moi :

– Ils n'entreront pas. On en a abattu une dizaine déjà, Jérôme continue à leur tirer dessus d'en haut. Les arbres ne suffisent pas à les couvrir.

Des pétarades, deux gars sont sur le seuil. Cédric tire. Vincent aussi. Il y en a un qui balance une autre grenade, je me roule en boule pour ne pas recevoir d'éclats de bois, de verre, projetés par le souffle de l'explosion. Je ne lâche pas mon pistolet. Vincent hurle. Son visage se crispe de douleur :

– J'ai pris des éclats dans la cuisse ! souffle-t-il, et il s'affaisse contre le mur. Prends mon Famas, il est rechargé. Tu tires dans le tas, il a une longue portée, c'est mieux que ton pistolet.

Je m'empare du fusil d'assaut, guette sans me mettre à découvert. Il y en a encore un qui a échappé à nos défenseurs et qui s'apprête à entrer, j'aperçois sa silhouette en contre-jour à travers la fumée. Je bondis et fais feu, il esquive. Il a de bons réflexes pour un drogué. Je me remets à l'abri, j'attends qu'il tente de nouveau de faire irruption dans le bâtiment. La fumée est moins dense. Le voilà, il appuie comme un forcené sur la gâchette de son pistolet, sans aucune logique, pour nous empêcher de riposter. Je ne sais pas quoi faire. Je me tourne vers le Soldat : assis dos au mur, il fait un garrot à sa cuisse qui saigne trop. Son talkie-walkie clignote : c'est la voix de Jérôme, « ils se replient ». Je sens le canon d'un pistolet sur ma tempe. Je n'ai pas eu le temps d'agir, l'ennemi est déjà là. Je manque d'expérience de la vraie guerre. Je lève les yeux, c'est Pierre. Il a un mouvement de surprise lui aussi. Il s'apprêtait à abattre son propre frère. Putain de vie. Et soudain, il s'écroule à mes pieds. Cédric est devant moi : il lui a asséné un gros coup sur la tête avec la crosse de son arme. Mon frère est à terre. Inconscient.

– Merci, je murmure.

– Il n'y avait plus personne qui entrait, je me suis faufilé discrètement jusqu'à lui et, vlan, un bon gros coup.

– Merci de ne pas l'avoir tué.

– C'est mieux d'avoir un prisonnier, non ?

– C'est mon frère.

À lui de rester bouche bée.

– Ton frère ? Merde.

Vincent essaye de se redresser :

– Bien joué, les gars, on les a fait fuir. C'est gagné pour cette fois, mais va falloir mieux organiser notre défense. Je vais à l'infirmerie demander à Maïa de me soigner. Vous pouvez vous charger d'amener le prisonnier à Jérôme au quatrième étage ?

Mais le Soldat est trop mal en point pour monter les escaliers tout seul, il ne peut pas s'appuyer sur sa jambe droite. Il abandonne au bout de quelques marches, le visage couvert de sueur et contracté par la douleur. Mon frère, lui, est toujours évanoui. Je l'attrape par les mollets, Cédric sous les bras et nous le portons maladroitement jusqu'à l'appartement du quatrième étage où Jérôme et Séverine rechargent les armes.

– Mettez-le dans la chambre du fond, c'est le cachot, et enfermez-le. J'attendrai qu'il reprenne connaissance pour aller lui parler, nous intime le Chef.

C'est seulement lorsque nous passons juste devant lui que Jérôme reconnaît Pierre. Il esquisse un geste de surprise, puis se contrôle et se replonge dans son activité.

– Où est Vincent ?

Son timbre neutre résonne jusqu'au couloir où nous avançons tant bien que mal, gênés par le corps inerte de mon frère.

– Il a reçu des éclats dans la cuisse, je vais l'accompagner à l'infirmerie, lui dis-je.

– Bien, j'irai le voir plus tard. Je dois recharger en priorité les armes pour parer à une attaque surprise. Ensuite, interroger ton frè... le prisonnier.

Son absence d'émotion me surprend. Je découvre son nouveau visage, bien loin de celui de mon chaleureux pote d'Avant. Heureusement, quand je repasse devant eux, légèrement embarrassé, il m'adresse un discret mouvement de tête, accompagné d'un bref sourire encourageant.

Et je me dépêche de rejoindre Vincent, qui n'a pas bougé de sa place. Assise près de lui, Katia ne cache pas son inquiétude. Il me désigne son fusil d'assaut :

– Récupère-le, faudra le recharger, murmure-t-il d'une voix aussi blanche que son visage.

Je ramasse son arme et nous le soutenons dans l'escalier. Lorsque nous aurons laissé Vincent entre de bonnes mains, j'en profiterai pour prendre des nouvelles d'Alicia.

La porte du troisième est déjà entrouverte, je la pousse d'un coup d'épaule et trébuche contre un corps inerte sur le sol : c'est l'Apothicaire.

– Maïa !? Qu'est-ce qu'ils lui ont fait ? Merde, qu'est-ce qui s'est passé ?

Elle gémit. Elle est vivante. Vincent se détache de nous et claudique jusqu'au canapé sur lequel il s'affale. Katia et moi, nous transportons l'Apothicaire près de lui. Mon cœur se serre. Et Alicia... Est-ce que quelqu'un s'en est pris à elle pendant l'assaut ? Alicia ! Je cours jusqu'à sa chambre au fond du couloir. Porte ouverte. Lit vide. Draps bleus froissés.

Alicia a disparu.

DEUX

DEUX

20 NOVEMBRE, MILIEU D'APRÈS-MIDI

Qui m'a pris la Minuscule ? Pourquoi elle ? Je m'assois sur le lit.

Babouche, le doudou, la poupée Dora et son sac à dos : tout son petit monde est là, sur le lit.

Elle ne serait jamais partie de son plein gré sans ces affaires-là.

Elle a été enlevée.

La fenêtre est ouverte, je me penche : une corde ! Le voleur d'enfant a escaladé le mur et a profité de l'assaut pour agir de son côté. C'est un immeuble d'angle, il nous a laissés combattre et s'est aidé des rebords des balcons, des pierres de taille et d'une corde pour gravir la paroi. À la descente, il aurait pu faire tomber Alicia. Il doit être très fort en escalade, et costaud. Je fais le tour de l'appartement à la recherche d'indices, les vêtements de Dora sont propres, encore humides sur le sèche-linge dans la salle de bains. La Minuscule ne porte qu'un pyjama. Elle va avoir froid.

Mais qui me l'a prise ?

Un fluide glacial me parcourt les veines, j'ai un mauvais pressentiment. Pierre... Mon frère peut détenir l'information. Je fais demi-tour ; dans le salon, Maïa a repris connaissance ; mieux, elle est déjà en train de soigner la blessure de Vincent.

– Ton garrot est efficace, lui assure-t-elle. Je compte maxi une dizaine d'éclats dans ta peau. Mais ils n'ont pas pénétré profondément. Courage, je vais te les enlever, serre les dents.

Assise près d'elle, Katia scrute le Soldat avec anxiété. Je fonce sans un mot jusqu'au cachot au quatrième étage : les poignets et les mollets attachés aux pieds et aux barreaux de sa chaise, Pierre lève des yeux hagards dans ma direction. Mon frère est en manque, et Jérôme lui fait face.

– Jules, ça va ?

Je fais signe au Chef que non. Et je me plante devant mon frère. Il me fixe de son regard vide. Je discerne une lueur au fond de sa pupille, de la douleur, de la tristesse peut-être. Ou est-ce la trace d'une fêlure, celle que je retrouve dans sa voix qui semble se dédoubler quand il est défoncé ?

– Pierre, j'ai besoin de savoir comment le Gang a connu l'emplacement de notre immeuble ? Dis-moi, s'il te plaît : est-ce que quelqu'un vous a donné l'information ?

Il hausse les épaules.

– Pourquoi tu veux savoir ça ?

– Pour avoir une chance de sauver la Minuscule.

Jérôme sursaute. Il ne connaît pas encore la raison de mon affolement.

– La Minuscule ? répète mon frère.

– Qu'importe, dis-moi seulement, est-ce que quelqu'un vous a renseignés !?

Ses yeux morts s'allument.

– Est-ce que quelqu'un dans ta bande peut me procurer de la méthadone ou des médocs codéinés si je te dis comment on a su? siffle-t-il d'une voix grinçante.

Alors il s'est mis à la drogue dure en si peu de temps? Je pensais qu'il ne prenait que de l'herbe. Ou bien je n'évaluais pas la gravité de sa toxicomanie. Sa voix est altérée, plus dissonante que d'habitude. Devant mon geste de rage impuissante, Jérôme s'interpose entre nous:

– OK, mec, on te filera des cachetons pour tenir le coup. Mais dis-lui, à ton frangin, qui vous a donné notre planque.

– Un fou, un hystérique…

Je n'écoute pas la suite de sa phrase, pas besoin d'en savoir plus, j'avais vu juste, je repars en courant. Je sais qui a enlevé ma petite et je n'ai pas une minute à perdre. Je sais où elle est et ce qui l'attend.

Et c'est l'horreur. Ce qui l'attend, ma Minuscule, c'est pire que l'horreur.

Je dévale les escaliers, manque de tomber en sautant trop de marches à la fois, enfourche un des vélos que les membres de la communauté garent près du local à poubelles, au fond du hall d'entrée, et file vers le boulevard Saint-Michel.

Il me faut moins de cinq minutes pour atteindre le pont Saint-Michel, le repaire de l'Apache fou, et la fumée noire qui s'élève des quais me glace. Je jette mon vélo en haut des escaliers de pierre qui descendent vers le fleuve et me précipite: il y a un brasier sur le quai, un corps dedans! Alicia! Non, non! Je me rue vers le feu,

il y a peut-être encore une chance de la sauver. Mais…
ce cadavre est bien trop grand pour être celui d'Alicia.
Ces habits noirs, ce visage qui n'a pas encore eu le temps
de brûler entièrement : c'est le Fou. J'enlève ma veste et
le dégage du feu en entourant mes mains du tissu. Il est
mort. Mais pas à cause des flammes. Non, du sang coule
le long de son cou, quelqu'un lui a tiré une balle dans
la nuque. Où est Alicia ? Je fais les cent pas près du feu,
essuie la sueur qui dégouline de mon front malgré le
froid. Et soudain, un cri :

– Diego ! Diego ! Diego !

C'est elle, c'est ma Minuscule ! C'est sa voix fluette,
inimitable, si rare. Diego, c'est moi, pour elle, je suis le
cousin de Dora. Je me tourne vers l'endroit d'où provient
l'appel : sur le pont Saint-Michel, Alicia agite les mains
dans ma direction. Elle est dans les bras d'un adolescent
de haute taille, une fille mince avec une tignasse impressionnante de cheveux roux se tient à leur côté. Je leur fais
signe de m'attendre. La fille hoche la tête, elle a compris.

Les jambes branlantes, je remonte vers eux.

Le gars imposant ne porte qu'un sweat à capuche
bleu, il a enveloppé Alicia dans son blouson sombre. Dès
qu'elle me voit approcher, ma petite tend les bras puis
tout son buste vers moi, sans que l'autre la lâche. Ses joues
sont encore rouges de fièvre, ses cheveux plaqués par la
sueur. Alicia.

– Diego, Diego, Diego, murmure-t-elle trois fois avant
de se blottir enfin contre moi.

Je la serre fort :

– Ça va aller, tout va bien maintenant, je t'ai retrouvée.

Déboussolé par l'émotion qui me submerge, je ne sais pas comment exprimer ma gratitude à ses sauveurs. Le grand a un regard très spécial, un peu vide, absent, comme s'il ne comprenait pas le sens de ce qu'il voyait ou qu'il ne cherchait plus à le comprendre. La fille rousse a de beaux yeux noisette très francs et directs. Je remarque qu'elle a plein de minuscules taches de rousseur. C'est elle qui prend la parole la première :

– C'est ta sœur ?

J'acquiesce de la tête. Son ton sec me met mal à l'aise.

– Comment tu expliques qu'elle se soit retrouvée avec ce taré ? Il allait l'immoler.

– C'est l'Indien fou, il l'a enlevée pendant que…

Elle me coupe la parole :

– C'est ta sœur, tu n'aurais jamais dû la laisser seule. Tu as mal veillé sur elle. En plus, elle est transie de fièvre. Pourquoi tu ne la fais pas soigner ?

Elle me juge et son ton est sans réplique. Ça m'agace un peu qu'elle ne cherche pas à entendre la réalité des faits, mais tant pis, il ne faut pas que j'oublie que la Minuscule leur doit la vie :

– Merci à vous deux d'avoir sauvé Alicia.

– De rien. Allez, salut.

Je lui tends la main mais elle fait volte-face et s'éloigne déjà. Je ne sais même pas comment ils s'appellent. Mince, j'ai oublié de leur rendre l'anorak du garçon qui tient chaud à Alicia. Je m'écrie :

– Hé toi ! Attends ! Tu ne veux pas récupérer ton anorak ? Je peux passer mon blouson à Alicia.

Il ne dit rien, indécis, hébété. Une fois encore, c'est la fille qui me répond :

– C'est bon, garde-le. Il en a un autre et, là, elle en a plus besoin que lui.

Un peu désappointé par l'attitude de cette fille et de son compagnon de route, je pivote vers la fontaine Saint-Michel.

Soudain la voix de la Minuscule s'élève, cristalline :

– Totor, Totor, Totor.

Totor ? De quoi parle-t-elle ? Je m'arrête et jette un coup d'œil derrière moi : le garçon au sweat bleu est resté planté sur le pont et dévisage Alicia avec adoration, de ses yeux étranges qui me font froid dans le dos. L'autre, la chevelue, est déjà au bout du pont quand elle réalise que son compagnon n'est plus à ses côtés. Elle secoue la tête avec exaspération, revient sur ses pas et le tire par la manche pour qu'il la suive. C'est manifestement elle qui commande.

Je hausse les sourcils, quel drôle de duo quand même.

– Totor, c'est qui ? Le grand garçon très fort qui te portait ? je demande à Alicia.

Elle confirme, les yeux embués. À croire qu'il lui manque déjà.

J'aimerais connaître les mots qui pourraient l'aider à surmonter l'horreur de ce qu'elle vient de vivre.

– Je veillerai toujours sur toi. Et le Fou ne reviendra plus jamais, je murmure sans trouver mieux.

En même temps, la parole, c'est pas notre truc, à tous les deux. Se blottir dans mes bras, j'espère que ça la rassure assez. Je remonte le long du boulevard, le visage de la petite contre mon cou. Bon Dieu, qu'est-ce que j'ai eu peur de la perdre. Je me sens tellement soulagé de l'avoir retrouvée qu'un flot d'images envahit mon esprit, précisément celles que je ne voulais pas affronter. Je me souviens de l'attente, j'ai attendu mes parents et mon frère si longtemps que je ne sais plus à quel moment j'ai perdu l'espoir qu'ils reviennent. L'ai-je perdu d'ailleurs ? Je commence à sentir la fatigue, elle pèse lourd dans mes bras. Il y a moins de cadavres sur les trottoirs, les militaires en ont ramassé beaucoup. L'angoisse monte, mémoire de ma terreur face aux premiers morts que j'ai vus, du haut de mon cinquième étage : les moteurs de voitures arrêtées continuaient de tourner dans la rue, et il n'y avait pas un seul Parisien pour râler. Depuis, je me suis habitué au silence des hommes et aux cris des oiseaux. Est-ce qu'on s'habitue à tout ?

20 NOVEMBRE, SOIRÉE

Lorsque je dépose doucement la Minuscule dans son lit, la nuit est déjà tombée. Maïa a fait un feu dans la cheminée et allumé des bougies dans sa chambre à l'infirmerie. Elle lui redonne du sirop, des antibiotiques, m'explique-t-elle. Alicia avale sans rechigner. Elle frotte ses paupières de ses petits poings. Mais quand Maïa tente de lui enlever l'anorak du grand garçon, elle résiste avec sa mimique têtue :

– Totor, Totor, Totor, répète-t-elle encore.

L'Apothicaire n'insiste pas, la borde tendrement, lui caresse les cheveux, puis me demande le plus naturellement du monde :

– Vous avez rencontré Totor ?

– On a croisé une fille et un drôle de gars un peu spécial, sur le pont Saint-Michel. Ils ont sauvé Alicia.

– Il était comment, ce gars ?

– Grand, massif, fort, imposant.

– Il était habillé comment ?

Elle me pose toutes ces questions comme si elle avait déjà sa réponse mais qu'elle voulait avoir une preuve de plus.

– Il avait un sweat bleu.

Ma réponse semble la satisfaire, parce qu'elle se contente de hocher la tête d'un air entendu, et elle choisit un des livres posés sur la table de nuit près de la bougie, c'est un album de *Dora l'exploratrice*.

– Je suis une ancienne fan de Dora, j'ai tout de suite reconnu les couleurs de son costume, les personnages brodés sur son sac. J'avais plein de livres de *Dora* chez moi, j'en ai récupéré quelques-uns…

Et elle lit l'histoire à Alicia. Au fur et à mesure qu'elle raconte, tout s'éclaire. Il y a un taureau bleu dans l'épisode, il s'appelle Totor et il supporte mal le fait d'être transformé en pomme de terre. Ses amis Dora et Babouche le transportent dans une brouette. Ma petite a baptisé « Totor » celui qui l'a arrachée des griffes de l'Apache fou. Je croyais qu'elle dormait déjà, mais elle saisit ma main et ne la lâche plus. Et nous sommes là, tous les trois, Maïa qui parle des maladresses d'un taureau bleu, Alicia qui lutte pour ne pas fermer les yeux, et moi qui bénis Dora l'exploratrice, à l'origine de ce moment si doux que je voudrais m'endormir, là, tout contre ma Minuscule, bercé par le murmure de notre Apothicaire. Je sens la menotte se détendre, la petite dort. Maïa met son index sur sa bouche :

– Chut, ne la réveillons pas, elle a le sommeil léger, chuchote-t-elle.

Nous quittons la pièce sur la pointe des pieds, nous éclairant de nos bougies.

– Ils sont au réfectoire, on va les rejoindre pour dîner.

– On laisse Alicia toute seule dans le noir ?

– Je reviendrai dormir près d'elle après le dîner. Les flammes de la cheminée l'éclaireront un peu si elle se réveille.

– Vincent, comment il va ?

– Oh ça va, j'ai réussi à retirer tous les éclats, je l'ai désinfecté, pansé. J'avais peur que des débris ne compriment une artère et qu'il ait une hémorragie interne, mais non. Il a eu de la chance, aucun os ni aucune veine n'est atteint. Il aura mal quelques jours, mais la douleur va vite s'atténuer.

– Il est à l'infirmerie ?

– Tu penses ! Il est avec les autres à la cantine !

Nous descendons au deuxième étage, une bonne odeur de côtes de porc grillées et l'écho d'une discussion nous parviennent. Un feu de bois flambe dans le vaste salon de cet appartement cossu. Couverte de plats, la table est éclairée de bougies aux couleurs et formes variées. Je me fige à l'entrée, sidéré par cette scène, si vivante, si normale dans notre monde qui ne l'est plus. Il n'y a que le pansement sur la joue de Katia qui rappelle la réalité. C'est trop pour moi, mes jambes flageolent, une bouffée de panique me cloue sur place puis me donne envie de fuir cette pièce où tout est trop joyeux. Ils sont tous là, même celle qu'ils appellent la Bibliothécaire, Isa. Je ne l'avais pas encore rencontrée. Ses cheveux châtains au carré, à la frange droite et longue, ses lunettes, ses iris marron-vert me rappellent quelqu'un. Mais qui ? Peut-être était-elle avec moi au collège ? Deux chaises vides nous attendent près de Vincent. Je ne bouge toujours pas. Maïa revient sur ses pas et me prend la main :

– Jules, ça ne va pas ? Tu es tout pâle.

– Donne-lui un verre de vin, ça lui fera du bien ! Du vin rouge, ça lui redonnera des couleurs au Plaqueur !

Vincent a toujours cru au pouvoir de l'humour pour désamorcer les situations délicates. Ça ne me fait pas rire. Je dois prendre sur moi, maîtriser les saccades ridicules de mes jambes. Jérôme vient me soutenir à son tour :

– Hé, mon pote, qu'est-ce qui t'arrive ? Tu décompresses, c'est ça ?

Maïa me scrute comme si elle cherchait à lire au fond de mon âme. Je plonge mes yeux dans les siens, oh si je pouvais m'y poser quelque temps. Elle a des yeux à dormir dedans, Maïa.

– Tu ne te sens pas prêt pour ce dîner, c'est ça ? chuchote-t-elle.

J'aimerais lui répondre, mais une force incontrôlable empêche irrémédiablement la transformation de mes pensées en paroles. Est-ce qu'Alicia vit avec cette pesanteur qui comprime ses mots, les enferme à l'intérieur d'elle-même ?

– Cela ressemble trop à un dîner comme on aurait pu en vivre avant…

La voix de l'Apothicaire se casse et devient à peine audible :

– … pourtant rien n'est normal et…

Je la remercie de deux brèves pressions sur sa main d'avoir su si bien exprimer ce qui était informulable pour moi. Je m'arrache à ses yeux et à sa main, et me rapproche de la cheminée. Les flammes sauront peut-être me consoler.

– On commence à manger sans toi, Plaqueur. Nous, les Soldats, nous avons faim !

Le mouvement du feu m'hypnotise. Si sa chaleur pouvait faire fondre le barrage entre mes pensées et mes mots… Je respire à un rythme moins effréné. Et des bribes de la discussion me parviennent.

– On leur a mis une bonne raclée à ces enflures du 16ᵉ.

– Il va falloir que tu les espionnes plus attentivement, Vincent. Je crains qu'ils ne reviennent.

– Quand je pense que c'est l'Apache fou qui leur a signalé notre présence !

– Tout ça pour enlever la petite sœur de Jules.

– Ce n'est pas sa petite sœur.

– Ah bon ?

– Non, c'est une petite à qui il a sauvé la vie, une miraculée, elle a vécu trois semaines seule avec des rats et son grand-père mort sans attraper le virus.

– C'est dingue, c'est la seule enfant survivante que j'aie croisée.

– Je me demande s'il y en a d'autres, des enfants qui ont survécu.

– Je n'en ai vu aucun.

– Moi non plus, ils sont tous morts autour de moi, tous mes frères et leurs amis. Tous.

C'est Katia qui parle, et son timbre, vif et chantant, se voile. Vincent détourne les yeux, un peu trop vite, lorsqu'elle pivote vers lui. Un silence suit ses dernières paroles, la réalité du monde les rattrape. Et je réalise à quel point leurs morts, à tous, sont assis avec eux autour de la table. Même le visage du Soldat se rembrunit, il serre ses couverts si fort que ses phalanges blanchissent, puis il se penche vers son assiette. Il ne se confie jamais à propos de sa famille. Je ne lui ai pas demandé ce qu'est devenue Marie, sa grande sœur. Elle était en terminale, elle avait dix-sept ans. Elle a peut-être survécu…

Ce qui est sûr, c'est que la scission entre l'Avant et l'Après est inéluctable pour tous les survivants ; pour tous, sauf pour moi. Moi, j'espère qu'il n'y a rien de fatal, parce que je crois à la promesse de Khronos. Jérôme rompt le silence qui s'installe entre eux :

– Je me souviens de la première fois où j'ai entendu les hurlements de panique dans la rue. Je me suis demandé ce qui se passait.

J'ai l'impression que le Chef cherche à faire circuler la parole, avant que la tristesse ne prenne trop de place. Il secoue la sidération qui menace de les terrasser dès que l'inconcevable vérité se rappelle à eux. Son intervention déclenche d'ailleurs la réaction immédiate de Vincent qui s'est déjà repris :

– C'était comme dans un film catastrophe, j'avais du mal à croire que ça soit vrai, les cris de désespoir, les claquements de portes, les coups de klaxon furieux, les dérapages de pneus sur le béton, les bruits aigus de freins…

Je suis obligé de tendre l'oreille pour saisir les mots chuchotés par Séverine :

– Moi, c'est la brusque fermeture des stores métalliques de l'épicier en bas de chez moi en pleine journée qui m'a alertée. Je me suis dit que ce n'était pas normal.

– Je me souviens surtout des sirènes…

Coupant la parole à Cédric, Katia s'exclame :

– Oui, il y avait toutes sortes de sirènes en même temps, des sirènes de pompiers, de police, d'ambulances, je ne savais pas les reconnaître !

Et c'est l'envie de me confier à mon tour qui me donne la force de me lever :

– Moi, j'ai d'abord cru que j'hallucinais, vous savez, j'ai cru que j'avais abusé de l'écran et que ces hallucinations sonores étaient une conséquence des jeux vidéo sur mon cerveau.

– Ah oui, je me rappelle, ta mère s'inquiétait beaucoup de ta dépendance à Warriors of Time, se souvient Jérôme en me souriant.

– Moi, ce qui m'a le plus terrorisée, c'est le silence qui a suivi les cris, murmure Maïa.

– Le silence, oui, c'était infernal, ce silence. Et plus tard, les ténèbres après la coupure d'électricité définitive, ça m'a…

Je ne laisse pas finir Séverine.

Cette nuit est précisément ancrée dans ma mémoire. C'est le seul moment net dans le flou qui entoure les semaines du 22 octobre au 18 novembre.

– La coupure, c'était le 1ᵉʳ novembre.

Le 1ᵉʳ novembre, date du dernier message de Khronos, la veille du jour où les connexions Internet se sont interrompues. J'avais énormément joué, j'avais augmenté mon niveau, gagné un combat stratégique pendant la guerre des Traqueurs, je m'apprêtais à voyager dans le temps, à m'immiscer dans la période de la guerre des Mineurs pour m'approprier de l'acier, et fabriquer des sabres plus tranchants pour mon bataillon de mercenaires. Je prévoyais de changer le cours de l'Histoire d'Ukraün, de mettre sur le trône les comtes de Timni, la puissante famille qui me payait pour mes talents de guerrier.

Je ne sais pas si c'est le moment de leur parler du rendez-vous à la tour de l'Horloge. Ils me prendraient pour un *geek*.

Surtout Maïa, elle qui n'a jamais aimé les jeux vidéo.

Le Chef reprend la parole, ce qui règle mon dilemme :

– Bien, on se fait le programme de la semaine ? Vincent, mission repérage des gangs : localisation de leur position, évaluation de leur armement et point sur les actions menées par les militaires aux R-Points. Cédric et Séverine, mission ménagerie au jardin des Plantes : rapatriement du bétail comestible.

Jérôme met ainsi terme à notre discussion aussi vite qu'il l'a initiée, il estime sans doute qu'il est temps de revenir au présent, d'agir, de construire, de préparer, non pas de ressasser. Il maintient une certaine distance entre nous, prêt à arbitrer en cas de désaccord, il ne s'engage pas totalement dans les débats qu'il lance. Il me donne l'impression d'être tout le temps vigilant pour ne pas se laisser engloutir par les émotions. Il essaye de se comporter en véritable chef, au risque de s'éloigner de nous. Sa mission de rassembler, de faire fonctionner la communauté est devenue sa priorité. Séverine le contemple et rayonne. Vincent lui-même se met à l'écoute d'une seconde à l'autre lorsque son Chef l'ordonne. Lui qui était si chahuteur… Mon cœur se serre, comme nous changeons vite…

– De mon côté, je continue à constituer une bibliothèque avec tous les livres dont nous pouvons avoir besoin, propose timidement la Bibliothécaire.

Je n'avais pas encore entendu sa voix et je sens que prendre la parole lui demande un véritable effort.

– Super, Isa, tu fais du bon travail.

Elle sourit à Jérôme avant de baisser la tête ; je ne crois pas qu'elle ait fait partie de leur bande d'amis avant la catastrophe.

– Et toi, Katia, tu as la force de continuer ta mission agricole ?

– Oui, je pourrai aussi devenir garde du corps. Si je suis trop défigurée, mon visage de monstre dissuadera nos pires adversaires de s'en prendre à nous !

Elle essaye de rire de son sort, mais là, c'est un échec, elle ne parvient pas à masquer son amertume. Sa tentative de blague finit en grimace accablée. Maïa se lève et la serre contre elle.

– Toi, Jules, tu pourrais ramener des conserves, du lait stérilisé et des pilules de purification pour rendre l'eau potable ? me demande le Chef.

– Aucun problème. Je m'en occupe dès demain.

Une question me taraude toutefois, j'aimerais savoir quel sort Jérôme réserve à mon frère.

– Comment va Pierre ?

– Pour l'instant, je lui donne des médicaments à base de codéine pour le désintoxiquer, mais rien n'est gagné. Il est dans un sale état, me répond aussitôt l'Apothicaire, chargée de veiller sur lui.

– Je pourrai lui rendre visite ?

– Il vaut mieux attendre demain, laissons-lui encore un peu de temps, il est en crise de manque, il tremble, il a des nausées. Il est vraiment mal, tu sais.

– C'est mon frère, j'ai envie de le voir ! Je veux l'aider.

– Non, Jules, intervient Jérôme. Dans la communauté, chacun a son rôle, et on obéit au responsable de chaque section. Maïa est l'Apothicaire, si elle t'ordonne d'attendre, tu attends. Sinon on ne s'en sortira pas.

Waouh… Son intonation cinglante me cloue le bec. Il ne m'a jamais parlé comme ça, il a vraiment intégré son rôle de Chef. D'ailleurs est-il maintenant mon Chef ou mon ami ? Peut-il être les deux à la fois ? Vincent me balance un gros coup de coude dans les côtes et s'esclaffe :

– Hé oui, mon gars, tu découvres le nouveau visage de Jérôme !!! Tu verrais ta tête, mort de rire !

Même Jérôme s'autorise un petit sourire devant mon air déconfit.

– Notre seule chance de salut, c'est de collaborer tous ensemble, Jules. Et pour réussir à vivre libres dans ce nouveau monde, il faut qu'on soit très exigeants et très structurés au sein de la communauté, surtout si d'autres nous rejoignent, comme je le souhaiterais. Je ne sais pas encore ce qui nous attend, si nos ennemis ne seront rien d'autre que des gangs de voyous armés, des drogués hagards, des fous mystiques ou s'ils seront plus puissants. Nous devons nous préparer au pire.

– Et une équipe qui gagne est une équipe où chacun a sa place et respecte la fonction de l'autre. Comme au rugby ! enchaîne le Soldat.

Vincent continue à tout comparer à un match de rugby, voilà au moins une chose qui subsiste du monde d'Avant.

– Bon, mais on peut bien discuter entre nous et se conseiller un peu quand même ? N'est-ce-pas, Jérôme ? propose Maïa doucement.

Sensible à la tension dans l'air, elle tente d'apaiser les esprits. Jérôme me saisit soudain par l'avant-bras et me sonde de son regard pénétrant :

– Nous devons nous adapter à ce monde, Jules. Si nous sommes solidaires et efficaces, nous nous en sortirons.

Il se tait quelques secondes qui me paraissent une éternité.

– Et pour continuer à vivre, nous devons changer.

Changer, oui, c'est bien ça, changer. À qui le dit-il…

21 NOVEMBRE, DÉBUT DE MATINÉE

Le cachot est fermé à clé, de l'extérieur. Je tourne la clé dans la serrure, ouvre la porte, et la vue de Pierre, avachi sur sa chaise les bras ballants, les épaules voûtées, me noue l'estomac. Il est en contre-jour, je ne parviens pas à distinguer les traits de son visage. Il ne remue pas d'un millimètre à mon arrivée.

– Pierre, je murmure, Pierre, c'est moi.

Je fais quelques pas vers lui. Il lève la tête, et son regard vide, ses yeux bordés de cernes si sombres qu'on pourrait croire qu'il a reçu des coups, m'épouvante plus que mille morts. Ses mains sont agitées de secousses, ses cuisses de soubresauts. Une marionnette aux fils cassés. Est-ce qu'il me reconnaît ? Je pose ma main sur son épaule, affolé par l'odeur acide de sueur et de saleté que dégage son corps. Depuis combien de temps ne s'est-il pas lavé ? Je comprends dans un sursaut : il s'est pissé dessus. Un grand froid s'empare de moi.

– Pierre, je vais t'aider…

Il me repousse d'un mouvement d'épaule nerveux, je ne retire pas mes doigts, il secoue son bras avec plus de violence jusqu'à ce que je relâche ma pression et m'éloigne

119

de lui. Je m'immobilise à un mètre de distance, pantelant, à attendre qu'il réagisse. Il tourne la tête vers le mur pour ne pas me voir. Et me parle :

– Je suis une grosse merde, mec, une grosse merde, cette saleté qui coule dans mes veines, ça me tue, ne compte jamais sur moi, jamais, t'entends, je veux me barrer, faut que tu m'aides à me barrer, je ne tiens plus.

– Non, tu dois tenir, je n'ai que toi, Pierre, je t'en supplie, je n'ai que toi. Au nom de papa, de maman, de notre famille, tiens le coup, je t'en supplie, on peut y arriver, on peut survivre.

Il ne veut toujours pas me regarder, il fixe un point sur le mur et tangue sur sa chaise comme un pantin désarticulé.

– Compte pas sur moi, mec. Elle est où ta copine apothicaire ? La belle gosse brune, là, qu'elle m'amène de la méthadone, de la putain de méthadone.

– Il y a rien qui peut te convaincre d'arrêter ? Et si moi je crève, Pierre, si moi j'en crève que tu te défonces ? Si ça me tue que tu m'abandonnes ?! Regarde-moi, putain, regarde-moi.

Il ne détache pas ses yeux du point sur la peinture blanche.

– Ça fait longtemps que je t'ai abandonné, Jules. Laisse tomber, je ne suis plus là, laisse tomber, fais comme si j'étais plus ton frère. Si tu savais ce que j'ai vu dans le squat, ils mouraient tous, les gamins, les vieilles édentées, je pensais que c'était un truc de drogués, je suis sorti dans les rues, comme un zombie, et on m'a dit où en trouver. C'est tout ce qu'on m'a dit, au drogué que je suis, que les mecs du 16ᵉ avaient la meilleure. Je ne suis plus ton frère, oublie-moi.

– Non, ça je ne peux pas, je ne peux pas…

Je sors du cachot en claquant la porte, je chiale, je ne veux pas qu'il le voie. Je donne un gros coup de poing sur le mur du couloir, je me fracasse la main, ça enfle, ça bleuit, je me suis cassé une phalange ou quoi ?

Je dévale les marches vers l'infirmerie, la rage explose en moi comme un gros nuage noir, elle me donne le vertige. Tout tourne autour de moi. Je n'entends rien, je crois que je gémis, je crois.

C'est Alicia qui m'ouvre la porte, avec Lego dans les bras. Elle me dévisage.

– Ça ne va pas, j'ai la main cassée, Minuscule, ça ne va pas, je ne vais pas…

Je m'effondre à genoux devant elle, mon désespoir m'empêche de tenir debout, je n'ai plus de frère, tout le monde est mort, et je n'ai même plus mon frère. Je sanglote, je ne sais plus ce que je dis, je balance mon corps d'avant en arrière devant la Minuscule qui ne dit rien, immobile. Et soudain je sens ses bras autour de ma tête. Elle colle mon front contre son torse et elle me berce. Et Lego ronronne et se frotte à mes cuisses.

Combien de temps restons-nous comme ça tous les trois ?

Un cri me ramène brutalement au réel :

– Putain, ton frère, Jules, il s'est échappé, t'as fait exprès ou quoi !

C'est Vincent, il est furieux. Je me redresse. Je suis responsable, j'ai oublié de fermer la porte à clé en repartant.

– Écoute, Vincent, c'est pas grave, il nous aurait servi à rien, c'est rien d'autre qu'un pauvre drogué en manque. Il va chercher ses doses et on n'entendra plus parler de lui.

Ma résignation l'étonne, il lève un sourcil interrogateur, remarque les jointures de mes doigts qui ont triplé de volume.

– Qu'est-ce qui s'est passé entre vous dans le cachot ?

– Rien de plus, il m'a dit qu'il n'était plus mon frère.

Je tente de garder la tête haute mais ma voix se brouille. La menotte d'Alicia se cale dans la mienne. À l'arrivée de Jérôme et Maïa, Vincent ne me laisse même pas le temps de me défendre et prend d'office la parole :

– Jules n'a pas fermé la porte derrière lui, et son frère s'est barré du cachot, mais son évasion ne constitue pas une menace. Pierre ne pouvait rien faire pour nous, et il ne peut rien faire non plus contre nous. Il veut sa drogue. Point.

– Jules a laissé s'enfuir notre prisonnier, ça craint.

– Jules a perdu son frère, Chef, sois un peu tolérant. On n'est pas parfaits non plus.

Je n'aurais jamais imaginé que Vincent jouerait un jour le rôle de médiateur entre Jérôme et moi. Jérôme l'Inflexible me scrute et réfléchit, il mesure la gravité de ma faute. Mon vieux pote m'apparaît comme une réincarnation de Robespierre. Peut-être a-t-il raison ?… Peut-être sa fermeté, à la limite de la dureté, est-elle indispensable pour éviter que trop d'erreurs ne soient commises, qui finiraient par compromettre la possibilité de recréer tous ensemble ce monde nouveau auquel il aspire ?

– OK, Julot, je crois que je comprends. Et je crois aussi que la fuite de Pierre ne nous met pas en danger. Je suis désolé pour toi, vraiment. Maïa t'avait prévenu que ça serait dur…

Je hoche la tête, étonné qu'il emploie mon surnom d'Avant, « Julot », c'est doux à entendre. Il est plus conciliant que je ne pensais. Les arguments de Vincent ont porté ; non seulement il a réussi à arrondir les angles, mais il a aussi réveillé l'empathie de notre Chef. Le Soldat me tapote le dos :

– Ça va aller, mec ?

J'opine de la tête et murmure « merci », il me sourit, et Jérôme lui fait signe de le rejoindre à la porte.

– Soldat, on y va, on a des gens à rencontrer. Jules, tâche de nous trouver des pilules de purification d'eau.

Ses yeux se posent sur mes doigts enflés :

– Qu'est-ce que tu t'es fait ?

Maïa soulève ma main :

– Tu ne t'es pas loupé. Avant de partir au jardin des Plantes, va falloir que je te soigne ça. J'espère que ce n'est pas cassé.

– Perte de temps, grommelle le Chef qui nous quitte sur ces mots.

– Il a bien changé, Jérôme, non ?, dis-je à Maïa lorsque nous sommes seuls.

– Oui, et l'attaque du Gang du 16ᵉ l'a fait flipper, il estime qu'on doit être plus opérationnels et lui, plus autoritaire. Je ne crois pas qu'il y prenne goût, mais il veut vraiment qu'on s'en sorte.

Elle plie mes doigts les uns après les autres :

– Ça fait mal ?

Je serre les dents, oui, ça me fait mal à hurler.

– Tu arrives à bouger tous tes doigts, c'est bon signe. À mon avis, il n'y a pas de fracture. Peut-être une entorse ou simplement un hématome. Il me faudrait de la glace pour faire dégonfler. Mais on n'en a pas. Je vais l'immobiliser. Je n'ai jamais fait ça. Le mieux serait que je me renseigne dans un bouquin. Attends-moi là, je vais voir ce que je trouve dans la bibliothèque.

Avant de sortir, elle s'arrête et pivote vers Alicia, dont toute l'attention est focalisée sur ma main difforme.

– Alicia, je ne suis pas contente que tu aies emporté Lego à l'infirmerie. Je t'avais dit : pas d'animaux ici. Tu le ramèneras aux dortoirs au premier.

Alicia attrape Lego et prend son air buté. Ce n'est pas gagné.

– En attendant, tu veilles sur Diego.

La Minuscule hoche très sérieusement la tête. Elle me conduit jusqu'au canapé où je m'affale en attendant le retour de l'Apothicaire. Maïa revient accompagnée d'Isa. Je suis de nouveau frappé par l'impression d'avoir déjà vu quelque part ce nez en trompette et cette longue frange. Alicia m'apporte un verre d'eau et m'oblige à le finir entièrement. Sa fermeté à mon égard amuse Isa :

– Le Plaqueur a tout bu ? Bravo, Alicia. Je dois préparer une nouvelle réserve d'eau potable. Tu viens avec moi ? Je vais te montrer comment filtrer l'eau de la Seine.

La petite la suit docilement. Je les entends s'affairer dans la cuisine de l'infirmerie. De sa voix douce et enfantine, Isa fait preuve de beaucoup de pédagogie : « Regarde, dans le seau, c'est l'eau de la Seine, il ne faut surtout pas la boire. On la filtre avec un tamis », lui apprend-elle. Et soudain, ça me revient, je sais pourquoi elle me rappelle quelqu'un ! Elle a été la première petite copine de mon frère. Ils étaient en quatrième. C'était avant la drogue. Elle était venue à la maison quelques fois. Un jour, je leur avais fait une démonstration de prises de judo dans le salon ; je l'avais fait rire, alors que j'avais gonflé Pierre. Il me semble que leur histoire n'avait pas duré, mais je n'ai pas de souvenirs précis. Est-ce qu'elle sait qui je suis ? Est-ce qu'elle me reconnaît cinq ans plus tard ? Ils ne sont pas restés en contact après leur rupture. J'avais encore ma tête de gamin quand ils se sont fréquentés, je devais être en CM2, j'étais moins rond. Peut-être n'a-t-elle pas fait le lien entre le gamin adepte d'art martial que j'étais et l'ado costaud que je suis ? Et est-ce qu'elle a vu Pierre ?

Maïa m'applique de la pommade à l'arnica, me met une attelle et un bandage :

– On va essayer comme ça en attendant de voir comment ça évolue.

Je lui souris, attentif en même temps aux explications d'Isa qui parviennent jusqu'à moi :

– Tu vois, ce n'est pas compliqué. Tu m'aides à tenir le torchon ? Merci.

Je fais un clin d'œil à Maïa et me dirige vers la cuisine, curieux de voir comment Alicia se dépatouille de sa mission. Concentrée, elle maintient le tissu blanc sur lequel Isa verse doucement et régulièrement l'eau brune qui s'écoule ensuite dans une marmite. Notre arrivée ne perturbe pas la Minuscule. Rien ne la distrairait. Pas même Lego. Jamais loin d'elle, perché sur le plan de travail, les oreilles en mouvement, mon chaton guette le moindre de ses gestes.

– On peut purifier l'eau filtrée avec de la Javel ou avec des pastilles. Moi, je préfère encore la faire bouillir. Tu viens avec moi, on va mettre la marmite dans la cheminée du salon ?

C'est ce moment précis que choisit Lego pour bondir sur le torchon retenu par Alicia. Surprise, elle le lâche, et le fauve se retrouve entièrement plongé dans la marmite d'eau. Paniqué et furieux, il gigote dans tous les sens pour ne pas se noyer. La Minuscule repêche le chaton grelottant et dégoulinant par la peau du cou. Et là, tout en le séchant avec une serviette, elle éclate de rire. Et son rire est contagieux. Le museau furibond de Lego apparaît un instant à travers le tissu dans lequel il se débat, s'accrochant partout avec ses petites griffes. Je me mets à rire moi aussi. Et mon rire rebondit jusqu'à Maïa, qui explose à son tour. Même si elle est dépitée par cette chute intempestive dans le liquide filtré, Isa se laisse aller elle aussi à l'hilarité générale.

Il faut croire qu'en plus d'être asocial, Lego est susceptible, parce que, dans une prouesse acrobatique digne du meilleur gymnaste, il réussit à s'extraire des mains d'Alicia et à s'enfuir, les oreilles plaquées, loin de ces êtres humains moqueurs et sans pitié. M'ignorant superbement, il se contente d'un feulement dédaigneux adressé à sa petite maîtresse adorée avant de disparaître hors de notre vue.

Vexée par la fuite du chaton, le visage fripé de dépit, la Minuscule arrête de rire aussi vite qu'elle avait commencé, se tourne vers moi, les mains sur les hanches, fronce les sourcils et me fusille du regard :

– Diego ! me gronde-t-elle comme si j'étais coupable.

Mais son reproche ne fait que redoubler mon envie de rire. C'est incontrôlable, comme un fou rire en cours de maths. Rien ne peut m'arrêter.

24 NOVEMBRE, FIN DE MATINÉE

Jérôme et Vincent m'ont proposé de visiter avec eux le R-Point qui a été organisé par l'armée dans l'hôpital de la Salpêtrière. Ils veulent s'informer sur son fonctionnement. Très content de la confiance qu'ils m'accordent, je les accompagne volontiers. Isa vient elle aussi pour chercher des ouvrages de médecine commandés par Maïa. Sur le boulevard de Port-Royal, un groupe d'adolescents nettoie les rues. Ils déposent les cadavres en décomposition sur des brouettes puis les transportent jusqu'à deux véhicules blindés, conduits par des militaires en combinaisons de protection.

Isa et moi ne nous approchons pas trop, pour ne pas risquer de nous faire contrôler par les militaires. Mais Vincent et Jérôme font signe à deux ados qui s'apprêtent à soulever un corps. Ils interrompent aussitôt leur tâche et nous interpellent :

– Salut les gars, on peut vous renseigner ? Vous cherchez peut-être le R-Point ?

– C'est bon, on sait qu'il est installé à la Salpêtrière. On a lu l'information hier sur l'affiche placardée à la mairie du 5ᵉ.

– Oui, c'est bien que vous y alliez, vous n'avez pas besoin de passer par un centre de tri, ils vont vous répertorier directement, et vous pourrez vous intégrer à un groupe de travail.

– OK, et vous faites partie de quel groupe ?

Le premier gars, maigre et grand, le visage couvert d'acné, nous adresse un sourire désarmant de candeur, il a l'air vraiment sympa. Mal dans sa peau, mais franchement sympa.

– Unité spéciale de purification des rues.

Il écarte les bras et nous fait une petite révérence comique, comme s'il était un baron invité à un bal au château de Versailles. Il est marrant. Son binôme semble avoir moins de recul :

– La deuxième étape, c'est le karcher. Et la dernière action, c'est l'aspersion massive d'anti-nuisible, nous informe-t-il avec la fatuité d'un général d'armée avant la victoire contre ses ennemis.

Sauf que ses ennemis se contentent de se décomposer. Et de puer grave. Se moquant de la gravité de son camarade, le premier type exécute un salut militaire très strict en bombant le torse et en plaçant sa main sur sa tempe. Jérôme l'encourage d'un sourire discret. Même Isa a du mal à retenir son rire. Le masque à gaz du conducteur surgit de la fenêtre du véhicule :

– Hé, les gars, vous vous croyez dans la cour de récré, j'ai pas que ça à faire. Au boulot ! Et vous, filez au R-Point !

Nous adoptons tous un air obéissant, mais Vincent esquisse à son tour un salut militaire de la main, que Jérôme interrompt d'un geste furieux :

– Pas de provocation, Vincent, là, on navigue en eaux troubles.

Le Soldat soupire avec lassitude :

– Sois pas parano, Chef, c'est le gros bordel partout. On ne sait même pas combien de militaires ont survécu à l'épidémie.

– Justement, on ne sait rien des décisions de l'armée, donc on est discrets. En route.

Nous redescendons jusqu'au carrefour des Gobelins, et là, changement d'ambiance : tous les immeubles sont couverts de graffitis et de tags. On se croirait dans un décor de clip de rap tourné dans le Bronx. Des personnages réalisés à la bombe se mêlent aux lettrages colorés arrondis ou cubiques…

– Les Graffeurs sont arrivés jusqu'ici, maugrée Vincent.

– Les Graffeurs ?

– C'est une bande qui regroupe plein d'anciens graffeurs et tagueurs. Les survivants se sont rassemblés, ils annexent des quartiers entiers, et leurs graffitis signalent sur les murs l'extension de leur territoire.

– Ils sont violents ?

– Non, mais ils veulent conquérir un maximum d'arrondissements.

– Ils sont armés ?

– Ils n'ont que des bombes lacrymogènes et paralysantes pour se défendre. Pas d'armes à feu, à ce que je sache.

Jérôme m'explique :

– Beaucoup des membres de ce clan ont un passif avec la police et les forces de l'ordre, ils ont du mal à supporter toute forme d'autorité. Ils rêvent d'une ville entièrement peinte, qui laisserait toute la place à leur art, à leur imaginaire et à leur liberté.

Bref, en voilà d'autres qui n'iront certainement pas s'inscrire au R-Point.

– Genre, il suffit de mettre un coup de bombe sur une façade, et hop, l'immeuble t'appartient !

Je me moque un peu mais je serais curieux de voir un des Graffeurs à l'œuvre.

– En fait, c'est surtout l'espace de la rue qui les intéresse, ils se foutent de la propriété privée.

– Mais à présent que leur acte de création n'est plus interdit par les autorités et qu'il n'a plus rien de subversif, comment peut-il encore avoir un sens pour eux ?

– Je pense qu'ils veulent devenir les maîtres de Paris et imposer leur vision du monde comme un lieu de création sans limites.

J'ai du mal à adhérer à leur rêve utopique, mais qui suis-je pour les juger ? Moi, je crois bien à la possible existence d'un Khronos, capable de me faire remonter le cours du temps pour éviter la catastrophe. Et je sais combien cet espoir m'aide à tenir le coup.

– Ils ont un QG ? Une base ?

La question de Jérôme s'adresse directement à son Soldat. Quand ils parlent stratégie, c'est comme si les autres n'existaient plus.

– Sûrement. Mais j'ignore encore où il est, j'irai repérer les lieux demain.

– Surtout, assure-toi de leur collaboration.

– Ah, voilà la Salpêtrière !

131

Plus aucun cadavre n'encombre le boulevard de l'Hôpital. Nous passons sous la structure métallique du métro aérien, les pigeons y sont plus nombreux que jamais, une ville de volatiles. Chaque recoin grouille de plumes grises.

– Gare aux têtes !

C'est un défi de faire un pas là-dessous sans recevoir de crottes de pigeon. Nous accélérons sans même nous concerter.

Pour entrer dans l'hôpital reconverti en R-Point, il faut passer sous un petit arc de triomphe, suivre un chemin entouré de deux pelouses autrefois parsemées de fleurs, puis traverser deux bâtiments successifs en empruntant des corridors étroits. Les édifices sont vraiment très majestueux, on dirait un palais plus qu'un hôpital.

Nous longeons ensuite l'église à coupole et rejoignons le square de l'hôpital, dont les arbres ont été abattus pour faire de la place. Là, il y a plus de monde. Isa s'arrête :

– Je vous laisse là, je vais essayer de retrouver des amis. Rendez-vous à la sortie dans une heure ?

– Bien, sois prudente. À tout à l'heure.

Des ados font la queue et donnent leur nom et leur âge à un mec à peine plus vieux que nous, il doit avoir autour de dix-huit ans. Il porte un gilet jaune fluo et note les informations sur un calepin. Vincent se crispe :

– Le gars avec un gilet, le petit blond qui a l'air d'être un des responsables, c'est l'ancien chef du Gang du 16e. Celui qui nous a attaqués il y a quatre jours. On est mal. Il ne faut pas qu'il me reconnaisse.

– Qu'est-ce qu'il fait là ?

– S'il a rallié le R-Point, il a sûrement ses raisons, ses troupes de défoncés ne devaient pas tenir la route.

– T'es sûr qu'on a le droit de vivre en dehors du R-Point?

– J'ai rien entendu ni lu suggérant le contraire, pour l'instant.

– On bouge? On essaye d'interroger des gars?

Je les suis vers les bâtiments plus modernes. Un grand vrombissement me cloue sur place: un hélicoptère se pose sur la pelouse du square qui sert manifestement d'héliport. Des militaires en tenues spéciales de cosmonautes, des masques à gaz couvrant leurs visages, déposent des bidons d'eau, des sacs de nourriture et de médicaments. Ces adultes ne prennent aucun risque de contact avec le virus. Les adolescents, eux, n'ont pas besoin de ces protections. Comment ça se fait? Serions-nous immunisés? Et si ces hommes évitent de nous approcher, est-ce que ça signifie que nous pourrions les contaminer?

Des jeunes s'avancent et, parmi eux, je plisse les yeux pour être sûr de ne pas me tromper, je la reconnais, cette silhouette fine, ces cheveux roux nattés, c'est la fille du pont Saint-Michel, la sauveuse d'Alicia. Son géant est près d'elle. Alors elle aussi, elle aurait rejoint le R-Point? J'hésite à leur parler. Non, ça ne sert à rien, elle n'a pas besoin de moi. À quoi bon?

– Jules, on va poser quelques questions aux mecs qui fument là-bas.

Quatre gars bavardent, assis sur le perron de l'Institut du cerveau et de la moelle épinière.

– Salut!

– Salut! Vous venez d'arriver?

– Oui, ça se passe comment ici ?

– Bah, on est là depuis hier seulement, ce qui est bien, c'est que l'armée distribue de quoi boire et de quoi se nourrir.

– Il y a des docteurs ?

– Je crois, quelques médecins militaires.

– Des médicaments ?

– Oui, ça oui. Ils n'en manquent pas.

– Ils sont stockés quelque part ?

– La pharmacie, c'est le bâtiment en brique rouge qui longe la pelouse où les hélicoptères se posent.

Jérôme obtient avec une facilité déconcertante tous les renseignements qu'il veut, sans éveiller la moindre méfiance de ses interlocuteurs. Quand il pose des questions, il donne l'impression qu'il va vous rendre service grâce à ce que vous allez lui apprendre. Il est très fort. Franchement, je l'admire. Notre informateur souffle la fumée de sa cigarette avec délectation.

– C'est un peu le bordel, y a des plus vieux, genre ceux de dix-huit ans, ceux qui ont des gilets, ils gèrent l'organisation. Ils notent les noms, les âges, tout ça. Ils nous répartissent dans les bâtiments qui servent de dortoirs. Ils nous attribuent des tâches. L'armée a même proposé à certains de leur mettre des puces électroniques dans le bras.

Ce dernier point les fait marrer, moi, ça me fait froid dans le dos. Et je ne suis pas le seul que ça perturbe :

– Des puces électroniques ? Comme à du bétail… Mais pour quoi faire ?

Le Chef donne un gros coup de coude à son Soldat pour qu'il soit moins véhément. Le gars hausse les épaules :

– C'est dans un but médical : apparemment, elles servent de traceurs pour localiser le virus et surveiller son évolution.

– Comment elles fonctionnent ? insiste Vincent, intéressé par l'aspect technique.

– Les puces sont implantées sous la peau, elles s'éteignent si on meurt. Elles permettent donc de savoir si le virus s'en prend à nous et nous tue.

– Elles sont connectées par GPS ? intervient Jérôme.

– Je ne connais pas les détails, les militaires ne nous expliquent pas comment ça marche. Ils n'ont pas que ça à faire. Moi, je crois qu'elles sont reliées aux ordinateurs de l'armée par les ondes et permettent de localiser en permanence ceux qui les portent.

– En gros, ça serait pour repérer en combien de temps on pourrait mourir du virus, tu vois, résume l'autre.

– Est-ce qu'on est obligé de se faire implanter une puce ? demande encore le Chef avec un détachement feint.

– Bah non, ils ne nous obligent pas.

Je déglutis, Vincent aussi. Jérôme s'efforce de paraître le plus neutre possible pour poursuivre la discussion et obtenir les informations qui l'intéressent :

– Vous avez des armes ?

– Non, les ados n'ont droit à aucune arme, enfin, à ce que je sache.

– Et comment vous ferez pour vous défendre ?

– Il y a les militaires qui nous protègent.

– Vous dépendez entièrement de l'armée ?

– Oui, on va être affectés à notre mission tout à l'heure.

– Et on peut emporter de l'eau potable et de la nourriture si on ne s'installe pas dans l'hosto ?

– Je ne sais pas, nous, on préfère vivre là, on se sent plus en sécurité, tu vois. Va demander aux chefs, ceux qui ont des gilets, ils sont en contact direct avec les adultes.

– OK, merci pour les renseignements, à bientôt.

Dès que nous avons le dos tourné, Vincent murmure entre ses dents :

– On se casse, on en sait assez. Et pas la peine de se faire repérer par Logan.

– Logan ?

– L'ancien chef du Gang du 16e.

Je n'ai aucune idée de ce qu'il a vécu avec ce Logan, mais s'il tient autant à l'éviter, c'est qu'il en sait beaucoup plus que moi sur le bonhomme. Qu'a-t-il pu se passer entre eux ? Je préfère ne pas le questionner, la curiosité des autres lui tape sur les nerfs ; plus il les juge indiscrets, moins il leur fait de confidences. Le Soldat ne distille ses informations qu'au compte-gouttes et seulement si cela sert son objectif. Il fonctionnait déjà comme ça au collège et même sur Warriors of Time. C'est son père qui lui a appris à ne pas dévoiler ses cartes : « Demeure le seul maître de ce que tu sais, ne le révèle à d'autres que si ça te sert. C'est ce qui fera ta force et ton pouvoir », conseillait-il à Vincent, qui tentait d'appliquer le principe de la rétention d'informations avec son avatar ObiTwo. Il s'est tellement approprié les théories paternelles que je n'ose plus lui poser de questions personnelles, c'est pourtant l'un de mes meilleurs amis. Je ne sais toujours pas si sa sœur a survécu. En même temps, comme il n'en parle jamais et qu'il l'adorait, j'en déduis qu'elle est morte du virus.

Sur le chemin du retour, nous avançons d'un bon pas, silencieux, tous les quatre plongés dans nos réflexions. Les sourcils froncés de Jérôme n'augurent rien de rassurant. Isa, qui nous a rejoints, ralentit et se cale sur mon rythme.

– Jules ? Tu veux bien qu'on parle un peu tous les deux ? me demande-t-elle timidement.

Je me tourne vers elle, écarlate :

– Tu... tu sais qui je suis ?

24 NOVEMBRE, DÉBUT D'APRÈS-MIDI

Qu'est-ce qui m'a pris de demander ça à Isa? Ridicule, comme question.

– Oui, je sais qui tu es depuis trois jours, me répond-elle avec le ton bienveillant d'une institutrice de maternelle.

Je me crispe, est-ce qu'elle a revu Pierre?

– Je suis désolée de ne pas t'avoir reconnu avant, je ne t'ai pas croisé souvent à l'époque et tu étais…

Elle cherche ses mots, elle ne veut pas piquer ma susceptibilité. J'étais svelte à dix ans.

– J'étais encore un gamin! Normal que tu ne m'aies pas reconnu, t'inquiète pas.

– Jules, j'ai eu le temps de parler avec ton frère au cachot. Comme vous étiez tous occupés après l'attaque, c'est moi qui lui ai apporté à boire en premier.

Mon cœur bat plus vite.

– Quand j'ai vu dans quel état de prostration il était, je… Tu sais, moi aussi, j'ai connu ça, le manque.

Elle? La maîtresse d'école modèle, elle s'est droguée? Impensable.

– Je l'ai cherché dans le R-Point aujourd'hui.

Je ne veux pas savoir. Mon frère m'a abandonné.

– Et je suis tombée sur lui.

Ah, je me passerais bien de son émotion béate. Elle ne comprend pas que je ne veux plus entendre le nom de Pierre ? Je me contracte, je n'ai pas envie d'aborder ce sujet. Pour moi, mon frère est perdu. Je l'ai perdu.

– Il a rejoint le R-Point, il fait toujours partie de la bande de Logan. Mais…

– Mais quoi ? Il était trop défoncé pour te reconnaître ? je lui demande, sarcastique.

– Dans le cachot, il était tellement mal, je n'étais pas certaine qu'il m'ait reconnue. Mais aujourd'hui, au R-Point, il allait mieux et il était content de me revoir.

Impossible. Elle divague, la pauvre, aveuglée par son amour.

– Pierre n'en peut plus de la drogue, il a besoin d'un déclic.

Et elle imagine qu'elle pourra être ce déclic ?! Qu'elle est naïve !

– Je vais l'aider. Je vais tout faire pour l'arracher à cet état de dépendance. Parce que…

Elle ne va pas au bout de sa phrase, sa rougeur m'agace. Qu'espère-t-elle avec Pierre ? Je ne crois pas une seconde qu'il écouterait une vague ex-petite amie.

– Écoute, Jules, je comprends ton amertume. Si tu le veux bien, je te tiendrai informé de nos rencontres.

Moi, je n'ai plus d'espoir. Heureusement, Jérôme met un terme à notre discussion qui risquait de devenir houleuse.

– Cette histoire de tracer les survivants, ça ne me plaît pas du tout.

– Je ne le sens pas trop non plus, approuve Vincent.

– L'armée a sûrement la possibilité de nous protéger, non ? propose Isa d'un ton hésitant.

– Mais la frontière est parfois ténue entre protection et surveillance. Leur volonté, légitime au départ, de contrôler notre sécurité peut basculer vers un encadrement autoritaire, rétorque Jérôme avec fermeté.

L'intonation du Chef est de plus en plus grave lorsqu'il poursuit :

– Au R-Point, nous risquons d'être séparés, d'être forcés d'obéir à leurs ordres. Y compris s'il s'agit d'ordres absurdes ou cruels.

J'ai du mal à imaginer notre installation dans un R-Point et ce qui en découlerait.

– Nous serons à la merci des militaires, nous serons désarmés. Et je n'ai pas confiance en eux.

Un silence, puis il poursuit pensivement :

– Et je ne crois pas que je veuille de cette vie-là.

Ces derniers mots sonnent comme l'avis définitif de notre Chef.

Cédric est en faction devant l'immeuble. Depuis l'invasion du gang, nous nous relayons jour et nuit, munis d'un fusil d'assaut et d'un talkie-walkie relié en permanence à l'un d'entre nous à l'intérieur. Nous choisissons librement de monter la garde sur le toit-terrasse ou dans la rue devant la porte.

Jérôme lui accorde un bref regard, il est déjà engagé dans l'escalier quand il nous lance :

– Ce soir, on informe tous les autres. Et il faudra qu'on décide rapidement si on garde notre autonomie ou si on dissout la communauté pour rallier le R-Point.

Et il disparaît de notre champ de vision.

– Vincent, tu viens avec moi à l'infirmerie ?

– D'accord, j'en profiterai pour boire un coup et changer mon pansement à la cuisse.

La porte de l'appartement du troisième est entrouverte, il n'y a personne dans le salon.

Des voix proviennent de la salle de bains, Vincent me devance, mais je le retiens par la manche, mû par une sorte de réflexe : il me semble que ce n'est pas le bruit d'une conversation normale. Je tends l'oreille. C'est bien ce que je craignais, ce sont des pleurs. Est-ce Alicia ? Non, je reconnais le timbre grave et profond de Katia, son coffre de chanteuse de gospel si contradictoire avec sa blondeur. Quelqu'un qui l'entendrait sans l'avoir jamais vue l'imaginerait avec le physique d'Aretha Franklin. On s'immobilise, stupéfaits. Et les paroles entrecoupées de Katia parviennent jusqu'à nous :

– Je suis défigurée, je n'ose même plus enlever mon pansement. Regarde-moi, Maïa, je ne serai plus jamais belle, jamais.

– Oh Katia, tu seras belle, tu es belle, parce que tu es rayonnante, tu as les yeux les plus clairs que je connaisse, tu...

– Je ne peux pas sourire, tu as vu mon sourire, comme il est laid ?

– Mais non, qu'est-ce que tu dis, Katia, c'est faux...

Mais la voix de Maïa se brise aussi. Et on n'entend plus rien. À part leurs sanglots communs.

Muets de surprise, nous sommes les témoins d'une scène à laquelle nous n'aurions jamais dû assister. Blafard, pétrifié, ses yeux noirs pleins de colère, Vincent murmure entre ses dents :

– Je les tuerai tous, ces pitbulls, et je leur ferai bouffer leurs maîtres, je te le jure. Je leur ferai la peau, aux Dévoreurs.

Les Dévoreurs… Jérôme et le Soldat les ont déjà évoqués en ma présence. Il s'agirait donc d'une bande qui dresse des pitbulls ? Un frisson d'effroi me parcourt l'échine.

27 NOVEMBRE, FIN DE MATINÉE

Devant l'ancienne faculté de Jussieu, des ados balancent au karcher des produits mousseux sur le sol. Ça pue le désinfectant chimique. Il s'agit paraît-il de poison anti-rats. L'armée s'attelle à l'élimination des rongeurs nuisibles. La rue du Cardinal-Lemoine est très pentue, c'est galère avec la charrette remplie de cages à poules et à lapins. Notre troc avec la bande des Sauveurs, qui gère la ménagerie du jardin des Plantes, a été plus que profitable : nous avons échangé des conserves contre de la viande fraîche et des œufs. Ils sont très pacifiques, les armes ne les intéressent pas. Ils se sont installés dans les anciens bâtiments des vétérinaires de la ménagerie et maintiennent en vie les animaux. J'ai été impressionné par leur système d'alimentation, d'approvisionnement en fourrage et de nettoyage des cages. Ils sont très bien organisés.

N'empêche, je suis furieux. Je n'ai pas dit un mot depuis tout à l'heure, quand ça s'est produit.

Je trébuche dans la montée, j'ai du mal à refouler ma colère contre Vincent. Maïa reste silencieuse aussi. Heureusement, aucun de nous n'a été blessé, mais il s'en est fallu de peu que l'Apothicaire finisse défigurée. Ou dévorée. Je serre les lèvres pour retenir les insultes qui montent en moi. Quel égoïste, ce Vincent! Il aurait dû nous avertir.

Dans les rues pentues du quartier latin, les cadavres de rats ont remplacé ceux des hommes. J'aurais dû me méfier, quand le Soldat a proposé de nous accompagner au jardin des Plantes pour négocier avec les Sauveurs. Je repense au moment où il a lâché la charrette et empoigné son fusil. Au moment où les aboiements féroces se sont rapprochés de nous. Au moment où les pitbulls ont surgi. Au cri de Vincent: «C'est la bande des Dévoreurs! Je vais me les faire!» Les molosses nous ont encerclés. Et il a fallu se battre. Nous étions les proies de fachos et de leurs animaux excités, dressés pour tuer. Vincent savait que l'affrontement aurait lieu et il ne nous a pas prévenus. Il s'est servi de nous. Il a abattu une dizaine de chiens et leurs trois maîtres avec son Famas. Moi, j'ai utilisé Poignard. Pour sauver Maïa. Je frémis en repensant à l'espèce de skinhead aux cheveux rasés, en jogging vert kaki et en Doc Martens, qui voulait la faire bouffer par ses chiens. Je l'ai tué, de mes propres mains. J'ai bondi sur lui quand il a voulu balancer Maïa en pâture à ses monstres. Je lui ai planté mon Poignard dans le cœur pendant que Vincent tirait sur les derniers pitbulls. J'ai tué. Pour sauver Maïa.

Le carnage.

Je n'oublierai jamais l'expression farouche, sauvage, inflexible de Vincent quand il a éliminé les deux fuyards sans leur laisser la moindre chance de survie.

Le Soldat porte bien son surnom. Il aurait pu les épargner. Il aurait dû les épargner.

Et il est revenu vers nous ; il a remis son fusil d'assaut en bandoulière, m'a demandé si ça allait, a donné des coups de pied aux cadavres des pitbulls pour vérifier qu'ils étaient bien morts.

– Pourquoi t'as tué les deux derniers ?

Ma question est sortie toute seule, je n'ai pas pu me retenir.

– Parce que je connais les Dévoreurs. Ils sont nombreux. Ce Gang réunit une bonne partie des anciens skins et des fachos qui ont survécu au virus. Si j'avais pu en buter deux ou trois de plus…

– Tu avais prévu ce combat, hein ?

– Je ne pouvais rien prédire à cent pour cent. Mais je savais qu'ils risquaient de nous attaquer entre la rue du Cardinal-Lemoine et l'église Sainte-Geneviève. Ils squattent l'ancien lycée Henri IV. Ils ont installé leurs clebs dans les jardins.

– Et tu nous as quand même fait passer par là…

– Oui, et je vais te dire pire, j'étais presque sûr qu'ils sortiraient leurs chiens en nous voyant.

J'ai envie de le cogner, franchement, j'ai envie de le rouer de coups de poing. Est-ce qu'il a conscience de nous avoir manipulés, menti et entraînés contre notre gré dans une mêlée sans pitié ?

– Un jour ou l'autre, ils auraient cherché à te massacrer, Jules, toi ou peut-être un autre d'entre nous. Là, au moins, j'étais là pour vous défendre contre eux, et je n'ai pas été pris par surprise, poursuit-il.

Il n'a pas été long à mettre en œuvre son désir de venger Katia. Il voulait peut-être lui ramener la tête du chef de clan en trophée, en mode guerrier barbare ? Je me tourne vers lui, son visage se détend d'un coup, un large sourire l'illumine. Un putain de sourire complice et sincère.

– Jules, t'as jamais su cacher tes émotions, mon pote ! Tu verrais ta tête, on dirait un taureau dans l'arène. T'es furax contre moi parce que je ne t'ai pas averti. Mais j'ai agi par stratégie : si les Dévoreurs voyaient qu'on était trois, je savais qu'ils sortiraient beaucoup plus de chiens et donc que j'en buterais plein.

– Et tu nous mettais encore plus en danger…

– Avec mon fusil d'assaut, aucun risque. T'inquiète, je gère, ça fait un petit moment que je les surveille, je connais leurs points faibles, ils n'ont aucune tactique, ce sont des bourrins.

Je me contente de le toiser sans un mot, encore estomaqué.

– Jérôme est au courant ?

– Oui, Jérôme doit être au courant de tout, c'est le Chef.

– Un Chef qui nous a envoyés à l'abattoir.

– C'est la guerre, Jules, t'as pas encore compris que c'est la guerre ?

Au moment où ces mots résonnent comme un verdict irrévocable, le vrombissement d'une escadrille d'hélicoptères nous fait lever la tête : ils survolent le quartier et larguent des centaines de feuilles de papier. L'une d'entre elles tombe à mes pieds, je la ramasse : c'est un tract.

146

Et je le lis aux autres, stupéfait :

– *À partir du 1ᵉʳ décembre, les rues de Paris sont soumises au couvre-feu de 18 heures à 7 heures du matin. Toute personne surprise hors des R-Points après 18 heures sera arrêtée, ou abattue si elle n'obéit pas aux sommations. Il est interdit de se rassembler en journée, interdit de posséder et d'utiliser des armes, et interdit de se déplacer en véhicules à moteur. Il est fortement recommandé de rejoindre un R-Point, où se trouvent les lieux d'héliportage.*

30 NOVEMBRE, MIDI

Nous sommes tous installés autour de la table devant notre porc séché aux lentilles. Elles proviennent de la dernière trouvaille de Cédric dans un entrepôt de stockage du 19e arrondissement : des centaines de boîtes de conserve destinées aux cantines des écoles de la municipalité ! Suite à la découverte du tract, Jérôme a déjà lancé le débat sur les implications du couvre-feu qui entre en vigueur à partir du 1er décembre. Demain. C'est notre principal sujet de conversation depuis trois jours.

– Ce couvre-feu est le signe d'une véritable prise en main de la situation par les autorités militaires. C'est la loi martiale : l'armée assure désormais intégralement le maintien de l'ordre.

Un silence pesant accueille la sentence du Chef.

– Mais vivre en communauté, c'est autorisé ?

– Nous avons le droit de vivre en dehors des R-Points, mais nous ne pouvons plus sortir de chez nous après 18 heures, et nous n'avons plus le droit d'être en possession d'armes. C'est désormais une faute passible de prison.

Assise près de Jérôme, Séverine s'exclame :

– Mais nous ne pouvons pas vivre en dehors des R-Points sans armes. C'est impossible. Nous serons à la merci des autres gangs. Les militaires sont complètement fous !

Jérôme nous examine gravement avant de répondre en détachant bien chaque mot :

– Nous interdire de posséder des armes, c'est une façon habile de nous obliger à rallier leur zone de regroupement. L'armée refuse de déléguer la moindre responsabilité aux adolescents, parce qu'elle nous considère comme des enfants. En tant qu'êtres irresponsables, nous sommes potentiellement dangereux et immaîtrisables.

– Les militaires essaient d'encadrer les survivants dans des zones où ils seront sous leur dépendance. Nous n'aurons plus aucun moyen de nous défendre. Ils veulent faire de nous des pantins, maugrée Vincent.

Maïa intervient à son tour :

– Et n'oubliez pas que nous sommes peut-être porteurs sains du virus U4, et donc contagieux pour les autres. Les autorités ont intérêt à savoir où se trouvent les survivants, à analyser leur sang. Peut-être essaient-ils aussi de mettre au point un vaccin…

Je sursaute lorsqu'elle prononce le terme U4. J'avais oublié le nom du virus à l'origine de la pandémie, je l'avais enfoui dans un recoin de ma mémoire où je ne vais pas souvent me promener. Une image, qui date des premiers jours de l'épidémie, me revient en tête et me fait frémir d'horreur : celle de ce journaliste, au visage protégé par un foulard. Elle m'a longtemps hanté. Il est mort sous mes yeux, et sa mort était diffusée en direct sur Internet.

Il a été paralysé en quelques minutes, je me souviens de son visage déformé par la panique, avant qu'il ne crache du sang devant la caméra. Il s'est écroulé et, à ce moment, la caméra est tombée aussi, l'image a tressauté, et l'objectif s'est fixé sur le sol gris en une interminable séquence, et puis j'ai entendu comme si j'y étais les râles d'agonie du cadreur et du reporter, macabre fond sonore sur un absurde fond de béton.

Nous nous regardons, conscients que nous devons rapidement prendre une décision cruciale : intégrer le R-Point ou rester en dehors de l'organisation proposée par l'armée pour les survivants. Et, si la situation se durcit, accepter, assumer de devenir des hors-la-loi.

Jérôme reprend la parole :

– Il va falloir voter.

– Pesons le pour et le contre.

– Quels sont les avantages d'intégrer un R-Point ?

– Nous y sommes nourris !

– Nous participons à la reconstruction collective du monde.

– Nous y sommes protégés des gangs, nous y trouvons une forme de sécurité.

Les réponses s'enchaînent. Chacun y va de son argument. Jérôme nous écoute les uns après les autres.

– Bien, et maintenant, quels sont les avantages de notre groupe ?

Vincent lui laisse à peine le temps de finir sa question :

– Nous ne devenons pas des pions de l'armée. Intégrer un R-Point, c'est accepter de perdre notre liberté. Et de mettre nos vies entre les mains de militaires. Nous serons à leurs ordres, comme les ados qui nettoient les rues de Paris sous la surveillance de soldats armés.

Avec une fougue singulière, Katia, qui a une fois encore refusé d'enlever son pansement ce matin, renchérit :

– Si nous restons ensemble, nous pourrons choisir de quelle façon nous voulons vivre, et construire un monde tel que nous voulons qu'il soit.

Moi non plus, je ne veux pas que des militaires décident pour moi de la vie que je vais mener.

– Maïa, Jules, quel est votre avis ?

– Si nous y allons, nous serons séparés, nous n'aurons sans doute plus la possibilité ni l'autorisation de vivre ensemble, remarque Maïa d'un ton posé.

– Oui, il y a peu de chances qu'ils nous permettent de fonctionner en mode communautaire au sein du R-Point. Ce sont plutôt des dortoirs dans lesquels on attribue des lits aux nouveaux venus au fur et à mesure qu'ils arrivent.

Je ne veux pas qu'on soit séparés, je ne veux pas laisser à quelqu'un d'autre que moi la responsabilité d'Alicia.

– Et Alicia ? Que deviendrait-elle dans un tel lieu ? Jules aurait le droit de s'occuper d'elle ?

Maïa a pensé à la même chose que moi au même moment. Je suis de plus en plus convaincu de mon désir de demeurer dans la communauté. Sans parler du rendez-vous de Khronos le 24 décembre. Il va bien falloir que j'aborde ce sujet avec Jérôme et Vincent un de ces jours.

– Le R-Point ne peut pas adopter un fonctionnement familial. C'est une organisation militaire collective. Peut-être y aura-t-il des bâtiments réservés aux enfants qui ont survécu ? envisage Maïa d'une voix bien plus sombre.

151

Je m'apprête à renchérir quand Séverine intervient:

– Et Cédric? Il faudrait qu'il donne son avis lui aussi?

Jérôme fronce les sourcils, soupire et détache le talkie-walkie attaché à sa ceinture et relié à Cédric qui monte la garde sur le toit-terrasse. Il établit le contact:

– Allô Cédric? Tu me reçois?

– Oui, 5 sur 5.

– Comme on en parle depuis trois jours, je lance le vote, est-ce que tu veux rallier le R-Point?

Aucun clignotement n'indique de réponse. Jérôme plisse le front, agacé par le grésillement du talkie-walkie:

– Cédric? Allô?

– Je m'abstiens.

Le Cuistot s'abstient? J'en reste coi. Jérôme hausse les épaules et coupe le lien après un bref «OK, c'est entendu». Puis il fait un bilan de tout ce qui a été énoncé:

– Que les choses soient claires, en intégrant un R-Point, non seulement nous laissons des militaires décider de nos vies, mais en plus nous ne savons pas qui sont ces hommes auxquels nous confions nos destins. Nous prenons le risque d'être obligés d'obéir à des injonctions cruelles, de n'avoir aucun droit face à des décisions arbitraires, de ne pas pouvoir nous défendre si des actes violents sont dirigés contre nous.

Il laisse planer un silence, puis poursuit de sa voix grave, modulée, légèrement rauque, qui impose le respect et le rend si charismatique:

– Et moi, ce que je veux plus que tout, c'est un monde dans lequel je me sente libre. Après toute l'horreur qu'on a traversée, c'est la seule motivation qui me pousse à continuer à vivre.

Sa voix se casse, je devine qu'il pense aux derniers mots de sa mère, à la promesse qu'il lui a faite. La main de Séverine se pose sur la sienne sans qu'il la repousse.

– Je vous propose de rester ensemble, de vivre en paix les uns avec les autres, de ne compter que sur nous-mêmes pour nous défendre et choisir ce qui nous semble juste, et d'accueillir ceux qui acceptent nos règles de vie. Cette décision impliquera peut-être notre départ de Paris. Je crains que l'armée ne durcisse ses positions. Nous nous installerons alors dans un endroit où nous pourrons vivre libres, loin des cadres militaires. Êtes-vous prêts à voter à main levée ?

Partir de Paris ? Ah non, impossible d'envisager ce départ avant le 24 décembre. Il va vraiment falloir que je parle du rendez-vous à la tour de l'Horloge au Chef et que je parvienne à le convaincre de rester à Paris jusqu'à la date fatidique. Nous hochons tous la tête d'un mouvement simultané.

– Qui vote pour rester dans la communauté ? prononce Jérôme d'un ton solennel.

Toutes les mains se lèvent. Toutes les mains sauf une.

30 NOVEMBRE, DÉBUT D'APRÈS-MIDI

— Isa ? Tu préfères intégrer le R-Point ? questionne le Chef sans se troubler.

— Oui, je m'y sentirai plus en sécurité. Et je ne veux pas partir de Paris. J'ai grand espoir d'y retrouver certains de mes proches…

Je suis le seul à savoir de quels « proches » il s'agit.

— Bien, je comprends ta décision. Quand souhaites-tu partir ?

— Aujourd'hui, si c'est possible.

— Une fois là-bas, tu accepterais de nous donner des informations sur son fonctionnement ou sur les directives de l'armée ?

La gratitude se lit sur le visage de la Bibliothécaire :

— Vous m'avez sauvé la vie, je ferai tout ce qui est en mon pouvoir pour vous aider.

Jérôme acquiesce d'un bref hochement de tête et, retrouvant un ton autoritaire, pivote vers le Soldat :

— Vincent, je te charge de son intégration au R-Point et des contacts ultérieurs avec elle.

— Je vais gérer, pas de problème, réplique-t-il.

Le Soldat dissimule mal sa satisfaction à la perspective d'une nouvelle mission. Il a besoin d'adrénaline, c'est son moteur, presque une forme d'addiction aux actions dangereuses. Plus elles s'apparentent à des missions impossibles, plus elles l'excitent et le comblent.

– Plaqueur, tu écoutes un peu notre discussion, s'il te plaît ?

Le Chef me rappelle à l'ordre, il est pire qu'un professeur surveillant la concentration de ses élèves. Sa manière de m'interpeller par mon surnom de Plaqueur n'est pas totalement bienveillante. J'y perçois un brin d'ironie. Jérôme voit tout, il est toujours sur le qui-vive, et j'ai parfois l'impression qu'il sait précisément à chaque instant ce que pense chacun d'entre nous.

– Nous devons organiser notre survie dans les semaines à venir. Nous serons extrêmement discrets à partir de maintenant. Il va falloir éviter de sortir la nuit.

Il se tait, pour être sûr de bien capter notre attention.

– Par ailleurs, cela fait longtemps que je cherche une idée de repli pour pouvoir évacuer les lieux en cas d'urgence.

Vincent s'agite sur sa chaise, l'air soucieux.

– Soldat, qu'est-ce qui t'arrive ? Quelque chose t'inquiète ?

– Oui, Chef. Je pense qu'avant toute chose il nous faut traiter d'urgence un problème plus grave encore.

– À quoi penses-tu ?

– Un nouveau danger pèsera sur notre communauté à partir de demain.

Nous retenons tous notre souffle, envahis d'un mauvais pressentiment.

– Logan, l'ancien chef du Gang du 16ᵉ, est désormais l'un des responsables du R-Point. Or, à partir de demain, s'il est intégré aux cadres militaires, la loi martiale peut lui donner l'occasion de se venger de nous.

Attentif, Jérôme l'encourage à poursuivre.

– Ce mec est un pervers sans pitié.

Le regard du Soldat est éloquent de tristesse et de colère.

– Et je suis bien placé pour le savoir.

Je ne connais toujours pas les événements qu'il évoque, mais ses yeux, tellement plissés qu'ils ressemblent à des fentes, se posent sur moi :

– C'est lui qui a fait plonger ton frère dans la drogue dure.

Je m'en doutais.

– Sachez tous que Logan n'hésitera pas une seconde à nous dénoncer aux militaires pour détention illégale d'armes. Nous avons résisté à son gang, nous avons éliminé certains de ses hommes, nous l'avons humilié, s'il a la moindre occasion de nous exterminer comme des vermines, il le fera. Il est tenace et rancunier. Et il sait où nous habitons.

Son argumentation est irréfutable. Son débit de plus en plus véhément dénote une véritable inquiétude, ce qui est rare chez lui. Ça fait froid dans le dos.

– S'il a accès à des armes, à la Salpêtrière, il peut très bien s'entourer d'hommes de main. Il est capable de créer une milice clandestine.

Je déglutis. Je pense à ce que m'a appris Isa : Pierre est encore sous la coupe de Logan.

– Nous ne pouvons pas laisser une telle menace peser sur nous, conclut-il.

Vincent se tait, dans l'attente de l'avis de Jérôme, qui vaudra pour un ordre. Le Chef considère quelques instants son Soldat, dont l'envie de vaincre est palpable. Puis son regard s'attarde sur moi, comme s'il réfléchissait à la meilleure tactique à mettre en place.

– Plaqueur, Soldat, je vous propose de collaborer tous les deux.

Ma dernière mission avec Vincent a failli coûter la vie à Maïa et me laisse un goût amer. Je soupire.

– Nous devons en finir avec Logan avant qu'il ne nous dénonce ou qu'il ne contre-attaque, ajoute Jérôme pour me convaincre.

La menotte d'Alicia se blottit dans la mienne, elle devine certainement la gravité de ce qui se trame. Et elle sent ma nervosité. Les prunelles de Vincent étincellent d'impatience, il va enfin pouvoir partir en guerre contre ses pires ennemis.

– Demain, vous irez là-bas. Vous trouverez Logan. Et vous le tuerez.

C'est un ordre, je n'ai pas d'autre choix que d'obéir.

30 NOVEMBRE, MILIEU D'APRÈS-MIDI

Une fois sa pomme achevée, Vincent se dirige vers la porte et adresse un signe de main à la Bibliothécaire :

– Isa, tu viens ? Nous allons mettre au point la façon dont nous communiquerons quand tu seras au R-Point. Il faut s'entendre sur un lieu de rencontre et des horaires fixes. Je vais t'expliquer comment je fonctionne.

Elle quitte la table et nous englobe de son regard doux où je crois percevoir de la nostalgie. Partir n'est pas si simple. Elle caresse les cheveux de la Minuscule, qui donne à manger à son Babouche en peluche, sagement assise entre Maïa et moi. La petite attrape la main de la Bibliothécaire et dépose un baiser sur sa paume. Isa referme son poing :

– Tu vois, Dora, je garde ton bisou.

C'est fou comme la Minuscule a changé en quelques jours. Elle a trouvé sa place dans la communauté, elle noue des liens avec chacun d'entre nous, des liens dont j'ignore peut-être même l'existence. Je ne me doutais pas qu'elle était si proche d'Isa. C'est logique, c'est elle qui avait la responsabilité de la bibliothèque, elle était souvent dans l'immeuble et elle lui a offert de nouveaux livres de

158

Dora... D'ailleurs, avant qu'elle parte, j'ai une question à lui poser.

Je me lève de table si brusquement qu'Alicia et Maïa sursautent.

Vincent et Isa sont déjà en train de descendre vers la salle d'armes du rez-de-chaussée.

Je dévale les escaliers. Ils se retournent en entendant mes pas précipités.

– Jules ? Est-ce que ça va ? Qu'est-ce qui t'arrive ?

– Je dois parler à Isa.

– À Isa ?

Je fais signe que oui.

– Bon, vous avez cinq minutes, je vais préparer le matériel dont j'ai besoin.

Vincent nous laisse seuls, et les yeux marron-vert de la Bibliothécaire se posent sur moi. Elle me devance :

– J'ai réussi à revoir ton frère cette semaine au R-Point.

Je tente de contrôler l'émotion qui m'envahit, et contracte involontairement la mâchoire devant son fichu sourire.

– Il se drogue encore ?

Elle hésite :

– Il est devenu l'un des adjoints principaux de Logan.

Sa façon d'esquiver ma question me prouve qu'il n'a pas arrêté la came.

– Ah, tu vas jouer les agents doubles, alors ?

Je suis ironique, je me doute bien qu'elle veut aller à la Salpêtrière parce qu'elle l'aime. Elle paraît décontenancée l'espace d'un instant, mais elle se reprend :

– Au contraire, je veux le rallier à notre cause, il peut changer, tu sais.

Je me crispe, je ne veux pas réveiller en moi la moindre lueur d'espoir, j'ai eu trop mal.

– On parle beaucoup tous les deux. Et… il me demande chaque fois de tes nouvelles.

Je mords mes lèvres pour essayer de cacher mon trouble. Il ne faudrait pas que Pierre soit là quand on va s'en prendre à Logan.

– Et toi, Isa, comment as-tu rejoint la communauté ?

– J'étais très amie avec Marie, la sœur de Vincent, c'est grâce à lui que je suis là aujourd'hui. C'est lui qui m'a sauvé la vie, quand, avec Marie, nous avons…

Le Soldat s'interpose soudain sans aucune gêne :

– Excusez-moi d'interrompre votre passionnante discussion, mais il faut maintenant qu'on organise ton départ au R-Point, Isa.

Juste avant qu'elle suive avec Vincent, je lui murmure :

– Tu fais attention, demain, quand nous serons au R-Point, à…

Mais je n'ai pas le temps de finir ma phrase, le Soldat l'entraîne déjà sans plus de manières vers le rez-de-chaussée. Je ne sais même pas si elle m'a entendu.

Et je ne sais toujours pas ce qui est arrivé à Isa et à la grande sœur de Vincent.

Je remonte pensivement les marches et pousse à tout hasard la porte du dortoir. Anakin, qui s'empâte à vue d'œil, se frotte en ronronnant contre mes mollets. Autant Lego s'aventure à tous les étages, autant le chat de Jérôme ne quitte jamais cet appartement rempli de lits. Maïa et

Alicia sont certainement restées au réfectoire. L'Apothicaire aime bien prendre le café au coin du feu. Il est bientôt 16 heures, je dois relever la garde de Cédric. Il fait souvent le guet aux horaires des repas : il monte la garde seul sur le toit de l'immeuble, où il se sent plus efficace pour contrôler les alentours avec les jumelles quand l'entrée est laissée sans faction. Le Soldat m'a confié que le Cuistot recherchait cet isolement et que Jérôme lui avait donné le droit de choisir ses créneaux de garde avant les autres. J'ai l'impression qu'il se met de plus en plus à l'écart du groupe. Quand il n'est pas en quête de provisions à l'extérieur, il passe de sa cuisine à son poste de guetteur solitaire. Pourquoi s'est-il abstenu lors du vote ? Je réalise à quel point il a changé en peu de temps. Il a perdu ce sens de la convivialité qui m'avait frappé à mon arrivée. Qu'est-ce qui a pu m'échapper ? Des sons proviennent de l'appartement d'en face. J'y entre. Je reconnais la voix chantante de Séverine et celle, rauque, de Jérôme. Ils sont dissimulés par l'un des rayonnages du salon mais, apercevant leurs ombres sur le sol, je devine qu'ils sont serrés l'un contre l'autre ; je recule le plus discrètement possible et file au deuxième étage. L'Apothicaire oblige la Minuscule à manger une pomme épluchée. Les autres sont partis.

Je reprends ma place entre elles. Maïa m'observe sans dissimuler sa curiosité :

– Qu'est-ce que tu faisais ? chuchote-t-elle.

– J'avais des questions à poser à Isa. En fait, elle est sortie avec mon frère il y a quelques années…

– C'est vrai ? C'est dingue, ça ! Et elle ne t'avait pas reconnu ?

Je lui souris en bandant les muscles de mon bras de façon caricaturale :

– Hé non, faut croire que je me suis musclé, hein !

Elle éclate de rire, ce qui me donne envie de continuer à faire le pitre.

– À moins que ça ne soit mes pectoraux !

Et je montre mon ventre d'un geste accusateur. Ça me fait du bien de me moquer de mes problèmes de poids, c'est la première fois que j'y parviens avec autant de légèreté – c'est le cas de le dire. Et il n'y a que de la bienveillance dans le rire de Maïa. Je suis moins complexé qu'avant, d'ailleurs peut-être que je m'affine, à force de moins manger, de m'agiter toute la journée, de ne plus être figé devant un écran. Je commence à ressembler davantage à un déménageur baraqué qu'à un *geek* boulimique. «Attention, Jules, tu devrais écouter maman, faire du sport et arrêter de passer ta vie sur l'ordinateur, tu t'empâtes», me répétait souvent Pierre, d'un ton faussement sage devant ma mère, grande adepte des clubs de gym… Bon, faut que je prenne mon quart de garde.

Je m'apprête à me lever de table quand je sens tout à coup la main de la Minuscule se poser sur mon ventre :

– Diego beau, Diego beau, Diego beau.

Voilà, c'est simple comme bonjour, Alicia vient de prononcer son premier mot, en dehors de Dora, Totor et Diego, et ce mot, c'est «beau», et il parle de moi.

1ᴱᴿ DÉCEMBRE, MILIEU D'APRÈS-MIDI

– **F**audra te méfier avec Logan, il est capable du pire, me prévient Vincent lorsque nous approchons de la Salpêtrière.

Je me demande quelle peut être la nature de ses liens avec le Chef de l'ancien Gang du 16ᵉ? Peut-être s'est-il confié à Jérôme.

– J'ai étudié un peu le fonctionnement du R-Point, poursuit-il en faisant une pause près du métro aérien, mais je ne sais pas quel est le rôle précis de Logan. J'ignore si l'armée lui a confié de lourdes responsabilités, s'il a ses hommes à l'intérieur. On va y aller à l'instinct. Crois-moi, avec un sadique pareil, c'est aussi efficace qu'une stratégie élaborée. Il est totalement imprévisible et camé.

– Camé? Je croyais qu'il était *clean* pour mieux encadrer son armée de drogués?

– Il ne se défonce pas à l'héro, Logan, il prend des trucs qui le dopent et décuplent sa violence…

Des blindés patrouillent sur le boulevard de l'Hôpital, rappelant par haut-parleurs le règlement du couvre-feu et incitant les adolescents à se rendre au centre de tri le plus proche, pour être soignés, alimentés et identifiés, avant d'être répartis dans les vingt R-Points de la capitale. C'est la première fois qu'on me confie une mission dont l'objectif est de tuer un homme, aussi cruel soit-il. Et ça me fout une trouille bleue. Je ne sais pas si Vincent ressent ma peur, mais il saisit mon poignet :

– Jules… chuchote-t-il gravement.

Il n'a aucune raison de murmurer. C'est donc qu'il a peur lui aussi.

– Ce mec, au début de l'épidémie, quand il a compris qu'il ne mourrait pas tout de suite, il a incité plein d'ados paumés à se droguer, en leur affirmant que ça les empê-cherait de mourir. Et après, il a forcé des filles à… Enfin, tu comprends de quoi je parle ? Et il n'était pas seul, il les a offertes à ses hommes de main.

Sa voix se brise, il me serre l'avant-bras à me faire mal, ses doigts s'enfoncent presque dans ma chair à travers ma veste. Ses yeux ne me lâchent pas, et je crains de me noyer dans l'abîme de rage et de désespoir que j'y découvre. Je hoche la tête, le cœur battant. Il ne m'a toujours pas parlé de sa sœur, il ne m'a jamais dit si elle était morte, ni comment. Et si ?… Nous restons silencieux quelques secondes, son regard reflète une tristesse insondable, et il n'y a plus besoin de mots entre nous, il sait que j'ai compris, qu'à cet instant précis j'ai compris comment il avait perdu sa sœur et qui l'avait tuée. Vincent ne connaî-tra pas de répit tant qu'il n'aura pas eu la peau de cette enflure, comme il dirait avec ses mots de fils de flic.

– Logan a été arrêté par mon père pour trafic de drogue, il a fait de la garde à vue au commissariat, et ses bourgeois de parents l'ont récupéré au tribunal. À cause de ça, il en avait contre ma famille. D'autant que son père à lui était juge d'instruction. Tu imagines le truc…

Il se détourne et repart à grands pas vers l'ancien hôpital, m'obligeant à courir pour le rattraper. Il n'en dira pas plus, je le connais. C'est sa sœur qu'il va venger aujourd'hui. Et il est pressé d'en finir avec son assassin.

Nous entrons par la porte principale, longeons une première pelouse, transformée en potager, où s'affairent quelques ados. L'ambiance paraît plutôt pacifique, je ne vois pas de militaires. Le corridor qui traverse les bâtiments et mène à l'église et au square n'est même pas gardé. Tant mieux. Personne ne va nous fouiller ni vérifier si nous avons des armes sur nous. Ils ne sont pas très organisés dans ce R-Point. Ne devraient-ils pas craindre pourtant une invasion de gangs ? À moins que leurs soldats ne soient cachés. Une vingtaine d'ados ramassent des paquets deux par deux et les transportent de la piste d'atterrissage des hélicos à l'église. Je lève les yeux vers le clocher : j'y aperçois la culasse d'un fusil. Un militaire armé est posté là. De là-haut, il a une bonne vue d'ensemble sur le R-Point et les environs. Je le désigne discrètement à Vincent, qui hoche la tête :

– Déjà repéré, me répond-il, aux aguets.

Comment réussit-il à paraître aussi détendu tout en inspectant chaque parcelle de l'espace qui nous entoure. Une file de jeunes attire mon attention. Ils font la queue devant un gars avec un gilet fluo, qui note des informations sur un cahier. Vincent fait soudain volte-face et me donne un discret coup de coude :

– Celui qui enregistre les arrivants, là-bas, le petit blond au nez pointu, c'est lui, c'est Logan.

OK, je le reconnais. Et maintenant, c'est quoi, le plan ?

– Il ne faut surtout pas qu'il me voie. Viens, on remonte vers les bâtiments le long du boulevard Vincent-Auriol. Isa m'a expliqué que son dortoir était dans ce coin.

Nous tournons dans une allée bordée de pavillons de brique à deux étages et croisons trois jeunes qui dardent sur nous un regard qui n'a rien d'amical. Ça ne me plaît pas trop. Je serre dans ma main le manche de Poignard, accroché à ma ceinture. Vincent se raidit :

– Merde, on dégage…

Mais il n'a pas le temps de finir sa phrase que je me sens empoigné par-derrière. Un petit gars me coince les bras dans le dos, m'interdisant tout mouvement. Il me déleste de mon arme.

– Tu vas me suivre gentiment, sinon je t'enfonce ton couteau dans le bide.

Vincent est dans la même position que moi, le visage blanc de colère. Le court sur pattes ricane :

– Un gun, mec, trop bien ! C'est un combien de coups ?

Le Soldat ne répond rien. Celui qui le maintient hausse les épaules.

– Vous avancez comme si de rien n'était, ou on vous dénonce aux militaires pour port d'armes illicite. La détention d'armes est illégale. Ils sont impitoyables avec ceux qui en ramènent.

Et eux, à qui obéissent-ils ? Où nous amènent-ils ? Quelque chose dans leur façon de parler me donne à penser qu'ils ne sont pas au service de l'armée. Notre petit

166

groupe, composé de cinq personnes, longe le square, je jette un coup d'œil vers l'endroit où se trouvait Logan tout à l'heure. Il s'apprête à enfoncer une aiguille dans l'avant-bras d'un ado. Concentré sur sa tâche, il ne lève pas la tête.

Avec un peu de chance, il n'a aucun lien avec ce qui nous arrive.

Ils nous entraînent vers l'église, évitent la porte principale, réservée au transfert des vivres, et nous guident vers une petite entrée dérobée sur le côté. Celui qui marche devant tourne la clé dans la serrure, pousse la porte d'un coup d'épaule, et nos geôliers nous bousculent à l'intérieur. Nous descendons quelques marches et débouchons dans une pièce étroite. Il y fait sombre malgré la blancheur de la pierre. Aucune fenêtre. J'imagine que c'est une ancienne sacristie. Au-dessus d'un buffet de chêne, une vieille horloge indique qu'il est 16 heures, déjà. Son tic-tac régulier résonne entre les murs. Tic-tac, tic-tac. Une table, trois chaises. Tic-tac. Une porte, de l'autre côté, donne sans doute sur la nef de l'église. L'expression de Vincent est impénétrable. Je remarque qu'il se tient très droit. Tous ses muscles sont tendus, il est prêt à bondir. Sa nervosité ne se traduit qu'aux veines bleues, presque noires qui affleurent sur ses tempes, à ses lèvres serrées et aux contractions à peine perceptibles des muscles de sa mâchoire. Les gars nous forcent à nous asseoir et nous ligotent aux dossiers des chaises avec des cordes solides. Tic-tac, tic-tac. Nous tournons le dos à la porte par laquelle nous sommes entrés.

Nous sommes prisonniers, à leur merci.

Qui sont-ils ? Pour qui agissent-ils ?

Qui a ordonné notre arrestation ?

1ER DÉCEMBRE, FIN D'APRÈS-MIDI

Je suis obsédé par le rythme régulier des secondes. Le son de l'horloge s'amplifie dans la petite pièce, il en devient presque strident. Vincent est totalement statique, paupières closes. À quoi pense-t-il ? Personne ne nous informe de ce qui nous attend. Je commence à avoir des fourmis dans les mains. Je remue un peu les doigts pour me soulager. Celui qui a pris mon Poignard se plante aussitôt devant moi :

– Pas un geste, le Gros.

– Qu'est-ce qu'on attend ?

Un rictus narquois déforme sa bouche.

– Tu verras. Pose pas de questions.

Je n'ose pas fermer les yeux, comment fait Vincent pour conserver les paupières baissées ? J'ai trop peur d'être tué, attaqué par surprise. Vincent doit sentir mon agitation. Il tourne la tête vers moi :

– Du calme, Plaqueur, ça ne sert à rien de t'agiter comme ça. Il ne va pas tarder à arriver.

– Il ?...

– Oui, je reconnais bien ses méthodes et ses hommes. C'est Lui qui est derrière tout ça. Il aime se faire attendre.

Et il se replie sur lui-même. Mais ça m'a suffi, « Lui », ça veut dire Logan.

Et au moment où je comprends ça, j'entends la porte grincer derrière nous. J'imagine qu'elle s'ouvre. Elle grince de nouveau. Quelqu'un la referme, puis prend soin de fermer à clé de l'intérieur. Ce dernier bruit résonne pour moi comme la pire des menaces.

– Alors, les p'tits cons, on se fait attraper comme des débutants au R-Point ! Pas malin, tout ça.

Impassible, Vincent semble hermétique à son intonation narquoise.

Logan, le chef du Gang du 16ᵉ, apparaît devant nous.

– C'est quoi, le but de votre venue ici ?

Silence. Juste le tic-tac de l'horloge. Je jette un coup d'œil au Soldat. S'il ne répond pas, je l'imite. Je suis paumé, je n'arrive même pas à me prendre pour Spider Snake. Agir comme mon avatar, ça fonctionne quand je suis en mouvement. Pas ligoté à une chaise dans une sacristie ténébreuse, à la merci d'un pervers. Je n'ose pas le regarder, il pourrait l'interpréter comme une provocation. Et il peut faire tout ce qu'il veut de nous, nous frapper, nous tuer. Tout est possible. Et c'est terrorisant.

– Vous vous en doutez, ici, personne ne vous entendra.

Cette réplique est tellement prévisible, cinématographique. Malheureusement, ce n'est pas un héros de film, mais moi qui bascule dans un scénario de thriller gore. Je vais vivre une autre catastrophe, plus personnelle cette fois. Une catastrophe après la catastrophe.

– Alors, Vincent Malonet, comment tu vas depuis la dernière fois ?

Pas de réponse, seul le balancier imperturbable de l'horloge scande le silence.

Et le son d'une gifle.

– Tu réponds quand je te cause, connard ?

Toujours pas de réponse. Rien que le bruit des aiguilles, et celui de mon cœur qui bat trop fort, trop vite.

– Alors, lequel de vous deux me dit pourquoi vous êtes là ? Pour m'abattre ? Alors que c'est moi qui devrais vous en vouloir, vous avez tué dix de mes hommes la dernière fois.

Tête baissée, je n'ose rien dire. J'attends que Vincent réagisse.

– Regardez-moi, petites tapettes, avant de vous pisser dessus.

Je lève la tête vers lui : ses pupilles luisent de cruauté dans la pénombre, ses yeux clairs sont bridés comme ceux d'un Asiatique. À l'exception de sa large mâchoire, ses traits sont fins. Il approche du buffet, sort une clé de sa poche, l'ouvre et se tourne vers nous :

– Reluquez bien, les mauviettes, c'est ma réserve d'armes. Tu peux aller te rhabiller avec tes pauvres fusils d'assaut, hein, le fils à papa.

Mon ami ne bronche pas. Je ne parviens pas à distinguer l'intérieur du buffet. Je ne peux me retenir de me tourner un bref instant vers Vincent : il a ouvert les yeux et toise son ennemi de son air imperturbable.

– Qu'est-ce que vous croyez ? Que je suis au R-Point pour servir l'armée ? Je m'en branle des militaires et de leurs ordres de minables. Ils nous interdisent le port d'armes, les cons. Pas de débordement. Alors je joue mon rôle de gentil garçon, comme au tribunal, quand ton connard de père m'a arrêté, l'enfoiré. J'ai appris à gagner des bons points quand il le fallait.

Pas un mouvement de Vincent.

Logan nous tourne le dos, joue l'hésitation devant les étagères du buffet et prend une matraque. Je tressaille.

– Je commence par qui ? Vincent ?

Je n'arrive plus à empêcher les secousses de mes jambes. Les trois autres se marrent et me montrent du doigt :

– Hé, regardez, il va bientôt se pisser dessus, le gros.

C'est alors que Logan s'avance vers moi, un sourire jubilatoire aux lèvres :

– Ah oui, bonne idée, on va commencer par le gros qui pisse déjà dans son froc en appelant sa mère au secours ! C'est ça qui va être le pire pour toi, Vincent. Voir ton pote se faire tabasser !

Je jette un coup d'œil au Soldat. Pour la première fois depuis qu'il est attaché à sa chaise, il cille : sa bouche se serre, il perd son impassibilité quelques secondes. Mais il se reprend. Il ferme les yeux. Immobile. Muré.

– Je vais me faire ton pote, et tu vas assister à tout. On va voir si son gras le protège.

Je tremble de plus en plus. Et soudain, il m'assène un coup sec dans les côtes. Puis un autre. Il frappe d'une manière concentrée, avec plaisir. Alors je serre les paupières très fort pour ne plus rien voir. Et je compte les secondes qu'égrène l'horloge. L'horloge, la plus vieille de Paris, le rendez-vous des Experts. J'aurais voulu vivre jusqu'au 24 décembre, rencontrer Khronos, partir en mission dans le passé…

Cinq secondes.

Des coups légers, pas assez forts pour me casser les os, juste assez pour me faire péter les vaisseaux sanguins.

Quinze secondes.

J'ai l'impression de perdre toute sensation dans la peau.

Vingt-cinq secondes.

Il commence à taper plus fort.

– Ouvre les yeux, lavette, t'as pas les couilles d'assister au massacre ?

L'excitation est palpable dans sa voix. Il parle à Vincent… Vincent qui sans doute garde les yeux fermés pour ne pas voir.

Trente secondes.

Quelque chose me pique le bras, en surface. Une fois, deux fois, il m'écorche avec des petites lames très fines. J'ai envie de vomir. Quatre, cinq, six perforations. Je suis trop tétanisé pour regarder quel genre de pointes il introduit dans mes bras, de plus en plus profondément. Septième piqûre. Ma chair se déchire. Des sueurs froides me trempent le dos.

Il m'enfonce maintenant des trucs plus effilés sous la peau. Huit, neuf, dix.

La tête me tourne.

Je m'évanouis.

J'entends dans le brouillard le tic-tac de l'horloge, ma tête pend mollement. J'ai du mal à compter les secondes. Une gifle me sort de mon état de semi-inconscience.

J'ai mal partout. Surtout aux bras. Est-ce que je saigne ? Non, mes avant-bras sont tailladés, écorchés, mais il n'y a pas de sang qui coule.

Depuis combien de temps il me torture ?

Est-ce que ça fait une minute déjà ?

Pas la peine d'espérer.

Je vais mourir.

Soudain un bruit de craquement d'os.

Est-ce que c'est moi ?

Puis deux coups de feu. Le corps que j'entends heurter le sol, c'est le sien. C'est Lui qui tombe à mes pieds. J'ouvre les yeux.

Devant moi, c'est Pierre.

Derrière Pierre, c'est Isa.

Comment sont-ils entrés ? La salle de torture est fermée à clé.

Pierre a une matraque ; Isa, un pistolet ; Pierre détache Vincent.

Vincent ouvre la porte du buffet d'un coup de pied, saisit un pistolet, vérifie l'état des trois corps étendus à terre. Trois corps ? Où est le quatrième ?

– Merde, je crie, il y en a un qui a réussi à s'enfuir ! Il va prévenir le reste de la bande !

Je comprends qu'Isa et Pierre sont arrivés par l'autre porte, celle qui permet d'accéder au couloir qui mène à la nef, elle est maintenant ouverte. J'adresse à Isa un signe de tête reconnaissant. Je crois bien qu'elle nous a sauvé la vie, à Vincent et à moi. Elle a abattu deux sbires de Logan. Comment a-t-elle su qu'on était là ? Une fois encore, Vincent avait-il élaboré un plan dont il ne m'a rien révélé ? Un plan mis en place avec elle la veille ? Un plan qui incluait l'intégration d'Isa au R-Point depuis hier… Bon Dieu, j'ai mal partout.

Mon frère détache mes liens, m'entoure la poitrine de son bras, puis me soulève et me maintient serré contre lui. Mon frère…

– Julot, merde, je suis trop con… Je…

Vincent ouvre la porte par laquelle on nous a fait entrer, passe la tête dehors : « Putain, ils arrivent déjà… », souffle-t-il en refermant à clé de l'intérieur.

– Bon, on se grouille, faut qu'on se barre, vite ! Restez pas plantés là, ils risquent de débarquer d'un instant à l'autre ! On va passer par la nef, essayer de se mêler discrètement aux autres, de choper des sacs.

Le Soldat fonce déjà vers le couloir qui mène à l'intérieur de l'église lorsque la voix de mon frère résonne soudain, fébrile :

– Derrière le buffet, il y a un passage secret vers le boulevard de l'Hôpital. C'est par là que leur trafic d'armes s'effectue.

– OK. C'est notre meilleure chance de leur échapper. On y va.

Le Soldat extrait les armes du meuble, les jette au sol pour dégager l'accès vers le passage souterrain. Pierre me tient sous les épaules pour m'aider à marcher jusqu'à Isa et Vincent.

– Pierre, attends, faut que je reprenne Poignard.

Je lui désigne mon arme qui gît au sol, à côté de l'un des cadavres. Mon frère me sourit, je n'en reviens pas, il n'a plus l'air d'un fantôme, c'est bien son regard à lui.

– C'est le poignard de grand-père ? Tu l'as avec toi ? Est-ce que tu peux faire quelques pas tout seul jusqu'au mur ? Je vais te le chercher.

Je fais trois pas et m'appuie contre la pierre froide pour ne pas tomber, le corps trop endolori pour tenir debout sans appui. J'observe mon frère qui se baisse pour récupérer l'arme de notre grand-père. Des bruits de pas dans le couloir de l'église m'alertent. Je me positionne à l'abri du buffet, près d'Isa, qui est prête à faire feu sur nos assaillants. Ils surgissent dans un grand fracas de rafales. Vincent se redresse, hurle, tire. Des coups de feu retentissent. Des corps tombent. Et puis plus un bruit. Je me retourne vers Pierre : pourquoi ne se relève-t-il pas ? Pourquoi reste-t-il à genoux près du cadavre ?

– Pierre ?

Je l'appelle doucement, mais lui s'affaisse lentement sur le sol, comme au ralenti.

Je hurle « Pierre !!! ». Je me précipite vers lui, m'assois à ses côtés, soulève son visage, un filet de sang coule de son nez. Je pose sa tête sur mes cuisses. Il y a un trou dans son blouson, une tache de sang commence à s'élargir au niveau de son foie.

– Frérot, content d'avoir été là pour toi pour une fois… Frérot, j'ai pas été un super grand frère, hein…

Il s'est fait tirer dessus, il a pris une balle dans le ventre.

– Parle pas, parle pas. Je t'en supplie, attends, on va te sortir de là.

Le sang coule de sa bouche maintenant. Ses yeux grands ouverts me fixent, m'appellent. Je me penche vers son visage, j'entends un râle. Je le serre contre moi de toutes mes forces, très fort, tellement fort.

J'entends le cri étouffé d'Isa, puis la voix étonnamment douce de Vincent :

– Courage ma grande, courage. Et merci. Logan est mort. Tu as été là où il fallait au bon moment. Je te revaudrai ça, tu pourras compter sur moi.

Le sang de mon frère dégouline sur mon pantalon. Pas mon frère. Non. Je hurle à l'intérieur, aucun son ne sort de ma bouche. Je ne veux pas partir, je veux rester avec lui. Je sens la main de Vincent sur mon épaule.

– Jules, faut vraiment qu'on y aille, là.

Non, pas question. Rien ni personne ne me séparera de mon frère.

– On n'a pas de temps à perdre.

Je berce le grand corps de mon frère contre moi.

– Jules, on y va.

Tic-tac, tic-tac, tiens, j'entends de nouveau le son régulier de l'horloge murale. Et des coups contre la porte extérieure.

– Bon, Plaqueur, désolé, mais j'ai pas d'autre choix.

Je sens un choc sur ma tempe, c'est le trou noir.

2 DÉCEMBRE, MATIN

Il y a des corps autour de moi, des corps d'enfants en décomposition. Dans une église. Ils sont allongés sur le ventre, tous. Je tourne vers moi le visage de l'un d'entre eux, c'est Alicia. Je saisis le visage du deuxième, c'est encore Alicia. Je passe d'un corps à l'autre, c'est le cadavre d'Alicia, à chaque fois. Je tombe à genoux près d'un des corps, je ne peux plus me redresser… Je voudrais me relever, je suis coincé, j'essaye de me déplacer, impossible.

– Du calme, Jules, du calme, tu vas tomber du lit si tu continues à gigoter, tu fais un cauchemar, tu cries tellement fort que tu vas rameuter tout l'immeuble…

Le chuchotement de Maïa m'extirpe doucement du sommeil. Le corps ankylosé, je me réveille. Mal à la tête. Mal partout. Qu'elle est jolie !…

– Tu as dormi quinze heures…

– Qui m'a ramené ? Pierre…

– C'est Vincent qui t'a porté avec Isa. Par le souterrain sous l'église. Ensuite, ils t'ont mis dans une charrette. Et Isa est repartie au R-Point avant le couvre-feu.

– Vincent… Il m'a fichu un coup sur la tempe.

– Oui, pour t'assommer. Tu ne voulais pas quitter ton…

177

Elle n'achève pas sa phrase. Et une boule dans la gorge m'empêche de parler : mon frère est mort dans mes bras hier. J'ai retrouvé Pierre pour le perdre. C'est inacceptable, ça m'empêche de respirer ; je halète. Elle pose sa main sur mon front pour vérifier si j'ai de la fièvre :

– Tu as été très bavard pendant ton sommeil. Tu as évoqué une horloge, Khronos, un rendez-vous, me dit-elle avec tendresse.

– Khronos… Je dois vous en parler.

Et au moment où je prononce ce nom, Khronos, l'espoir remplit le trou béant laissé par la perte de mon frère. J'autorise de nouveau l'air à circuler dans mes poumons. Les Experts et moi, nous allons éviter la propagation du virus. C'est comme si Pierre n'était pas vraiment mort. Et s'il n'est pas vraiment mort, je peux, plutôt je dois, continuer à vivre – au moins jusqu'au 24 décembre.

– Tu n'as pas trop mal ?

– Pas trop. Je me sens courbaturé.

– Tu n'as rien de grave, les contusions sont superficielles, rien de cassé au niveau des côtes. J'ai appliqué de l'arnica et du désinfectant, parce qu'il y a aussi des griffures, comme s'il s'était amusé à…

Elle chuchote, tellement ça l'horrifie :

– … à te strier la peau avec un objet pointu… Il… Je crois qu'il t'a charcuté pour le plaisir…

Ses joues se creusent, deux plis amers tordent les coins de ses lèvres. Mes bras sont couverts de petites lésions aux formes variées, certaines triangulaires, d'autres carrées ou circulaires. Il m'a donc enfoncé des poinçons dans la chair ; peut-être des outils de menuisier ou de graveur dont on se sert pour creuser le bois et le cuivre. Un spasme de dégoût me secoue. Je préfère ne pas y penser. Oublier.

– Ne t'inquiète pas, Maïa, je vais me remettre. Je suis un costaud. C'était un malade mental, mais il est mort.

Et après mon retour dans le passé avec les Experts de WOT, je pourrais me débrouiller pour l'empêcher de nuire.

– Maïa, est-ce que tu étais au courant pour Marie, la sœur de Vincent?

– Il m'a raconté ce qui lui est arrivé cette nuit, pendant qu'on te veillait.

– Il m'a veillé lui aussi?

– Oui, il se sent coupable, parce que c'est toi qui t'es fait torturer. Il aurait préféré que Logan s'en prenne à lui. Heureusement, il avait établi le lieu et l'horaire de rendez-vous avec Isa, et il lui avait laissé un pistolet pour intervenir si ça tournait mal.

– Isa était d'accord pour prendre le risque de tirer? De tuer? Ou de se faire tuer?

– Isa est une ancienne victime de Logan, Jules. C'était la meilleure amie de Marie, la sœur de Vincent. Et Vincent a réussi à la sauver elle, mais pas sa sœur. Et ça, il ne se le pardonnera jamais.

– C'est à ce moment-là qu'il a présenté Isa à la communauté?

– Oui, elle était dévastée. Mais elle s'est remise étonnamment vite. Elle est plus résistante qu'elle n'en a l'air. Avec Vincent, ils avaient décidé de se venger depuis le début. Je crois même qu'elle a choisi d'aller au R-Point pour cette raison.

– Et tu me dis qu'elle est restée à la Salpêtrière ?

– Oui, c'est notre informatrice maintenant.

Si j'osais juste poser ma main sur la sienne… Rien que l'idée, ça fait battre mon cœur trop vite.

– Où est Alicia ?

– Elle joue avec Lego sur la terrasse, je l'ai autorisée à sortir prendre l'air, ça lui fait du bien.

– Et les autres, ils font quoi ?

– Jérôme et Vincent sont partis rencontrer la bande des Graffeurs pour tenter de s'associer avec eux. Ils ne devraient pas tarder à rentrer.

– Qui monte la garde ?

– C'est Katia. C'est moi qu'elle contacte en cas de problème.

Elle me désigne le talkie-walkie posé à portée de main sur la table de nuit, avant de poursuivre :

– Séverine et Cédric sont allés récupérer des poules et des œufs à la ferme des Sauveurs au jardin des Plantes.

– Katia, ça va ? Elle n'a toujours pas enlevé son pansement ?

Maïa fait non de la tête, et la porte de l'infirmerie s'ouvre au même instant sur Jérôme, déjà de retour.

– Plaqueur, comment tu te sens ?

– Merci Chef, ça va.

C'est la première fois que je m'adresse à lui en tant que Chef. Décidément, nos rapports amicaux sont en grande mutation. Est-ce que je vais finir par le vouvoyer ? Cette pensée me fait sourire, je me tourne vers notre Apothicaire :

– J'ai été bien soigné.

Et je ne sais pas si mon imagination me joue des tours, mais ses joues rosissent et son sourire est lumineux.

– Je t'ai entendu parler de Khronos cette nuit. C'est bien le maître de jeu de Warriors of Time, c'est ça ? T'as fait un cauchemar qui se passait sur Ukraün ?

– Toi aussi, tu étais là pendant mes délires ?... Il est temps de t'en parler de toute façon. Tu te souviens des règles de WOT ?

– Oui ?

– Tu te souviens que dans le jeu on peut voyager dans le temps pour modifier le cours de l'histoire ?

– Oui !

– Et tu sais que je fais partie des Experts ?

Il se contente d'un geste agacé de la main pour me signifier d'aller à l'essentiel. Mais je crains qu'ils ne raillent tous les deux ma crédulité. Et le pire, c'est que je les comprendrais. Je leur fais un bref topo sur le rendez-vous à la tour de l'Horloge.

– Elle est où, cette tour ? me coupe abruptement Jérôme.

– J'ai vu dans un livre qu'il s'agit du clocheton de la Conciergerie, l'ancienne résidence des rois de France reconvertie en Palais de justice. Elle se trouve donc en plein cœur de Paris, sur l'île de la Cité.

Il opine du chef et attend la suite. Alors, bravant mon appréhension, je leur confie mon espoir de voyager dans le temps pour éviter la propagation du virus.

Maïa écarquille les yeux, Jérôme fronce les sourcils :

– Et tu crois sincèrement que c'est possible ?

– Pourquoi pas ? J'ai envie d'y croire. Et je suis prêt à essayer. Je voulais vous proposer, à Vincent et toi, de venir avec moi, en tant qu'anciens joueurs.

Je suis presque étonné que Jérôme ne se moque pas de moi. J'attends sa parole comme s'il était le Messie.

– J'accepte ta proposition, Jules. Perso, je ne pense pas qu'on puisse remonter le temps. Mais je vois dans ce rendez-vous un possible rassemblement de forces libres et solidaires susceptibles de s'unir à notre communauté. Avec la loi martiale et le durcissement du contrôle de l'armée, nous avons besoin d'alliés. Et je t'avoue que je suis curieux de savoir qui se cache derrière Khronos.

Sa réponse positive me garantit que nous resterons à Paris jusqu'au 24 décembre. Un inquiétant brouhaha dans l'escalier m'empêche d'exprimer ma gratitude. Je saisis Poignard posé sur la table de nuit. Jérôme a son pistolet en main, prêt à tirer. Mais je reconnais la voix apaisante de Cédric, qui a du mal à couvrir les pleurs de Séverine. Le Chef se précipite vers l'entrée de l'appartement, d'où me parvient son cri d'effroi :

– Qu'est-ce qui s'est passé ? Bon Dieu…

2 DÉCEMBRE, MILIEU D'APRÈS-MIDI

J'ai mal, bordel, qu'est-ce que j'ai mal. J'ai l'impression d'être un vieillard plein de rhumatismes, avec mon corps couvert d'ecchymoses et de griffures. Et il faut que je rapporte d'urgence du vaccin antirabique pour Séverine, elle a été mordue par un renard qui avait peut-être la rage. Jérôme est fou d'inquiétude. Il m'a ordonné d'aller chercher le sérum : « Tu te bourres d'antalgiques et tu vas au R-Point illico. Il faut qu'on vaccine Séverine avant ce soir », c'était indiscutable. Pourquoi n'a-t-il pas envoyé Cédric à ma place ? Il ne lui fait pas confiance ? Il m'a dit que je connaissais les lieux, notamment l'emplacement de la pharmacie, et que je savais mieux me défendre que le Cuistot. Quant à Vincent, il doit se consacrer à sa mission diplomatique avec les Graffeurs, l'alliance semble en bonne voie. Il m'a aussi annoncé qu'Isa s'était débarrassée du quatrième homme cette nuit. C'est une sacrée killeuse derrière ses airs d'institutrice modèle. Elle ressemble finalement plus à Nikita qu'à Ma sorcière bien-aimée. Après avoir posé mon vélo sous le métro aérien, je m'engage le plus naturellement possible dans l'ancien centre hospitalier de la Salpêtrière. J'agis en mode Spider Snake, insensible, sans émotions, efficace. Je dois réussir à contrôler jusqu'aux pulsations de mon cœur, qui ne bat pas régulièrement. Ne pas avoir de cœur, ça serait plus simple, pour longer l'église où mon frère est mort. L'église où je me suis fait torturer hier. Je ne dois pas penser. Pas maintenant. Je remarque un soldat en faction devant le bâtiment religieux. Il surveille le transfert des stocks, dont le déroulement est beaucoup plus militaire à présent : les ados avancent à un mètre les uns des autres, d'un pas régulier. Si l'un d'entre eux s'approche trop de celui de devant, le soldat le pointe de son fusil pour le rappeler à l'ordre. Suite aux meurtres d'hier, l'armée a-t-elle déjà institué de nouvelles règles plus strictes, pour éviter les règlements de comptes au sein de la zone protégée du R-Point ? Cela me paraît probable, surtout s'ils ont découvert le trafic d'armes de Logan. Je me mêle aux adolescents regroupés sur la pelouse, ils attendent certainement l'arrivée d'un hélicoptère. Le mieux, c'est la transparence. J'ai déjà localisé avec Jérôme l'emplacement de la pharmacie, près du square de l'église : c'est un petit bâtiment en brique rouge, de deux étages, au toit légèrement pentu.

Un bruit assourdissant de moteur, un tournoiement violent d'air et de feuilles mortes, de la poussière qui me rentre dans la gorge... Un hélicoptère se pose sur la pelouse élimée de l'ancien square. Des hommes en combinaisons vertes en sortent. Je m'intègre au groupe chargé de porter les sacs de nourriture et les gros bidons d'eau potable. J'ai besoin d'un allié. Isa passe au loin, mais Vincent m'a donné la consigne de ne pas attirer l'attention sur elle ; elle ne doit surtout pas communiquer avec ceux de la communauté. C'est une infiltrée maintenant. Avec qui pourrais-je m'associer ? Un gars esseulé attire mon attention, cette silhouette maigre et longiligne me rappelle quelqu'un. Il pivote et je vois son visage boutonneux. Mais oui, je le reconnais, c'est le comique qu'on avait croisé sur le boulevard de Port-Royal avec Jérôme et Vincent. Je l'avais trouvé sympa. Quelle chance ! Il n'a pas l'air d'avoir trop de copains. Dès qu'il m'aperçoit, son visage s'éclaire. Je lui mime une petite révérence à la mode Louis XIV et il rit franchement.

— Ça va depuis la dernière fois ?

— Oui, et toi ? Tu t'es enfin décidé à rallier le R-Point ?

— Je viens de l'intégrer, je ne connais pas encore bien les règles… Tu accepterais qu'on porte les bidons d'eau à deux ?

— Carrément.

Je ne m'étais pas trompé, il est content de ne plus être seul.

— Il faut les transporter dans l'église, c'est là que sont stockées les réserves.

Après quelques transferts, mon nouveau copain ne me lâche plus, impossible de m'en débarrasser.

— Au fait, mon prénom, c'est Olivier, je dors dans l'ancienne maternité ! Et toi ?

— Moi, c'est Jules… Désolé, je suis à la bourre, on se revoit un de ces jours ?

Mais ce pot de colle me demande de l'aider à porter un dernier bidon, « trop lourd pour lui tout seul », se justifie-t-il avec un sourire piteux. Je fais un dernier aller-retour avec lui.

– Excuse-moi, je dois aller préparer le dîner, je suis de corvée ce soir, je lui explique.

Je lis la stupeur sur son visage. Qu'est-ce que j'ai dit ? Il n'y a pas de corvée de dîner au R-Point ? Je ne suis pas doué en mensonges.

– L'équipe de cuisine est en place depuis 14 heures. T'es super en retard, Jules !

– Mince, je ne savais pas, tout ça c'est nouveau pour moi. C'est où, la cuisine ?

– De l'autre côté du square, vers la sortie Vincent-Auriol.

– Merci pour le renseignement, Olivier, à bientôt.

Je lui fais un signe de main reconnaissant et m'éclipse rapidement. Je jette quand même par précaution un coup d'œil derrière moi avant de bifurquer vers la pharmacie.

Un jeune avec un gilet fluo est de faction devant l'édifice. Je n'avais pas prévu la présence d'une sentinelle. Bien qu'il ait été nommé responsable de la sécurité, il n'est pas armé. Les militaires continuent donc à interdire le port d'armes aux adolescents, même à ceux qu'ils ont chargé de l'encadrement. Celui-là surveille, sans avoir les moyens de se défendre ou d'attaquer. Il n'a qu'un talkie-walkie pour communiquer avec ses supérieurs par onde courte.

Je vais tenter le bluff. Spider Snake est un habile bluffeur (contrairement à moi).

– Bonjour, je fais partie de l'équipe de cuisine, je dois récupérer des pastilles de purification d'eau pour le dîner.

– Pas de problème. Tu me montres la commande signée par ton chef de section ?

Mince, ils sont plus organisés que je ne pensais.

– Bah non, je n'en ai pas, notre boss n'était pas dans les parages quand on a réalisé qu'on n'avait plus de pastilles.

Il me lance un regard soupçonneux.

– Je t'avais encore jamais vu, toi, tu t'appelles comment ?

– Olivier.

– On t'a installé où ?

Il n'a pas d'arme, mais il a un manuel du parfait interrogatoire gravé dans le cerveau. Heureusement que j'ai rencontré l'expert en révérences.

– Dans l'ancienne maternité.

Il sort un fichier de son sac à dos, parcourt des listes de noms, hoche la tête.

– Olivier Mansour, c'est ça ?

J'acquiesce, je dois une fière chandelle à mon ami boutonneux, solitaire et comique.

– Va chercher le bon de commande et reviens avec, je te laisserai entrer.

– Ça roule, désolé, à tout de suite.

– Ça ne sera pas moi, il y a la relève dans cinq minutes.

Voilà qui m'arrange.

Comme je ne peux à l'évidence pas mettre mon plan à exécution et qu'il y a trop d'allées et venues pour que j'assomme un garde maintenant, je vais être obligé de me planquer quelque part et d'attendre la nuit avant de pénétrer dans la pharmacie.

Où me cacher ? Je me mets en quête d'un endroit discret. Je traîne dans les allées de la Salpêtrière, c'est vraiment vaste, une ville dans la ville. Mais une vraie ville, avec des vivants, des bruits normaux, qui font du bien. Sauf qu'il n'y a que des adolescents. Je trouve ma cachette : dans les anciens incinérateurs. Ils sont inutilisés, ils n'ont pas été réquisitionnés par l'armée. J'entre en poussant une porte de fer, il y fait sombre et frais, je peux y attendre la nuit.

J'espère simplement qu'il ne sera pas trop tard pour soigner Séverine si par malheur elle a été contaminée par la rage... Maïa disait qu'il fallait faire la première injection dans les heures qui suivent la morsure.

NUIT DU 2 AU 3 DÉCEMBRE

Les heures passent. La nuit est tombée depuis longtemps. Plus aucun bruit ne trouble maintenant le silence du R-Point. Tout le monde a rejoint les dortoirs.

À moi de jouer. Je sors ma torche au cas où.

La pharmacie est encore surveillée. Mais personne ne circule plus dans l'allée. Je me dirige d'un pas précipité vers le garde désarmé. Facile.

– Il me faut des antibiotiques d'urgence, on a un malade !

– Tu as ton…

Je ne le laisse pas finir sa fichue question, non, je n'ai pas mon « bon de commande signé », mais j'ai un bon uppercut du droit, à ce qu'il paraît. Et pas seulement quand je suis Spider Snake. Il me suffit d'un seul coup de poing, et il est assommé par terre, le gars. Pas de temps à perdre, je le tire par les pieds à l'intérieur. Je l'enferme à clé dans une salle qui a dû faire office de secrétariat. Et je grimpe vers l'étage supérieur, où sont stockés les médicaments. La porte est ouverte, Vincent m'a expliqué que tous les codes de sécurité ont été déverrouillés par l'armée après la coupure définitive de l'électricité.

Une fois à l'intérieur, j'allume ma torche et j'explore les paillasses de préparation et les armoires à médicaments. Ils sont étiquetés et classés. Reste à mettre la main sur le vaccin antirabique. Alors, voyons, là ce sont les antibiotiques, là, les antalgiques, puis les anti-inflammatoires. Je finis par trouver les étagères de vaccins. Il s'appelle comment déjà, celui dont Séverine a besoin ? Je sors le papier de ma poche : NOBIVAC RABIES.

Soudain quelqu'un me ceinture par-derrière, me bascule et me fait tomber à terre, sans que j'aie le temps d'esquisser le moindre geste d'autodéfense. Je suis affaibli par mes blessures pas encore cicatrisées. J'ai mal dès que mon agresseur touche mes avant-bras. J'en gémis de douleur. Et j'étouffe, il m'empêche de respirer en m'appuyant sur la glotte. Je me sens particulièrement vulnérable. La bastonnade d'hier m'a laissé à plat. Il me fout sa torche dans la tronche, je suis aveuglé. Lorsqu'il relâche enfin la pression sur ma gorge, je me dépêche d'aspirer une grande goulée d'oxygène.

– Si tu l'ouvres pour donner l'alarme, je te tue. T'as compris ?

Cette voix de fille me rappelle quelqu'un. Ah oui, je sais, ce ton autoritaire, je le reconnais, je crois bien que c'est la fille rousse qui a sauvé Alicia au pont Saint-Michel.

– Compris.

J'essaye d'articuler mais je m'étouffe à moitié, ma gorge est bloquée, et la fille m'écrase de tout son poids.

– Qu'est-ce que tu fous là ? Tu travailles dans ce R-Point ?

– Non, je suis juste venu chercher des trucs pour mes…

Je n'ai pas le temps de finir ma phrase, nous sommes interrompus par des cris à l'extérieur. L'alarme a dû être donnée, nous risquons d'être découverts. Elle se relève, me libérant de son étreinte, je me redresse aussi, un peu ankylosé.

– C'est comme ça que tu as neutralisé le planton ?

– Je ne pouvais pas le tuer ! On n'est pas dans un jeu.

– Ferme-la et suis-moi.

Cette fille me gonfle. Elle n'est pas obligée de me parler de façon aussi péremptoire, mais je suis bien forcé de la suivre, manifestement elle connaît un moyen de nous sortir de là. Je m'empare rapidement de deux-trois ampoules de vaccin antirabique et les fourre dans la poche intérieure de mon blouson. Elle éclaire un fragment de mur où pend une corde, je lève la tête en suivant le faisceau de sa lampe de poche et comprends qu'elle sort d'un conduit d'aération. La fille se hisse le long de la corde pour atteindre l'entrée du conduit située à deux mètres du sol. Elle s'engage dans le boyau, m'ordonne d'en faire autant et de ne pas laisser traîner la corde derrière moi. J'hésite, je déteste cet exercice, j'étais nul en grimpette au collège. Allez, courage, Spider Snake est un pro de la varappe. Je m'agrippe, prends une grande inspiration. Oh, comme je déteste mon surpoids qui me rend si maladroit, si balourd dans ce genre de situation. Je souffle comme un bœuf, elle va s'impatienter. Pfouh… Ça y est, j'y suis arrivé.

Je remonte jusqu'au toit en m'aidant de la corde, que nous récupérons. Et nous rampons sur les tuiles dans le noir total de cette nuit sans lune. J'entends des bruits de pas et des ordres de patrouille en bas, la fille tourne à gauche et, au bout de quelques mètres, se laisse glisser le long d'un pignon; je lui fais confiance, je l'imite et atterris sur les graviers d'un petit toit-terrasse où nous nous allongeons, côte à côte.

Les gars de la sécurité lâchent les chiens, j'entends leurs aboiements féroces, qui me glacent le sang. Je prie pour qu'ils ne reniflent rien de suspect.

Et nous restons muets, attendant que la patrouille ait fini son tour.

Mais, pas de chance, deux gardes s'installent à une dizaine de mètres de notre planque et éteignent leurs torches. Qu'est-ce qu'elle en pense? Immobile, elle ne semble pas décidée à partir d'ici. Je chuchote:

– Pourquoi on ne bouge pas? On ne pourrait pas trouver un moyen de les éviter?

– Ils sont pile sur la plaque d'égout qui me sert de porte de sortie.

– Quoi? Tu passes par les égouts, toi?

– Pour éviter les mauvaises rencontres, il faut prendre les chemins les plus dégueulasses.

– C'est drôle, ça me rappelle des parties de Warriors of Time.

Je lui jette un bref coup d'œil, ça m'étonnerait qu'elle connaisse, elle n'a pas une tête à jouer à des jeux vidéo.

– WOT, je connais, j'y ai joué, avant.

Ah bon, j'aurais jamais cru. Mais c'était Avant. Elle se tourne vers moi et, pour la première fois, je peux deviner un peu mieux ses traits dans l'obscurité. C'est bien la fille du pont Saint-Michel, ses cheveux sont dissimulés sous un bonnet noir. Ses prunelles luisent dans l'obscurité, comme celles d'un chat. Elle est très concentrée.

– Qu'est-ce que tu cherchais dans la pharmacie ?

– Des vaccins antirabiques, du Nobivac, pour une fille qui s'est fait mordre par un renard peut-être enragé.

– Si c'est vraiment urgent, je pourrai t'en filer, j'en ai pris plusieurs boîtes.

– T'inquiète, j'ai eu le temps d'en récupérer aussi. Et toi, t'en as besoin pour ton frère ?

– Max, c'est mon cousin. Il s'est fait attaquer par un chien et sa plaie s'est infectée.

– Écoute, si tu as besoin d'aide, vous pouvez venir chez nous, Maïa, notre Apothicaire, est très forte, elle pourra le soigner.

Elle ne répond pas, attentive au départ des deux sentinelles. La voie est libre, elle focalise toute son énergie sur l'action, comme un félin. Instinctive. Nous attendons quelques minutes pour être sûrs qu'ils ne reviennent pas, et nous sautons.

En trois bonds, nous sommes sur la plaque et nous engouffrons dans les égouts humides et puants. Je me mets en apnée. Le trottoir sur lequel nous nous faufilons est si étroit que je dois faire attention à ne pas glisser, autant éviter de tomber dans le liquide boueux qui coule à moins d'un mètre de moi. Je sens des rats frôler mes mollets. J'allume ma torche, je n'y vois rien et ça m'angoisse, ces rats qui me mordillent et se cognent à moi. Mais la fille saisit ma main :

– Accroche-toi à moi et éteins ta torche.

– Pourquoi ?

– Pour éviter de ne rien voir quand on sortira.

C'est vrai qu'au bout de quelques minutes mes pupilles s'habituent à l'obscurité des sous-sols. Nous ressortons sur le boulevard de l'Hôpital, plongé dans les ténèbres. Je récupère mon vélo et la suis jusqu'à une brasserie, où son cousin est allongé sur une banquette. Sa blessure au mollet est entourée d'un bandage malpropre. Il est vraiment dans un sale état, il semble dormir.

Elle approche une carriole brinquebalante accrochée derrière un vélo, qu'elle avait laissée dans le café, elle n'a pas besoin de me parler, je comprends que son objectif, c'est de charger son cousin là-dessus. Il est tellement dans les vapes qu'il ne peut pas bouger, elle s'échine à essayer de le porter. Manifestement, il pèse très lourd. Et elle est plutôt fluette. Ce qui m'intrigue, c'est qu'elle galère mais qu'elle ne me demande rien. Je décide de l'aider quand même et j'attrape le grand garçon sous les bras, tandis qu'elle le prend par les pieds. Toujours sans un mot. Ni un regard.

Nous le déposons ensemble sur la carriole, où elle l'arrime avec une corde.

Une fois dehors, elle retrouve enfin la parole :

– C'est loin, chez vous ?

– Une petite demi-heure, c'est à la fin du boulevard Saint-Michel, au croisement avec le boulevard de Port-Royal.

J'imagine que sa question vaut pour une acceptation de mon invitation. Elle grimpe sur le vélo, moi j'enfourche le mien, et nous nous mettons en route sur le boulevard

Saint-Marcel noir et désert. Au niveau de la statue de Jeanne d'Arc, un bruit de moteur rompt le silence ambiant. Ma coéquipière freine.

– Qu'est-ce que c'est ? je murmure.

– L'armée qui patrouille.

Son ton serein n'empêche pas l'accélération affolée des battements de mon cœur lorsque j'aperçois au loin les phares alternatifs d'un camion de l'armée. Derrière l'éclairage éblouissant, le véhicule apparaît par intermittence : il est bas et me fait penser à un tank. Sa mitraillette en position de tir, un soldat guette d'une ouverture sur le toit ; je peux imaginer d'autres militaires dans le ventre du monstre d'acier.

Pas une seconde à perdre, nous devons nous cacher. C'est le couvre-feu, l'armée n'hésitera pas à nous arrêter, pire, à nous tirer dessus, si nous ne répondons pas à leur sommation. La fille me montre un gros 4 × 4 aux vitres brisées et aux pneus crevés. Il est assez grand pour nous dissimuler tous les trois. Deux rafales de mitraillette me paniquent.

Je retiens ma respiration lorsque le véhicule rase notre cachette.

Il poursuit son chemin. Sans nous repérer.

Je dois une fière chandelle à ma coéquipière. Elle a eu le bon réflexe : camouflés derrière la voiture, nous étions invisibles pour l'armée. Je voudrais lui exprimer ma reconnaissance mais son silence est toujours aussi peu engageant. Lorsque nous n'entendons plus le moindre ronronnement de moteur, elle se lève et, d'un bref mouvement de tête, me fait signe que nous repartons.

Au carrefour des Gobelins, une meute de chiens furieux déboule de la rue Monge, fonce sur nous et nous encercle. Encore ces pitbulls. Vincent n'a donc pas réussi à leur régler leur compte. Ils vont finir par dévorer tous les survivants. J'empoigne Poignard, prêt à mourir au combat. Mais, imperturbable, la fille rousse se penche vers moi :

– Fais comme si de rien n'était, je m'en occupe.

Pourquoi enlève-t-elle sa veste ? C'est bizarre. Elle la fait tournoyer doucement devant leurs gueules aux crocs menaçants. Elle se croit dans un film fantastique ? Elle se la joue sorcière ? Sauf que ce n'est pas du cinéma, parce que les molosses courbent l'échine et s'éloignent en quelques secondes comme si nous les dégoûtions.

J'hallucine, elle sait se faire obéir des chiens.

Pourrait-elle avoir le don de communiquer avec les animaux ?

À notre arrivée devant l'immeuble, il est 2 heures du matin. Je descends de vélo. Jérôme est de garde et il braque son fusil sur nous :

– Qui c'est ? Qu'est-ce qu'ils font là ?

Son intonation n'a rien d'engageant. À croire qu'il oublie parfois qu'on se connaît depuis qu'on est gamins. J'ai cette fois du mal à supporter son comportement de Chef.

– C'est elle qui a sauvé la vie d'Alicia. Son cousin est blessé, ils ont besoin de Maïa.

La fille ne dit pas un mot et ne cille pas devant lui. Ils me donnent l'impression de se jauger mutuellement comme deux fauves. J'espère que Jérôme décidera de lui faire confiance. J'essaye de déchiffrer l'expression de son visage régulier. Il se tourne finalement vers moi, avec une anxiété non dissimulée, et m'entraîne vers le perron :

– Tu as le vaccin pour Séverine ?

– Oui, tiens.

Je lui donne les ampoules.

– Merci Plaqueur, tu as assuré, avec ce que tu enchaînes depuis deux jours.

Sa gratitude me fait vraiment plaisir, je lui désigne la fille et son cousin :

– Ils peuvent s'abriter à l'infirmerie cette nuit ?

– C'est bon, fais-les entrer. On vaccine Séverine et je redescends avec Maïa, elle s'occupera du blessé.

Avec la fille, nous transportons Max dans le hall, où je m'arrête net : assise en bas des marches, complètement immobile, les yeux grands ouverts, son singe Babouche et sa poupée Dora sur ses genoux, Alicia m'attend.

Quand elle nous voit, elle se lève d'un seul mouvement.

– Diego, dit-elle de son timbre clair qui a cet étrange pouvoir d'alléger l'atmosphère autour d'elle, d'égayer la moindre particule d'oxygène.

Puis elle pointe son index vers le garçon blessé, qui pèse d'ailleurs un peu lourd, et répète trois fois le mot « Totor ».

Voilà. Juste trois mots, et elle réussit à faire sourire ma coéquipière dont je ne connaissais jusque-là que l'impassibilité à toute épreuve. Jérôme redescend, accompagné de l'Apothicaire. Il est grand temps d'aller coucher ma Minuscule. J'abandonne sans déplaisir mon fardeau aux mains du Chef. Les deux filles se saluent d'un signe de tête. Maïa me frôle le poignet :

– Ça va, toi ? murmure-t-elle d'une voix inquiète.

Et il me suffit d'entendre la tendresse de sa voix pour que mon cœur s'emballe. Je voudrais la prendre dans mes bras, mais je ne laisse rien paraître. Je me ressaisis, lui souris et soulève la Minuscule, agrippée à ma cuisse.

– Je vous laisse, dis-je à l'intention de nos deux visiteurs, vous serez entre de bonnes mains, je vais coucher Alicia.

3 DÉCEMBRE, MIDI

La Minuscule n'est plus dans la chambre quand j'émerge du sommeil. Un coup d'œil au réveil à piles posé sur la table de nuit m'indique qu'il est presque midi. J'ai dormi profondément, j'en avais besoin pour me remettre enfin de la séance de torture subie à la Salpêtrière. Je vais vérifier si Alicia est à l'infirmerie avec Maïa, qu'elle colle comme son ombre. J'en profiterai pour prendre des nouvelles de Max qui y a sans doute été conduit. Et j'aimerais bien discuter un peu avec cette fille mystérieuse, qui a le pouvoir de se faire obéir des chiens. Elle m'intrigue de plus en plus.

Maïa lit une histoire à Alicia dans le coin « salon » au troisième étage. Dès qu'elle me voit, elle se lève et soupire :

– La fille a préféré partir, elle reviendra dans deux jours. En attendant, elle nous confie son cousin. Elle l'abandonne comme ça. C'est un peu spécial, non ?

– C'est surtout lui qui est spécial, tu vas voir !

– Ah bon ? Spécial ? Que veux-tu dire ?

– Tu verras, il se comporte bizarrement. Il a des yeux inexpressifs.

– Dora ! Dora ! Dora !

– Chut, Alicia, parle moins fort. Tu vas réveiller Totor, il a besoin de se reposer, il est malade.

L'Apothicaire fronce les sourcils et se rassoit sur le canapé près de la Minuscule qui m'ignore et se contente de réclamer la fin de son livre à grands cris répétitifs de « Dora ». Je décide d'aller voir comment se porte Max.

– Il est dans la chambre du fond, je lui ai fait une injection d'antibiotique pour éviter que la morsure ne s'infecte. J'ai suturé la plaie. Il est vraiment bien amoché. Surtout que sa cousine l'a juste soigné avec de l'alcool et du miel de lavande. C'est insuffisant, même si elle a l'air de s'y connaître en matière de guérison par les plantes. Mais tu sais, moi, ce n'est pas trop ma tasse de thé.

Maïa n'est pas bavarde, sauf à propos de sa responsabilité d'Apothicaire. Et elle n'a pas l'air de croire une seule seconde aux vertus des médecines douces. C'est sans doute une manière de défendre sa mère. Enfin, pas de la défendre, mais de la respecter, de l'aimer encore. En tant qu'adepte de la médecine par les plantes, l'autre l'a peut-être agacée. Je n'ai pas le temps d'aller au bout du couloir que la porte du fond s'ouvre sur le grand Max, vêtu d'un pyjama bleu. Quelle apparition étrange ! Il est légèrement titubant, comme un bébé qui fait ses premiers pas. Le contraste entre l'instabilité de sa démarche et la robustesse de sa silhouette est déroutant. Il scande des mots incompréhensibles à la façon d'une litanie, je tends l'oreille pour essayer de saisir leur sens, mais c'est du charabia pour moi. Il s'immobilise pile devant moi et je ne sais pas comment l'aborder. Je m'apprête à lui

dire bonjour, quand il s'écroule par terre, à mes pieds.
Je m'agenouille et pose sa tête sur mes cuisses :

– Max ? Ça va ?

Il ne répond pas. Ses prunelles brunes et fiévreuses glissent sur mon visage sans se fixer ; une trace de bave laisse une traînée blanche sous sa lèvre. Son visage est enfantin, presque poupin. Maïa s'est précipitée, elle lui touche le front avec circonspection :

– Il est brûlant. C'est dingue qu'il ait réussi à se lever avec la blessure qu'il a. C'est une force de la nature. Il va falloir le porter jusqu'à son lit, à mon avis il ne pourra plus faire un pas tout seul.

Le garçon n'égrène plus qu'un unique mot : « Koridwen. » Qu'est-ce que ça signifie ? C'est du patois breton ? Un prénom du Moyen Âge ? Il y avait bien une Experte sur WOT dont l'avatar portait ce nom. Mais quel lien Max pourrait-il avoir avec la super Koridwen, stratège experte dans le monde d'Ukraün ? Est-ce qu'il attend quelque chose de moi ? Je ne sais pas comment réagir, d'autant que son timbre monte dans les aigus, se teinte de notes hystériques. Mince, elle abuse, la fille, de nous avoir confié son cousin sans rien nous apprendre de son psychisme. Et s'il pique une crise de nerfs, s'il devient violent, il faut faire quoi ? Le ceinturer ? Le contenir avec un drap en mode camisole de force ? Ou essayer le coup de poing sur la tempe, comme Vincent l'a fait avec moi ? Mais le père du Soldat lui a donné des cours d'autodéfense et il maîtrise des techniques de combat. Pas moi.

– Koridwen, Koridwen, Koridwen...

Il se met soudain à hurler. C'est alors qu'Alicia s'agenouille en face de moi, de l'autre côté de Max :

– Totor ! Totor ! Totor ! dit-elle d'un ton ferme.

Elle me donne l'impression de le rappeler à l'ordre.

Elle prend sa grande main dans les siennes. Et elle
répète avec tant de conviction le mot « Totor » que Max
finit par baisser le volume. Sa crise d'angoisse s'atténue ;
le géant hurleur est dompté par la Minuscule.

Il est temps d'essayer de le ramener dans son lit. Je le
soulève sous les aisselles pour l'aider à se redresser.
Il titube, s'appuie sur moi, mais refuse de lâcher la main
de la Minuscule. Maïa le soutient de l'autre côté. D'un pas
chancelant, agrippé à nos épaules, il réussit à retourner
dans son lit, guidé par Alicia, très sûre d'elle.

Il s'affale sur le matelas ; gémit lorsqu'elle lâche sa
main ; s'apaise lorsqu'elle s'assoit à son côté avec un livre
de *Dora*. Elle le feuillette et choisit une scène où Dora
traîne le taureau bleu, transformé en patate géante, sur
une charrette.

– Totor, explique-t-elle en pointant son index sur le
ventre de Max. Dora, continue-t-elle en posant sa main
sur son cœur.

Elle suit fièrement des doigts la ligne de sa frange, que
Maïa a coupée et égalisée il y a deux jours, et qui la fait
encore plus ressembler à la Dora du livre. Lui, fasciné,
ne la quitte pas des yeux, ne manquerait pour rien au
monde un seul de ses gestes. Elle lui montre une illus-
tration où Totor et Dora dansent sur une plage avec
Babouche ; elle prend son singe en peluche et le secoue
dans tous les sens comme s'il dansait ; elle éclate alors de

son rire communicatif, et son visage à lui, en une seconde, s'illumine.

Nous possédons donc l'arme fatale pour déconnecter la bombe à retardement que constitue le grand Max, et cette arme, c'est Alicia.

Alicia, la seule enfant qui semble avoir survécu à l'épidémie.

Alicia, mon miracle. Le miracle de son incroyable rire.

5 DÉCEMBRE, FIN DE MATINÉE

Deux jours que Max est là, et qu'il accapare toute l'attention d'Alicia. Sa cousine a promis de revenir aujourd'hui. Si c'est elle que son cousin réclamait pendant sa crise, elle s'appelle peut-être Koridwen, cette fille. Est-il possible qu'elle ait un lien avec l'experte de WOT ? Elle n'avait pas l'air très fan du jeu quand elle l'a évoqué à la Salpêtrière. Ça serait incroyable, ce hasard. En attendant, je commence à en avoir marre de monter la garde devant l'immeuble. Pour m'occuper, je joue avec la vapeur qui sort de ma bouche, «on dirait qu'on fume», on s'amusait à ça, gamins, avec mon frère. L'image des ronds de fumée de cannabis que soufflait Pierre se superpose à celle de nos jeux d'enfants. Je ne peux pas croire à sa mort. Je ne veux pas y croire. Je ferme les yeux un bref instant, je me souviens de son dernier sourire, de sa fierté retrouvée, sa fierté de grand frère. Une onde de tristesse me traverse, à me faire mal. C'est trop injuste.

Il faut que j'arrête d'y penser.

Le fusil que m'a confié Vincent pèse d'autant plus lourd sur mon avant-bras que j'ai des courbatures partout à cause des deux gros groupes électrogènes qu'on est allés

204

chercher chez Bricomarché hier avec le Soldat. On les a transportés tant bien que mal, en s'aidant de la brouette, puis on les a montés jusqu'au deuxième étage. Certaines blessures que m'a infligées Logan à l'avant-bras gauche me gênent. Elles me font encore mal quand j'y touche. À partir de maintenant, nous nous chauffons avec des radiateurs électriques : Jérôme en a encore parlé hier, étant donné toutes les armes que nous possédons, nous sommes désormais des hors-la-loi et nous ne devons JAMAIS l'oublier. Il a mis en place une organisation spartiate. La surveillance militaire s'intensifie de jour comme de nuit. Devant la recrudescence des patrouilles de blindés et des escadrons d'hélicoptères, nous devons respecter des règles strictes jusqu'à notre départ. Plus question de se chauffer au feu de cheminée, pour ne pas être repérés par l'armée, séparés ou, pire, emprisonnés.

Le Chef ne nous a pas encore expliqué son plan d'évasion en cas d'attaque militaire, mais je crois que Vincent et lui élaborent une stratégie ; je les vois souvent monter sur la terrasse avec des outils et des accroches métalliques.

À force de piétiner, sans rien faire d'autre que guetter l'arrivée de potentiels intrus, je dois lutter contre l'abrutissement et la tentation de m'asseoir par terre pour reposer mon dos et mes jambes. J'ai froid malgré ma grosse doudoune. L'immobilité ne m'aide pas à me réchauffer. Je saute sur place pour faire travailler mes muscles et ne pas m'ankyloser totalement. Soudain déboule une fille à vélo. Elle freine juste devant moi : c'est celle qui s'appelle peut-être Koridwen ! Son attitude distante me déstabilise une fois de plus. Pour un peu, je me sentirais coupable d'une faute, dont j'ignore la teneur. Ses yeux perçants me scrutent sans aucune chaleur.

– Je viens chercher mon cousin. Il va bien ?

– Oui, monte, ne reste pas dehors. Il est à l'infirmerie avec Maïa et Alicia. Je vous rejoins à la fin de ma garde, dans une demi-heure.

Elle me plante là sans un mot de plus.

Je trépigne pendant dix minutes, compte les secondes qui passent, vraiment, cette inertie, ce n'est pas mon truc. Je cherche vainement comment occuper les vingt dernières minutes d'ennui, quand la rousse passe en trombe devant moi. Elle me fait un bref signe d'au revoir et se dirige vers son vélo.

– Tu pars déjà ? je crie presque.

– Comme tu vois… Max dort. J'ai parlé avec Maïa, il va mieux.

En fait, cela ne m'étonne pas vraiment qu'elle nous laisse son cousin un peu plus longtemps ; Maïa m'avait averti que la cicatrisation serait longue et qu'il vaudrait mieux surveiller l'évolution de sa santé quelques jours encore. C'est la Minuscule qui doit être contente, elle s'est attachée à son Totor, la séparation aurait été compliquée. Mince, elle est déjà en train de s'en aller ! Et je ne sais toujours pas si elle s'appelle vraiment Koridwen, comme l'Experte de WOT. Je l'interpelle :

– Koridwen ?

Elle s'arrête, c'est donc bien son prénom ! Elle pivote vers moi, alors je tente ma chance :

– Tu veux pas discuter un peu avec moi ? Je vais être relevé de ma garde dans dix minutes.

– Discuter ? De quoi ?

Je me jette à l'eau :

– Faut qu'on parle de Khronos !

Et là, elle se fige. Je poursuis, fébrile :

– Tu es Koridwen, tu es une Experte de WOT !

Elle se rapproche, l'expression de son visage se transforme, elle semble intéressée, et même curieuse… J'inspire une grande bouffée d'air, j'ai raison, c'est bien elle !

– Et toi, qui es-tu ?

– Je m'appelle Jules et, dans le jeu, je suis Spider Snake.

– Spider Snake !

Son expression est indéchiffrable, je crois y discerner une forme de déception.

– Je n'aurais jamais pu le deviner.

Effectivement, je n'ai pas le physique de Spider Snake, qui ressemble plus à Volwerine qu'à moi, bon, je peux comprendre qu'elle soit déçue ; mais elle n'a pas grand-chose de Lara Croft non plus. Elle est très forte, la Koridwen du jeu. Selon moi, c'est la meilleure de tous les Experts. Si elle avait voulu, elle aurait écrasé Spider Snake, mais elle avait besoin de mon avatar pour des raisons stratégiques.

– Tu vas aller au rendez-vous ?

– J'ai fait cinq cents bornes en tracteur pour ça.

La joie qui circule subitement entre nous est si intense que j'ai l'impression de retrouver une sœur. Par réflexe, je tape deux fois mon poing contre ma poitrine, comme nos avatars après une victoire sur Ukraün. Elle fait le même geste en me regardant dans les yeux. Elle aussi, elle compte sur moi ; elle aussi, elle est heureuse de me rencontrer. On se sourit, son visage se détend. Elles sont jolies, ses taches de rousseur. Je lui pose la question qui me brûle les lèvres :

– Est-ce que tu sais qui est Khronos ?

Son silence dubitatif me décontenance un peu.

– On s'en fout de savoir qui c'est, non ? L'important, c'est qu'il apporte la solution.

Je sens qu'elle croit fermement à la possibilité de voyager dans le temps. Pour moi, cela relève plutôt de l'espoir. Contrairement à elle, j'aurais besoin de connaître l'identité de Khronos pour que cet espoir devienne une certitude. Je me souviens soudain de son étrange capacité à éloigner les molosses, peut-être est-elle vraiment magicienne ?

– Tu... Tu fais comment pour te faire obéir des chiens ?

– J'ai fabriqué un répulsif avec des plantes. C'est une vieille recette bretonne que m'a apprise ma grand-mère.

Je ne la quitte pas des yeux, emporté par sa voix charismatique :

– Ma grand-mère était un peu sorcière. Elle parlait aux arbres, aux talus et aux rochers. Elle soignait les gens aussi.

Son regard lumineux s'assombrit soudainement.

– Mais ça ne marche pas à tous les coups, pour Max, par exemple, ça n'a pas été très efficace, soupire-t-elle en baissant les yeux.

– Ton cousin est entre de bonnes mains, il va vite se rétablir...

Je lis sur son visage qu'elle n'a pas envie de me dévoiler d'autres secrets. Le sujet est clos, elle ne parlera plus de sa magie, ni de sa grand-mère. Elle se reprend et me relance sur notre point commun, Khronos :

– Tu as déjà été repérer les lieux pour le 24 ?

– Non, je n'en ai pas encore eu le temps. Et toi ?

– Moi, je suis passée devant la tour de l'Horloge et j'ai essayé de trouver une entrée. Tout est bouclé bien entendu, mais je compte bien y retourner d'ici quelques jours avec du matériel. Ça te dirait de venir avec moi ?

Je réfléchis, c'est bien à moi de préparer la rencontre du 24 décembre, pas à Vincent, ni à Jérôme. Ce rendez-vous, c'est ma mission, pas la leur. Et l'idée d'agir avec Koridwen, l'Experte de WOT, m'enthousiasme. Mais je ne peux prendre une telle initiative sans prévenir les autres. Je dois au moins en parler au Chef, il n'est pas question que je déroge aux règles de la communauté qui nous accueille, Alicia et moi.

– Il faut d'abord que je voie avec les autres. C'est que j'appartiens à une communauté et nous avons l'habitude de prendre les décisions ensemble.

– OK, je reviens dans deux jours. À ce moment-là, tu me diras, d'accord ? Bon, j'y vais.

– Et si Max a besoin de toi entretemps, comment je te retrouve ?

Elle sort de son sac à dos un carnet et un stylo, et griffonne une adresse. Elle arrache la page et me la tend sans un mot : *12, rue Lecocq à Gentilly*.

J'ai à peine fini de lire qu'elle m'a déjà quitté sans dire au revoir, comme d'habitude. Je l'observe qui s'éloigne sur son vélo, et j'ai soudain la certitude qu'elle en sait plus que ce qu'elle dit. Elle était vraiment l'une des meilleures joueuses. Autant mon avatar Spider Snake était instinctif et rapide, autant elle avait une intelligence redoutable, presque machiavélique ; sur WOT, elle pouvait élaborer des stratégies et des manipulations psychologiques, et elle était la plus fine d'entre nous pour détecter les complots. Pendant la période de la guerre des Menteurs, elle était la plus précieuse des alliés. Je repense à ses révélations sur les pouvoirs de sa grand-mère.

Si ça se trouve, Koridwen sait qui est Khronos, mais elle doit garder le secret.

7 DÉCEMBRE, FIN DE MATINÉE

J'attends impatiemment Koridwen en montant la garde devant l'immeuble. J'ai beaucoup réfléchi pendant ces deux derniers jours et pris sans consulter Jérôme et Vincent la décision d'aller à la tour de l'Horloge avec elle. J'attends d'avoir préparé notre mission sur l'île de la Cité pour avertir les autres. Lorsqu'elle arrive à vélo, elle freine aussi brutalement que d'habitude juste devant moi et me fait le salut de WOT, avec un petit sourire complice qui me rend euphorique ; pour un peu, adoptant le toc d'Alicia, je crierais trois fois « Youpi » en mode Dora. Je me contente de prendre platement de ses nouvelles. Toujours aussi peu loquace, elle reste évasive et me coupe la parole quand j'aborde le sujet des repérages à la Conciergerie :

– Je monte voir Max d'abord, et on en reparle, tu veux bien ?

– OK. Vincent me remplace d'ici un petit quart d'heure, je te rejoins à l'infirmerie.

Le Soldat est encore en retard. Je trépigne d'impatience quand il finit par débouler, chargé comme une barrique. Il jubile, satisfait de sa récolte :

– Mate-moi ces pistolets, ce sont nos meilleurs arguments de négociation ! Je dépose tout ça dans ma réserve et prends la relève.

– Je m'en occupe à ta place si tu veux. Donne-moi tes sacs, je vais les ranger.

– T'en as marre à ce point-là ? s'esclaffe-t-il en me tendant les lourdes besaces remplies d'armes.

Je pose tout en vrac dans l'ancienne loge et file au troisième étage. Je croise Koridwen dans l'escalier. C'est étrange qu'elle reparte déjà. Je voulais prendre le temps de discuter et d'en apprendre plus sur elle avant qu'elle ne s'en aille avec son cousin.

– Tu t'en vas ? Seule ?

Elle fait signe que oui d'un air triste. J'ai l'impression qu'elle retient ses larmes.

– Max préfère rester avec Alicia, murmure-t-elle d'une voix tremblante.

– Je suis désolé. Je… Ils s'entendent très bien tous les deux. Et tu peux compter sur nous, on prend soin de lui.

Elle ne répond rien. J'espère qu'elle ne m'en veut pas, à moi, du choix de son cousin.

– Reviens demain si tu peux ?

Elle hausse les épaules, le visage maintenant fermé. Bon, autant changer de sujet. Espérant la sortir de son humeur maussade, je lui demande avec un enthousiasme exagéré :

– Alors, on y va quand à la Conciergerie ?

– Je ne sais plus, Jules. Là, tout de suite, je n'ai envie de voir personne. Je veux juste être seule. Salut.

Elle dévale déjà l'escalier, m'abandonnant à ma déception. Je ne suis pas seulement déçu, je me sens blessé.

J'ai tellement d'estime pour elle que son refus que nous coopérions me fait sérieusement douter de ma capacité à inspirer confiance. Je manque de charisme.

La tête basse, je rejoins Maïa et Katia dans le salon de l'infirmerie, où elles discutent justement de Koridwen.

– Elle est sympa, cette fille, sourit la Planteuse, c'est dur pour elle de s'en aller sans son cousin. Elle l'aime beaucoup.

– Je viens de la croiser, elle s'est montrée plutôt désagréable, lui dis-je sans dissimuler mon dépit.

– C'est que Max lui a maladroitement fait comprendre qu'il ne voulait pas repartir avec elle. Il lui a répété plusieurs fois « Au revoir Kori » pour qu'elle s'en aille, m'explique-t-elle avec douceur.

À croire qu'elle s'est déjà attachée à Koridwen.

– Elle s'est confiée à toi ?

– Tu connais notre Planteuse ! s'exclame Maïa. Elle est tellement sociable qu'elle réussirait à faire parler un muet.

– Alors ? Qu'est-ce qu'elle t'a révélé ? je la relance.

– Pas grand-chose. Elle vient de Bretagne, elle est fille d'agriculteurs, elle aimait aider ses parents à s'occuper des bêtes.

J'en reste bouche bée. La grande guerrière d'Ukraün, la stratège de WOT, la Sorcière bretonne est fille d'agriculteurs. Ça alors…

11 DÉCEMBRE, DÉBUT D'APRÈS-MIDI

En faction devant l'immeuble, j'attends Maïa et Katia, parties depuis deux heures en mission d'approvisionnement à la ménagerie du jardin des Plantes. Le souvenir de ma discussion d'hier soir avec l'Apothicaire tourne en boucle dans ma tête : elle a voulu reparler de Khronos. Pour elle, il est impossible de revenir en arrière, c'est totalement inenvisageable, aberrant. Pour rien au monde elle ne se moquerait de moi, qui m'accroche à cet espoir. Mais elle n'y croit pas du tout. Elle m'a mis en garde, un peu agacée : « L'imagination ne peut pas faire plier le réel, Jules. Quand est-ce que tu arrêteras de croire à la magie ? » Et quand elle a compris qu'elle ne me ferait pas changer d'avis, elle a souri tristement en m'avouant qu'elle aurait finalement, elle aussi, préféré y croire. Je les aperçois enfin au loin, elles poussent une brouette chargée de cages, qui abritent deux grosses poules, et de cartons d'œufs frais. Leur objectif « basse-cour » est atteint et m'ouvre instantanément l'appétit. Les joues rosies par le froid, elles semblent joyeuses, à croire qu'elles se sont bien amusées pendant leur mission. Même Katia rayonne comme avant, elle en oublie le pansement qui couvre encore la moitié de sa joue.

– Alors les dindes, mission « Poules » accomplie ?

Ma blague est tellement débile qu'elle les fait rire. Katia s'empare déjà d'une des cages :

– Bon, je monte les volailles sur le toit-terrasse. À tout à l'heure, Plaqueur !

Katia ne m'appelle jamais autrement que Plaqueur depuis le jour où elle m'a baptisé ainsi. Je lui tiens la porte tandis que Maïa me chambre :

– Tu t'ennuies toujours autant quand tu montes la garde !

– C'est sûr, je préfère même faire le ménage.

– T'en as encore pour combien de temps ?

– J'attends Vincent, il est en retard, il aurait déjà dû me remplacer. Tu sais où il est ?

Elle hésite avant de me répondre. Je l'interroge du regard, intrigué.

– Il est sûrement en mission de rapprochement stratégique avec des clans qui n'ont pas intégré les R-Points.

– Ah oui, tu m'en avais déjà parlé.

Jérôme et Vincent se confient peu sur leurs négociations diplomatiques, ils ne m'ont jamais associé à leurs réflexions. Je n'en connais que les grandes lignes, leur objectif d'agrandir la communauté pour la renforcer. J'ai soudain peur d'être exclu de leur duo décideur. Est-il possible que le Chef et son Soldat élaborent leurs plans sans prévenir les autres membres de la communauté ? Peut-être estiment-ils qu'il est plus efficace de restreindre le nombre de décideurs pour éviter les débats interminables ?

– Et tu peux m'en dire plus ? Qui rencontrent-ils ce matin ?

– Vincent, je ne sais pas où il est. Jérôme est en train de nouer une alliance avec le clan des Sauveurs.

– Bonne nouvelle, j'ignorais totalement que ses négociations avec nos amis du Jardin des Plantes étaient près d'aboutir !

– Tu sais que les Sauveurs n'ont pas d'armes ? Leur objectif, c'est de vivre en paix avec leurs animaux. Ils ne veulent surtout pas les abandonner à leur sort : donc il n'est pas question pour eux de rallier un R-Point. Mais ils ont été attaqués il y a deux jours par un groupe d'ados défoncés, des punks hyper-violents. Ces malades voulaient brûler toutes leurs bêtes et les sacrifier. Un vrai délire de fous.

Je frissonne d'horreur en visualisant la scène qu'elle décrit.

– Vincent et Jérôme étaient là au bon moment, poursuit-elle, et leur ont évité le pire de justesse. L'avantage, c'est que les Sauveurs ont pris conscience de l'impossibilité de rester désarmés dans Paris.

– Donc ils ont fait appel à Jérôme pour assurer leur protection, c'est ça ?

– Oui. Ils sont désormais nos alliés : notre protection contre leur soutien en cas de crise et du ravitaillement.

D'accord, ça paraît intelligent comme tactique.

– Jules, je te laisse, on se retrouve plus tard ? Katia m'attend sur la terrasse.

Elle se penche vers la brouette, saisit la seconde cage.

– Je monte l'autre volaille, elle s'excite trop. On n'entend qu'elle. Tu me retrouves à l'infirmerie quand Vincent prend la relève ?

– À l'infirmerie ?

– Oui, Katia est d'accord pour enlever son pansement, mais elle voudrait ton avis avant d'oser se montrer aux autres.

Je suis plutôt flatté de la confiance que la Planteuse me témoigne, mais je ne sais pas trop ce que je pourrais dire, je ne voudrais pas la blesser.

– Tout ce qu'elle te demande, c'est d'être sincère, me rassure Maïa.

– Tu peux compter sur moi, je vous rejoins dès que Vincent revient de sa mission diplomatique !

Elle est à peine partie qu'il débarque, à toute allure, sur son vélo.

– Jules, excuse-moi pour le retard !

– T'étais où ?

Il reprend son souffle après son sprint à vélo :

– Je suis allé rendre visite au chef du gang des Graffeurs.

– Pour quoi faire ? T'avais un truc à leur proposer ?

– Je me renseignais sur la possibilité de mettre nos forces en commun en cas d'attaque militaire.

Il me jette un coup d'œil amusé :

– Et te vexe pas de ne pas être informé, on a pris la décision d'intensifier nos alliances hier soir seulement.

– Pourquoi ?

– Parce que je suis allé au R-Point hier et qu'Isa m'a annoncé un probable durcissement de la position de l'armée. Elle a même entendu parler d'une nouvelle loi martiale.

– C'est-à-dire ?

– L'armée veut mettre un terme aux règlements de comptes entre gangs. J'ai appris aujourd'hui que les Dévoreurs faisaient encore régner la panique du côté du bois de Boulogne. Et les Sauveurs, ceux de la ménagerie, ont évité le pire il y a deux jours. Jérôme compte bien sûr vous informer ce soir de nos tentatives de rapprochement avec les autres clans libres. Allez, file-moi le fusil, je te libère !

Je lui donne l'arme et pousse la porte, impatient de rentrer au chaud, un peu inquiet par ce que je vais découvrir sur la joue de Katia.

Parce que je n'ai pas revu son visage sans pansement depuis qu'elle a été mordue.

11 DÉCEMBRE, MILIEU D'APRÈS-MIDI

Des «you hou» et des «pouêt-pouêt» résonnent jusqu'au palier du troisième étage, la Minuscule a ressorti ses étoiles de Dora !

Elle joue dans le salon de l'infirmerie avec Max. Ils sont inséparables, ces deux-là. Alicia a encerclé le grand ado de toutes ses étoiles qu'elle manipule comme si elles avaient le pouvoir de transformer son Totor. Elle appuie sur l'une, déclenche le bruitage de l'autre, et les dirige vers lui avec un sérieux imperturbable. Et lui la laisse faire, béat d'admiration devant la petite fille à l'imagination infinie.

– Alicia, tu sais où sont Maïa et Katia ?

Elle me désigne la salle de bains sans même lever la tête vers moi, me faisant ainsi comprendre que j'interromps un rituel de la plus haute importance. Quel caractère ! Le cœur un peu serré d'appréhension, je me dirige vers la porte fermée. Pas un bruit ne filtre. Que présage ce silence ? Je frappe. Maïa m'ouvre, les traits tirés. Et le visage de Katia m'apparaît dans le miroir qui me fait face. Ses iris bleus emplis d'un découragement incommensurable, plus pâle que jamais, elle se contemple avec horreur et ne voit dans son reflet qu'une seule chose, la cicatrice rouge, un peu boursouflée, qui part de sa lèvre et remonte vers son oreille, donnant l'étrange impression qu'elle sourit d'un seul côté. J'essaye de réfréner ma première réaction de rejet. Mais mon silence a trop duré.

– Je suis laide, hein? C'est foutu pour moi.

D'un regard implorant, Maïa me supplie de la contredire. Des pas précipités dans le couloir coupent mon élan, Vincent déboule dans la pièce; affolée, Katia a un mouvement de recul, elle couvre sa balafre sous sa paume, les yeux pleins de honte. Mais lui saisit la main qu'elle a posée sur sa joue et l'empêche de cacher sa plaie. Il plonge ses yeux dans les siens, presque transparents, qui s'emplissent de larmes. Et alors, sans se préoccuper de notre présence, il se penche pour l'embrasser.

La voix d'Alicia retentit dans la pièce:

– Diego Diego Diego.

Elle me tire par la manche et me désigne d'un air étonné Katia et Vincent enlacés. Ils se détachent l'un de l'autre et nous sourient, un peu gênés. Dans l'iris clair de Katia, je vois un soulagement et un bonheur infinis. Et Maïa détourne les yeux quand ils croisent les miens.

Tout est allé si vite. Le miracle a eu lieu, ils ont osé. Nous les laissons seuls, et j'entends Vincent murmurer:

– Je n'en ai rien à foutre de ta cicatrice, si tu savais à quel point…

Comment réagirait Maïa si j'osais un jour l'embrasser?

Mais Vincent ne devait-il pas monter la garde? Qui a pris la relève à sa place?

Je redescends au rez-de-chaussée: c'est Jérôme.

– Salut, Plaqueur, ça va ?

– Oui, tu as remplacé Vincent ?

– Il me l'a demandé, parce qu'il avait quelque chose d'important à faire.

Il a un petit sourire, peut-être était-il dans la confidence de l'amour de Vincent pour Katia ? Il m'adresse un clin d'œil amusé, sans moquerie.

– Alors ? Objectif atteint ?

– Je crois bien que c'est gagné, Katia ne cachera plus sa cicatrice. Comment Vincent a-t-il su qu'elle enlèverait son pansement aujourd'hui ?

– C'est Séverine qui m'en a parlé, et j'ai pensé que c'était mieux de le dire à Vincent. Il voulait qu'elle arrête d'avoir honte de son visage, ça fait des mois qu'il est dingue d'elle, tu sais, ça date d'avant la catastrophe. Quand j'ai accepté de le remplacer, il a foncé à l'intérieur, je crois qu'il suivait son instinct, qu'il ne réfléchissait plus…

Je repense à la manière dont il a débarqué dans la salle de bains, c'est exactement ça, oui.

– Jérôme, je peux te demander quelque chose ?

– Quoi ?

– J'aimerais bien participer davantage aux réflexions sur les alliances ou les préparatifs de combats.

Il se tait quelques secondes, comme s'il pesait chacun de ses mots :

– Tu sais, Jules, assène-t-il placidement, la vie réelle ne ressemble pas à WOT.

– Je sais, merci, j'ai eu l'occasion de m'en rendre compte, je crois.

– Je te dis ça à cause de ton rapport à Khronos, le fait que tu y croies, c'est… comment dire… C'est… tellement fou… De croire encore que tu peux voyager dans le temps… T'as quinze ans, Jules, pas huit.

Là, il est carrément vexant ; si je comprends bien, il ne peut pas me prendre au sérieux parce que je crois au rendez-vous de Khronos. Ma confidence m'a vraiment desservi auprès de lui. Pour Jérôme, je ne suis qu'un joueur qui mélange encore virtuel et réel. Qu'il pense ça me fait mal, une colère froide monte en moi. De quel droit me juge-t-il ? Ce soi-disant ami qui méprise ma croyance, quitte à détruire mon seul espoir ? Ce Chef, si sûr de son bon droit, ira-t-il jusqu'à décider bientôt à ma place de ce qui est bon pour moi ? Il n'est rien d'autre qu'un mec de mon âge qui se prend pour un adulte responsable.

Je suis tellement blessé que je ne trouve rien à lui répondre, j'ai juste besoin de m'éloigner. Je commence à faire quelques pas lorsqu'un bruit de vitre brisée me fait sursauter. Et le cri de terreur de Maïa me glace le sang.

12 DÉCEMBRE, LEVER DU JOUR

L'aube sur Paris me fascine. Les reflets verts de la lumière matinale nimbent d'irréalité les sculptures du Luxembourg. Des pigeons furieux délogent des moineaux apeurés de la fontaine où ils se réfugiaient. Ils s'envolent avec des battements d'ailes maladroits et se heurtent à une escadrille de corbeaux noirs, qui les pourchassent avec la férocité de miliciens. Des vautours ricanent. Les nouveaux maîtres de la capitale ne doutent pas un instant de leur pouvoir. Et c'est la fin de ma nuit de garde. Cédric prendra bientôt ma place sur le toit-terrasse. Il s'isole de plus en plus, j'aimerais réussir à bavarder avec lui. Mais à chaque fois, il esquive mes questions. Il dort désormais sur un matelas dans sa cuisine. Il faut dire que l'organisation des appartements a été chamboulée par l'officialisation des couples. Katia et Vincent sont restés dans l'ancien dortoir. Séverine et Jérôme se sont installés dans une chambre isolée. Nous n'avons aucune nouvelle de Koridwen, et Maïa a préféré dormir à l'infirmerie pour veiller sur son cousin un peu instable. Quant à Alicia, elle a voulu rester près d'eux… Il fait froid, mais il ne pleut pas. Je n'ai pas à me plaindre. Je suis impatient de boire du café chaud et de dormir quelques heures. Quand il a fait sa crise hier, Max a failli blesser gravement Maïa. Ses réactions sont trop imprévisibles. Tout ça parce que Lego a piqué l'étoile à ressort et qu'Alicia a crié trois fois « Chipeur ». Maïa m'a tout raconté. Tout est parti de là. La petite jouait, et lui, avec son esprit un peu spécial, il a cru que c'était sérieux, il a pris l'ordre de la Minuscule au premier degré, et Lego est devenu l'Ennemi, le Voleur, celui qui fait du mal à la petite fille et qu'il faut neutraliser. Max a alors attrapé le chaton et a failli le tuer. Il ne voulait plus le lâcher. Vincent a essayé de le ceinturer. Mais il était incontrôlable. Et lorsque Maïa a enfin réussi à récupérer Lego, Max l'a poussée de rage contre la vitre. La peur m'a pris au ventre quand j'ai entendu son cri de la rue… Au moment où j'ai déboulé, Alicia tenait le cousin de Koridwen par la main et l'accompagnait vers le canapé. Elle s'est assise près de lui, l'a serré dans ses bras et il s'est apaisé. Mais sans la Minuscule, nous serions bien en peine de gérer ce géant. J'ai senti que Jérôme et Vincent seraient soulagés de ne plus le garder parmi nous. Alicia serait si triste s'il partait… Je pense à la Sorcière bretonne. Je ne comprends pas pourquoi elle n'a toujours pas récupéré son cousin. Pourvu qu'il ne lui soit rien arrivé. Quant à moi, j'étais tellement frustré de ne pas repérer les lieux avec elle que je suis allé voir la tour de l'Horloge hier. Elle est belle, avec ses rayons de soleil dorés, son fond bleu. Le cadran est entouré de femmes en robes bleues et surplombé de deux anges. J'aimerais en parler avec Maïa, mais elle est trop sceptique. Quant à Jérôme et Vincent, je ne préfère même plus aborder ce point avec eux. Savoir

qu'ils seront là pour épauler les Experts à la Conciergerie me suffit, même si leurs raisons sont purement
stratégiques. Un vrombissement aérien sème la panique
dans la troupe des volatiles noirs et sauve *in extremis* les
moineaux de la fureur des charognards. Deux drones
survolent le quartier. Première patrouille du matin, j'ai
l'habitude. Ils s'éloignent déjà vers le nord. J'inspecte les
alentours à travers mes jumelles, commençant par le parc
du Luxembourg, pivotant vers le boulevard Saint-Michel,
le Panthéon... Qu'est-ce que je vois? On dirait trois blindés, entourés de soldats. Une bonne vingtaine de soldats.
Je n'en ai jamais vu autant réunis depuis le début de la
catastrophe. Cédric arrive à ce moment-là, je lui tends les
jumelles sans un mot.

– Qu'est-ce qu'ils font là, à ton avis? je lui demande.
Il blêmit.

– Tu crois qu'ils viennent vers nous?

– Trop tôt pour le savoir. Attendons un peu.

Je surveille l'avancée du bataillon. Ils remontent le
boulevard Saint-Michel. Ils approchent. Je bondis, me
rue vers le premier étage, ouvre la porte en hurlant:

– Je crois que l'armée vient nous attaquer!

– Qu'est-ce que tu dis? Répète?

La tête de Katia posée sur son épaule, Vincent se
redresse, les cheveux ébouriffés. Jérôme surgit aussi dans
le couloir, suivi de Séverine.

– Si c'est vraiment le cas, il n'y a pas une seconde à
perdre. Vincent, tu donnes une arme à chacun. Faut pas
s'alourdir. Jules, tu te charges d'Alicia, de Max et de Lego
avec Maïa. Séverine, tu fous Anakin dans son panier.

On ne prend rien d'autre. Notre principal atout, c'est notre légèreté.

Je fonce à l'infirmerie où Maïa veille sur Max et Alicia. Je lui résume la situation. Comment fuir l'armée avec Max, tout juste remis de sa crise d'angoisse?

– Imagine s'il refuse d'avancer ou s'il hurle, murmure Maïa.

Elle propose de lui donner un calmant. Je ne vois pas d'autre solution. Nous ne pouvons pas prendre le risque d'être retardés ou de nous faire repérer.

J'observe les traits détendus de Max, encore endormi. La Minuscule, bien éveillée, nous fixe de ses grands yeux inquiets. Un simple murmure, le moindre bruit de pas sur le parquet et elle se réveille. Est-ce qu'un jour elle retrouvera son sommeil profond d'Avant? Maïa part chercher le cachet. Je m'assois à côté de ma petite et lui parle le plus calmement possible:

– Alicia, on va partir d'ici. Prends ton sac à dos. On va donner une pilule à Max pour qu'il reste tranquille, mais tu pourras le tenir par la main, ça le rassurera.

Elle acquiesce gravement. Pendant qu'elle prépare son sac, je griffonne rapidement sur une feuille: *K. Nous sommes obligés de partir. Je te dirai où nous sommes dès que possible. J.* Je n'indique rien de plus sur le papier, que je laisse sur l'oreiller du lit de Max. Mais je me dis tout à coup que si des militaires fouillent l'appartement et trouvent ce mot, ils vont attendre la visite de ce «K». Mon message pourrait mettre Koridwen en danger. Je le déchire en mille morceaux. Que faire? Et si je lui laissais un message codé? Je réfléchis, il faudrait un truc lié à WOT. Je sais : *Spider Snake change de Période. Champ de mines envahi par les Ennemis. Prochain contact à ton niveau de jeu.* J'espère que les soldats penseront à un jeu entre ados s'ils tombent là-dessus. Je n'ai pas le temps d'imaginer mieux. Elle m'attendra à Gentilly. Lorsque l'Apothicaire revient avec un verre d'eau et le médicament, Alicia touche le bras du géant pour le réveiller doucement :

– Totor, murmure-t-elle.

Il entrouvre un œil, voit la frimousse d'Alicia et son visage s'éclaire d'un grand sourire. Sans un mot, d'un geste ferme, la Minuscule incite son ami à avaler la pilule. Il obéit sans aucune hésitation, en totale confiance. S'il savait que cette substance va l'abrutir pendant quelques heures… J'espère simplement qu'il arrivera à marcher.

Je mets Lego dans son panier et nous montons tous sur le toit pour y rejoindre Jérôme. Max est légèrement titubant mais serein. Nous nous regroupons autour du Chef, qui n'a plus besoin des jumelles pour apercevoir les soldats :

– Plaqueur, t'as vu juste, ils sont là pour nous. Écoutez-moi, va falloir qu'on soit efficaces. J'avais anticipé la possibilité d'une invasion. Vous allez me suivre sans poser de questions. Faut rester le moins longtemps à découvert sur les toits, pour éviter d'être repérés par les patrouilles aériennes.

Vincent et lui soulèvent une longue planche de bois, qu'ils font basculer de façon à ce qu'elle atteigne le toit de l'immeuble mitoyen. Jérôme attache l'extrémité de la planche à des courroies de fer, soudées à des saillies de notre terrasse :

– Tu vois, Katia, ta mission au Bricomarché nous aura sauvé la vie. On a réussi à fixer la planche au béton grâce aux larges chevilles métalliques que tu as trouvées…

Le sourire de Katia s'efface au moment où le Soldat s'engage sur la planche étroite. Il est extrêmement prudent, avance d'un pas régulier. Comme elle n'est accrochée que d'un côté, cette passerelle est très instable. Nous retenons notre respiration. C'est bon, il a réussi. Sur le boulevard, les ronflements des moteurs s'amplifient. Les militaires ne sont plus très loin. Vincent bloque la planche sur l'autre toit et nous fait signe d'y aller :

– Alicia et Max, vous vous mettez entre Maïa et Katia. Laissez les chats, Cédric et Jules s'en occuperont.

La Minuscule prend place derrière Katia. Max, aimanté par la petite, la suit comme un automate. L'Apothicaire ferme la marche. Alicia avance à tout petits pas, la tête haute, les yeux fixés droit devant. Je recommence à respirer quand ils ont achevé leur traversée. Je ne sais même pas quel point de chute Jérôme nous a trouvé et combien de temps nous allons circuler par les toits.

– Jules, Cédric, Séverine, à vous, ordonne le Chef.

Je saisis le panier de Lego et franchis rapidement le passage. Cédric et Séverine font de même. Puis Jérôme nous rejoint :

– Il suffit ensuite de sauter d'un toit à l'autre, les immeubles sont accolés. Maintenant, on rampe. Et on s'accroche bien, il y a parfois des petites pentes, nous explique-t-il.

– On va où ?

Tant pis si je l'excède. Je ne le lâche pas, avançant près de lui sur le ventre :

– On va jusqu'au bâtiment du CROUS[1], en face de la station de RER Port-Royal.

– Pourquoi ?

– Parce qu'on pourra descendre jusqu'au parking souterrain du CROUS. C'est le seul immeuble des années soixante-dix dans le coin. Les immeubles haussmanniens n'ont pas de parking. J'ai visité celui-là, il comporte trois sorties, dont une qui donne sur l'avenue Denfert-Rochereau. C'est assez loin d'ici pour nous enfuir ensuite par la rue. À présent, restez silencieux. Le moindre bruit peut nous perdre.

Et il me jette un coup d'œil en biais, l'air de dire « maintenant tu te tais ». Mais j'ai encore besoin de savoir :

– Et où irons-nous ensuite ?

– Arrête avec tes questions, tu le sauras bien assez tôt. Et saute.

Nous bondissons ainsi d'immeuble en immeuble. Max suit le mouvement sans poser de problème et je tiens Alicia par la main. Lorsque nous parvenons au CROUS, j'entends l'ordre d'un soldat dans un haut-parleur :

– Rendez-vous, vous êtes cernés !

L'armée est sans doute en train de se positionner devant notre immeuble du boulevard Saint-Michel. Les militaires nous croient encore dans notre appartement.

– Vite, entrez à l'intérieur !

---

1. Centre régional des œuvres universitaires et scolaires.

Nous pénétrons dans l'immeuble moderne par une porte sur le toit en béton. Une fois dans la cage d'escalier, je confie Lego à Maïa pour porter Alicia et accélérer. Nous descendons les huit étages à toute allure, sans un mot.

– Par là, ordonne Jérôme en désignant la porte où il est inscrit *Sous-sols*.

Dans le parking, nous courons derrière le Chef, qui nous fait zigzaguer entre les voitures, nous empruntons un couloir, déboulons dans une autre partie du parking, suivons les flèches vertes sur le sol, remontons la rampe de sortie en spirale. Jérôme nous informe alors :

– Nous allons sortir sur l'avenue Denfert-Rochereau, ensuite, direction le quartier des Olympiades, dans le 13e arrondissement. J'y ai prévu un lieu de repli où nous abriter. Le trajet, c'est la première rue à gauche, puis la rue du Faubourg-Saint-Jacques à droite, jusqu'au boulevard Auguste-Blanqui, ensuite tout droit jusqu'à la place d'Italie, et on prendra les petites rues pour gagner la rue de Tolbiac. OK ?

Rien à rétorquer. Il a tout planifié. Je me concentre plutôt sur mon souffle. Même si mon physique de talonneur a du bon, la petite pèse un peu lourd. Max a calé son pas sur le mien et ne lâche pas la main de la Minuscule. Ainsi, il nous accompagne sans faire d'histoires, comme abstrait du monde réel.

– L'objectif, c'est de rester groupés. On peut faire de mauvaises rencontres. Les Graffeurs ne sont pas loin, je me méfie d'eux.

Jérôme ouvre la marche, Vincent la ferme.

– Tu veux que je te relaye pour porter Alicia ? me propose-t-il.

Je fais non de la tête, je préfère qu'il soit prêt à tirer en cas d'attaque. Au croisement avec le boulevard Auguste-Blanqui, Cédric s'arrête et interpelle le Chef :

– Jérôme ?

– Oui ?

– Je vous laisse là, je rejoins le R-Point de la Salpêtrière, j'en peux plus de vivre comme ça.

– T'es sûr ?

Le Cuistot fait oui de la tête, et je ne l'ai jamais vu aussi déterminé, lui qui était devenu si effacé. Jérôme hausse les épaules :

– OK, vas-y.

Cédric serre Séverine contre lui et nous adresse à tous un discret signe d'adieu. Nous repartons sans autre commentaire. Cette brutale séparation me laisse un goût amer. Jérôme marche maintenant à côté de Vincent et siffle entre ses dents :

– Écoute-moi bien, Soldat, il est probable que Cédric ait donné notre localisation à l'armée.

– Tu crois ?

– Je me méfie de son départ abrupt. Tu iras l'espionner et, quand tu auras la preuve qu'il nous a trahis, tu lui feras la peau. Il en sait trop.

Cette hypothèse me stupéfie. Je demande à Maïa, qui a entendu elle aussi :

– Pourquoi Cédric nous aurait-il trahis ?

– Parce qu'il est fou amoureux de Séverine et qu'elle a choisi Jérôme.

12 DÉCEMBRE, MILIEU DE MATINÉE

Le Chef nous installe dans un café à l'angle de la rue de Tolbiac et de la rue du Javelot, près de la dalle des Olympiades.

– Vous m'attendez là, je reviens. Vincent, tu montes la garde.

Max commence à manifester des signes d'agitation ponctuels, son visage est parcouru de tics à intervalles réguliers. Il faudra que j'aille dès que possible chez Koridwen à Gentilly pour la prévenir de notre déménagement forcé. Pourvu que mon message codé ne la panique pas. Je croise le regard de Maïa.

– Il a pris son cachet il y a une heure et demie, c'est trop risqué de lui en redonner un, réplique-t-elle.

Très fatiguée par toutes ces émotions, Alicia pose sa tête sur l'épaule du géant. Je suis aux aguets. Je scrute la rue à travers la vitre : mes yeux se posent sur des affiches A3 placardées sur les murs du lycée Claude-Monet. Je n'en avais encore jamais vu de semblables. Elles présentent des photos d'adolescents en noir et blanc, je plisse les yeux pour déchiffrer leurs noms : *Marco Gallehault / Stéphane Certaldo / Yannis Cefaï / François Jourdain*. Je n'en connais aucun. Il est indiqué au-dessous des photos : *Ces individus sont DANGEREUX et ARMÉS.* Merde alors. Je lis fébrilement la suite : *Recherchés pour ASSASSINATS de représentants de l'ordre, association de malfaiteurs, complot à visée TERRORISTE. Si tu vois ces personnes, ne cherche pas à les arrêter. Avertis immédiatement les forces militaires ou les responsables de ton R-Point.* Je désigne les avis de recherche à Vincent, qui se contente de hausser les épaules d'un air blasé.

Jérôme revient à peine un quart d'heure plus tard. Il exhibe, victorieux, un papier sur lequel sont griffonnés quelques signes chinois :

– On va se présenter à l'entrée du parking rue du Javelot, c'est bon, j'ai le laissez-passer.

Je n'ai pas le temps de lui parler des terroristes, il faut avant tout se mettre à l'abri. La sentinelle, un Chinois, nous pointe de son fusil, Jérôme lui montre le bout de papier, et le gars nous autorise à entrer.

– On va dans la tour Athènes.

La tour Athènes… C'est là qu'habitait le père de Jérôme, il y passait un week-end sur deux, c'est donc pour ça qu'il se rabat ici.

– Jérôme, tu nous expliques ?

– Le chef du gang des Chinois, qui domine les Olympiades, est un copain d'enfance. J'ai négocié avec lui, il nous accueille et nous attribue une tour vide en échange d'armes.

– Ils ne sont pas hostiles. Ils veulent être tranquilles, ajoute Vincent.

Lui connaissait donc le plan d'action de son Chef, qui poursuit d'un ton neutre :

– Mais là, une grosse bataille se prépare contre le Gang du Métro, qui veut annexer les sous-sols des Olympiades. Les Chinois ont besoin d'armes spéciales. Seul Vincent pourra les leur fournir.

Nous ressortons sur la dalle, près des échoppes. Des Chinois montent des barricades avec des sacs de sable, des pierres et des pavés. Je me souviens des mots de Vincent : « C'est la guerre », la guerre civile.

– Bienvenue dans la tour Athènes, ses trente-sept étages, sa terrasse avec vue panoramique sur tout Paris et son parking au cinquième sous-sol, ironise Jérôme.

Le hall en baie vitrée est décoré à la mode des années quatre-vingt : tonalité brune, grands miroirs, sol brillant en faux marbre gris. Le Chef nous entraîne vers les escaliers :

– On s'installe au troisième.

Il y a plusieurs portes sur le palier du troisième étage. Jérôme nous désigne celle qui fait face à la sortie des ascenseurs :

– Cet appartement nous servira de dortoir et de lieu de vie, et celui à droite fera office d'infirmerie. Commençons par là.

L'entrée en étoile donne directement sur trois pièces. La première est une vaste cuisine ; la deuxième, une luxueuse chambre avec sa salle de bains privative. Et la troisième s'ouvre en enfilade sur une dernière petite chambre aux murs bleu ciel, où j'entrevois deux lits simples.

– Là, ça sera ton domaine, Maïa. C'est idéal pour l'infirmerie.

Quand il entend le mot « infirmerie », Max s'arrête, s'installe sur un lit de la chambre bleue du fond et s'allonge aussitôt. Une pointe d'appréhension me serre l'estomac, j'espère qu'il a bien supporté le calmant.

– Je vais rester près de lui et surveiller son état régulièrement, mais normalement il ne craint rien, m'informe Maïa.

Alicia pose son sac près de son ami, nous signifiant qu'elle aimerait bien dormir, elle aussi, à l'infirmerie avec Totor et l'Apothicaire.

– Nous verrons ça plus tard, propose Jérôme, allons visiter l'appartement principal avant de se répartir les chambres.

Nous retournons dans notre futur logement ; je libère enfin Lego, qui bondit de son panier et file se réfugier sous l'élégant canapé de cuir noir, assorti aux fauteuils. Les murs sont blancs, les parquets sombres refaits à neuf. La cuisine est ouverte à l'américaine, l'immense salon s'apparente presque à un loft. Des tableaux d'art abstrait ornent les murs. Une cloison est occupée par une magnifique bibliothèque. C'est très branché. Alicia prépare des bols d'eau pour les chats. Jérôme ne nous loge pas dans l'appartement de son père. Ce serait bien trop douloureux pour lui. Nous suivons Anakin dans les chambres. Séverine et Jérôme dorment ensemble. L'Apothicaire estime plus raisonnable de passer ses nuits à l'infirmerie tant que l'état de Max est instable. Vincent et Katia ont chacun une chambre. Une dernière pièce, au fond, servira de réserve de nourriture, dont Séverine aura la charge. Faute de place, et à la grande satisfaction d'Alicia, nous serons aussi logés dans l'infirmerie tous les deux.

– Vincent, viens, je te montre le studio où entreposer les armes.

Le Chef se retourne vers moi avant de quitter l'appartement :

– Et demain, Plaqueur, on va avoir besoin de ta force musculaire pour récupérer un nouveau groupe électrogène. On le disposera au premier étage pour alimenter les radiateurs électriques du troisième.

Alicia frotte sa frimousse contre mon bras :

– Diego !

Je me penche vers elle :

– Oui, ma puce, qu'est-ce que tu as ?

Elle se frotte le ventre. Ce qu'elle a, c'est qu'elle a faim. Et qu'il n'y a pas une fichue boîte de conserve dans ce luxueux appartement. Jérôme a pensé aux armes, mais pas à la nourriture. C'est alors que Séverine propose doucement :

– Je sais où trouver de quoi manger dans le coin.

– Où donc ?

– Il y a un restaurant universitaire plus haut dans la rue de Tolbiac, il était réservé aux étudiants de la faculté en face. Avec un peu de chance, il y reste des stocks de nourriture.

– Génial ! Alors en route. Séverine, je viens avec toi. Maïa, Katia, vous restez avec Alicia et Max, d'accord ?

14 DÉCEMBRE, MIDI

J'ai encore des courbatures de notre expédition «bloc électrogène» tellement il était lourd et compliqué à transporter, sans compter qu'il tombait une pluie torrentielle et glaciale. J'ai surtout très mal à l'avant-bras gauche. Je ne sais pas vraiment si c'est musculaire ou si une de mes plaies s'est rouverte quand j'ai porté ce truc trop lourd pour moi. Entreposé au premier étage, l'appareil est relié par de gros câbles électriques à nos radiateurs au troisième. Et, grâce à lui, une douce tiédeur règne dans l'appartement.

Je descends les étages, c'est à moi de monter la garde au rez-de-chaussée. Rien ne sert d'être dehors dans le froid alors que nous avons une visibilité parfaite sur les intrus depuis le vaste hall vitré. Par ailleurs, nous sommes dans le territoire des Chinois, sous leur protection, et nous courons moins le risque d'être pris d'assaut comme au Luxembourg. Son talkie-walkie accroché à la ceinture, son fusil posé sur ses cuisses, Vincent est assis près de la porte des escaliers, pensif. C'est inhabituel, sa mélancolie a quelque chose d'inquiétant.

– Vincent, ça va ?

– Hello Plaqueur, oui, je réfléchissais à plein de trucs.
Il me refile le fusil.

– À quoi ?

– À ma sœur, à ma famille. J'y pense parfois, ça me
prend au ventre, là, une sorte de tristesse insurmontable.
Et puis, je pense plus souvent à eux depuis que Katia et
moi, on est… Enfin, tu vois, on est ensemble. J'aurais
voulu qu'ils la rencontrent. Je voudrais qu'ils reviennent,
je voudrais les revoir.

Il se tait, et je suis pétrifié par ses confidences subites.
Moi, je me refuse à penser à ma famille. Je m'y refuse. Et
voilà qu'il m'y oblige et que tout à coup ça me foudroie,
une douleur si intense qu'elle me plie en deux, m'empêche
de respirer.

– Jules, qu'est-ce qui t'arrive ? T'es tout blanc.

Je ne peux même pas lui répondre. Je m'assois, tente
de réguler ma respiration. Et comme toujours, je me
raccroche à Khronos, au rendez-vous, à ce rêve fou d'un
retour en arrière. Je ne sais pas si j'y crois à cent pour
cent, mais je me fie à une intuition intime. Je ne sais pas
pourquoi, une phrase que disait parfois ma mère me
vient en tête : « Laisser le temps au temps », je trouvais ça
débile. Mince, je serais bien incapable d'analyser ce que
je ressens. Le temps de quoi ? De l'acceptation ? L'écho
d'une discussion joyeuse me force à reprendre le contrôle
sur moi-même ; l'irruption de Maïa et Katia chasse mes
pensées noires.

– Brrrr. Il fait vraiment un temps pourri. Il tombe une
pluie froide, presque de la neige.

– La pêche a été bonne ?

– Oui, on a trouvé plein de choses. On a fouillé une cinquantaine d'appartements ce matin. Et on a fini par tomber sur des mines d'or! On est rentrées dans la maison d'un couple de retraités sur la Butte-aux-Cailles, ils devaient être hypocondriaques, la pharmacie de leur salle de bains était remplie de médicaments. On a même de l'alcool de menthe, des pansements, des compresses stériles, du désinfectant. De quoi reconstituer notre pharmacie!

– Et dans un appartement de la porte d'Italie, on a trouvé tout ce dont on a besoin en matière de piles, de lampes torches… Et même des talkies-walkies.

Vincent saisit Katia par le bras et la serre contre lui. Maïa se penche vers son caddie et en sort des vêtements:

– On s'est permis des extras!

Leur enthousiasme est contagieux. Katia a repris goût à la vie, elle fait attention à elle. Elles se sont même maquillées, ainsi que Séverine, pour le dîner hier soir. Elles avaient littéralement pillé un ancien institut de beauté. La porte de l'entrée s'ouvre de nouveau, nous nous retournons simultanément, sur le qui-vive. Fusil à la main, Vincent a tiré Katia derrière lui. Le mot d'ordre, c'est la vigilance. Même si nous bénéficions de la protection des Chinois, il y a de plus en plus d'embrouilles aux Olympiades. La tension monte entre les gangs. Un combat se prépare inéluctablement.

C'est Isa! La gravité de son expression ne présage rien de bien réjouissant.

– Isa! Quoi de neuf?

– Jérôme est là? On pourrait se réunir tous ensemble?

Je ne peux pas traîner trop longtemps hors du R-Point, je suis de corvée de cuisine.

– Il négocie avec le chef des Chinois. Dis-moi, je lui transmettrai ton message.

Elle s'assoit sur le sol à nos côtés, devant la porte de l'escalier.

– Depuis ce matin, il y a du nouveau. L'armée impose un renforcement radical de la loi martiale. Tenez, j'ai récupéré un tract. Ils commencent à en distribuer. Ils vont en balancer par hélicoptère.

Elle nous tend le papier que Vincent nous lit :

– *À compter du 15 décembre, pour la sécurité de tous, afin de réguler la violence qui s'amplifie dans le pays, toute personne demeurant hors d'un R-Point sera considérée comme criminelle et susceptible d'être traitée comme telle, sur tout le territoire français.*

Le message est signé d'une *Autorité provisoire légale de la République française* et contresigné du *Gouverneur de la zone militaire de Paris*. Le 15 décembre, c'est demain. Je contracte les mâchoires pour canaliser ma nervosité. Jérôme avait raison sur toute la ligne quand il prévoyait un durcissement de la politique militaire. Isa nous explique que la puce électronique de localisation du virus, dont nous avaient parlé les ados du R-Point, sert aujourd'hui de « puce d'identification », un outil de surveillance massive et systématique des survivants. L'armée l'utilise pour savoir où se trouvent les adolescents hors des R-Points. L'objectif est de tracer tous les survivants. Elle a entendu des chefs de section en parler. C'est devenu depuis quelques jours une des priorités des militaires. Heureusement, aucun de nous n'a accepté d'être tracé. La vision des affiches *Wanted* collées sur les murs du lycée Claude-Monet surgit dans mon esprit. Elles encouragent les survivants à aider les militaires à traquer les terroristes. Jérôme y voit un « appel à délation » et il nous a alertés : « Nous ne savons pas si ce sont vraiment des terroristes, nous ne sommes pas à la solde de l'armée, donc nous ne dénonçons pas. » Telle est la ligne de la communauté. Nous qui sommes des hors-la-loi, sommes-nous aussi considérés comme des terroristes désormais ?

– On ne va pas pouvoir vivre à Paris dans ces conditions, souffle Katia sombrement.

– Il faut qu'on tienne jusqu'au 24 décembre, pour le rendez-vous de Khronos, dis-je.

– Jules… es-tu sûr que c'est vraiment crucial d'attendre cette date ?

La question de Katia me fait l'effet d'une gifle.

– Excuse-moi, je sais que tu as envie de rencontrer les autres Experts et de tenter quelque chose avec eux, mais… intervient Maïa pour détendre l'atmosphère.

– Laisse tomber, Maïa, de toute façon, Jérôme veut y aller, à ce rendez-vous.

À ce moment, la voix du Chef retentit :

– Eh bien, quel drôle d'endroit pour prendre le thé ! Isa, comment vas-tu ? Quelles nouvelles du R-Point ?

Vincent lui donne le tract, qu'il lit d'une traite en fronçant les sourcils.

– Une guerre se prépare dans Paris. Il faut envisager sérieusement notre départ. On trouvera un moyen de locomotion, on stockera des réserves d'essence.

– Notre départ pour où ? questionne Katia.

– Pour un endroit où nous pourrons vivre en autonomie, loin de l'armée. Libres. Mais je veux partir en ayant
noué le plus d'alliances possible avec tous les autres clans.
Vous comprenez, plus nous serons unis, plus nous serons
forts. Nous devons tenir jusqu'au 24 décembre.

J'ai bien compris que Jérôme rêve de rassembler ceux
qui refusent l'encadrement militaire. Il veut que l'union
de ces forces libres ait un véritable poids politique. Son
objectif, c'est d'élaborer une stratégie commune à tous les
gangs libres à Paris et en province. Il tient sa promesse
d'aller au rendez-vous du 24 décembre pour rallier les
Experts à sa cause. Je regrette seulement qu'il organise ce
contre-pouvoir et lui donne de l'ampleur sans me donner
la moindre opportunité de l'aider.

– Isa, tu viendras avec nous, si on part de Paris ?

Elle hoche la tête positivement, et Jérôme lui adresse
l'un de ses rares sourires qui adoucissent son visage et
rappellent celui qu'il était Avant.

– J'irais bien voir Alicia. J'ai un petit cadeau pour elle.

– Elle est dans le salon, avec Séverine. Vas-y ! Elle sera
contente, surtout qu'elle est inquiète pour Max, il ne veut
plus rien faire depuis qu'on est arrivés ici. Il est prostré et
refuse de jouer avec elle.

Je me fais moi aussi du souci pour Max, plus que je ne
le montre à ma petite. Je n'ai pas encore pu aller prévenir
Koridwen à Gentilly. Mais il est grand temps que j'y aille.
Je ne sais même pas si elle est retournée à l'appartement
du boulevard Saint-Michel, si elle a trouvé mon mot. Les
militaires ont peut-être tout fouillé, tout détruit... Max

n'a presque rien mangé, rien bu depuis que nous sommes installés aux Olympiades. Lorsque l'effet du calmant s'est estompé, il n'est pas redevenu comme avant. Il a tourné en rond dans sa nouvelle chambre, comme un animal en perte de repères. J'imagine que ne pas reconnaître les lieux lui était insupportable. Alicia a tout essayé, en vain, il a fini par se recroqueviller en position fœtale sur son lit sans plus esquisser le moindre mouvement. Je me sens incapable de gérer cette grève de la faim. La Minuscule est très angoissée par l'état de son ami. Même si je vois dans ses yeux brillants de détermination qu'elle est sûre de trouver la solution pour le ranimer. Maïa m'a affirmé qu'il devait s'hydrater rapidement, sauf à mettre sa vie en danger.

Katia et Maïa suivent Isa dans les escaliers. Je les aide à porter les caddies, mais le début de discussion qui s'engage entre le Chef et son Soldat ne m'échappe pas :

– Les Chinois m'ont parlé de nouvelles brigades d'ados armés et formés par les militaires. Ils patrouillent avec des chiens dressés pour tuer.

– Je sais, je ne les ai pas encore croisés, mais ces jeunes soldats sont triés sur le volet. Ce ne sont pas des enfants de chœur qui intègrent ces sections de surveillance urbaine, crois-moi…

QUATRE

14 DÉCEMBRE, MILIEU D'APRÈS-MIDI

Je fonce sur mon vélo vers la porte de Gentilly. Jérôme a décidé de ne pas garder Max parmi nous. Quand je lui ai expliqué qu'il restait prostré sans rien boire ni manger depuis plus de vingt-quatre heures, il m'a clairement signifié qu'il ne fallait pas déstabiliser l'équilibre de la communauté avec un élément perturbateur, que nous avions « d'autres chats à fouetter que de prendre en charge la santé mentale défaillante d'un autiste, cousin d'une vague connaissance de WOT ». Voilà ce qu'il m'a dit. Cela fait un petit détour mais je décide de passer par la place Denfert-Rochereau. Les Graffeurs ont annexé ce quartier du 14ᵉ arrondissement et je suis curieux de découvrir comment ils l'ont transformé. Quelle impression étrange de découvrir le lion de bronze couvert de graffitis jaune vif! Des hélicoptères balancent des tracts annonçant la loi martiale du 15 décembre. Sur l'avenue du Général-Leclerc, quelques ados portent des sacs et poussent des caddies remplis de nourriture, ils savent qu'à partir de demain il leur sera bien plus difficile de sortir. Il y a donc encore des survivants isolés hors des R-Points. C'est eux que Jérôme devrait tenter de rallier à la communauté.

Il est 16 heures, il me reste encore deux heures avant le couvre-feu pour faire l'aller-retour à Gentilly. Koridwen doit reprendre la responsabilité de son cousin. J'ai repéré sa rue Lecocq sur un plan, ce n'est pas loin de la porte de Gentilly. Sur les boulevards extérieurs, un camion de l'armée patrouille. Un militaire invite fermement par haut-parleur des adolescents à se rendre au centre de tri du stade Charléty. Vincent m'a parlé de ce centre de tri, il m'a averti qu'il était particulièrement surveillé parce qu'il était à la limite de la banlieue. Et il m'a conseillé d'être vigilant au niveau des périphériques ; selon lui, les sorties de Paris sont très contrôlées par l'armée. De l'autre côté des boulevards des Maréchaux, j'aperçois les courts de tennis du centre sportif Elisabeth, j'y ai disputé quelques parties avec mon père. Il me proposait souvent de jouer au tennis avec lui ces derniers temps : « Allez, fiston, ta mère m'a dit que tu devais faire plus de sport, je t'emmène faire une petite partie ! » Je détestais le tennis, mais j'adorais boire un chocolat chaud et manger un gâteau dans une brasserie de la porte d'Orléans avec lui après !

Je poursuis ma route vers l'est, et ralentis à l'angle du parc Montsouris, d'où j'ai le stade Charléty bien en vue. En longeant le bâtiment en forme de navire, je suis frappé par le nombre d'avis de recherche de terroristes. Avant de m'engager plus loin, je suis les conseils de Vincent et jette un œil vers le pont sur lequel passe le périphérique : en dessous, j'aperçois des soldats, des dispositifs de tir, des grilles antiémeute, des sacs de sable. Bref, un barrage militaire.

Je dois l'éviter. J'ai encore le droit de me promener dans la rue à cette heure, mais pas celui d'avoir Poignard sur moi.

Comment atteindre Gentilly ?

Je fais marche arrière vers les Maréchaux et sors mon plan : dans le cimetière accolé au stade, je trouverai peut-être un accès non surveillé vers la banlieue.

Je pédale jusqu'à l'entrée de la poterne des Peupliers.

J'erre entre les tombes et me rapproche du mur qui longe le périphérique. Est-ce que je peux l'escalader pour atteindre la voie rapide ? Je ne vois aucun moyen de le franchir. Je m'assois pour réfléchir. Merde, merde, merde. Je ne m'attendais pas à galérer comme ça, juste pour aller chez Koridwen. Je m'apprête à repartir quand un mec sort d'un caveau. C'est un Black athlétique qui porte un gros sac sur son dos. Je me jette à terre, derrière une tombe, pour ne pas être repéré, et j'attends qu'il parte. Avec un peu de chance, il emprunte un souterrain secret qui débouche à Gentilly. Je décide d'attendre avant de me relever. Au bout de cinq minutes, alors que je m'apprête à bouger, il réapparaît à l'entrée du cimetière. Tiens, son sac est vide maintenant. Il disparaît dans le caveau, en ressort dix minutes plus tard, sa besace bien remplie. J'imagine qu'il ne transporte pas des objets très licites dans son sac. Il fait encore cinq allers-retours. Cinq fois, le caveau les avale, lui et son sac vide, puis les régurgite, lui et son sac plein. Un vrai trafic. L'heure tourne.

Cette fois-ci, j'ai attendu quinze bonnes minutes, et il n'est pas revenu. Je cours jusqu'au caveau, y découvre un cercueil ouvert, dans lequel un trou est creusé.

Il faut que je tente le coup. Je m'apprête à enjamber le bord du tombeau, quand je me sens attrapé par le col de mon blouson, presque soulevé de terre :

– Qu'est-ce que tu fous là, toi ?

Pas de bol, c'est le gars athlétique qui est revenu, et il n'a pas l'air de plaisanter. En plus, il est accompagné d'un autre Black encore plus balèze qui me fouille et me désarme.

– Euh… je cherche un passage vers Gentilly et je veux éviter le barrage de l'armée.

– Ah ouais, et pourquoi ?

L'autre touche ma nuque de la pointe de mon Poignard, je commence à flipper, je crois qu'il n'hésitera pas à me liquider si je ne les convaincs pas.

– Je dois voir une amie. Son cousin, il va mourir si je ne la préviens pas.

Je prends soin de ne pas leur révéler le prénom de Koridwen, au cas où ils seraient dangereux. Je ne veux pas lui porter préjudice.

– Je… je ne vous mens pas.

– Vas-y, dis-en plus, à quoi il ressemble, le cousin ?

– C'est un grand, brun, un peu attardé, il a les cheveux très courts.

La pression du couteau sur mon artère se relâche, on dirait qu'ils me croient.

– Il s'appelle comment, le grand cousin ?

– Max.

Là, ils se jettent un coup d'œil.

– OK, il est réglo, il connaît Koridwen.

La Bretonne fait partie de leur réseau, ça alors ! Le second me rend Poignard.

– Mec, tu descends jusqu'aux égouts, tu fais une soixantaine de pas et tu remontes au niveau du panneau de la rue du Val-de-Marne, là tu seras du côté de Gentilly. T'as compris ?

Je hoche la tête.

– Et tu fais gaffe à pas te faire repérer par quelqu'un ou par une patrouille quand tu sors. Dans une heure, c'est le couvre-feu. Il y a plein de jeunes dans les rues, qui rappellent à l'ordre ceux qui n'ont pas encore intégré de R-Point.

J'ai passé trop de temps à attendre dans ce cimetière.

– OK, merci les gars.

– T'as de la chance de connaître Koridwen.

Ils repartent et je m'engouffre dans le caveau. Après une descente de deux mètres à l'échelle, je me voûte dans une trouée horizontale étayée de planches de bois sur une dizaine de mètres, franchis une percée dans le béton et atteins les égouts. Respecter leurs consignes. Continuer tout droit. Au bout d'un moment, ma torche éclaire le panneau *Rue du Val-de-Marne*, puis une échelle métallique. Grimper. Il y a une plaque d'égout au-dessus de moi. Vérifier qu'il n'y ait personne, c'est bon, je suis à l'air libre, dans une rue déserte de banlieue.

Ensuite, le logement de Koridwen n'est pas loin, je me faufile discrètement dans les rues silencieuses. Je m'immobilise en entendant un ordre dans un haut-parleur :

– Avis à tous, rendez-vous au centre de tri dès maintenant, sous peine de violer la loi martiale ! À partir de demain, toute personne vivant hors des R-Points sera considérée comme criminelle !

Je me plaque contre le mur. Trop tard. Une vingtaine de jeunes avec des brassards fluos ressortent d'un immeuble. C'est une section spéciale. Ils ne semblent pas armés, mais ils sont organisés et déterminés. La moitié d'entre eux s'engouffrent déjà dans une autre cage d'escalier, est-ce qu'ils fouillent tous les immeubles de la rue ? À mon avis, ils ne sont pas seulement là pour rappeler aux survivants isolés l'obligation de rejoindre les R-Points, ils traquent aussi ceux qu'ils considèrent comme des terroristes. Le reste du groupe s'approche de moi. Je ne peux plus les éviter. Le seul à porter un pistolet, celui qui doit être leur chef, m'interpelle :

– Hé, toi ? Tu fais quoi, là ?

Je lui souris, en tâchant de rester calme :

– Je vis au R-Point de la Salpêtrière. Je viens de franchir le barrage de la porte de Gentilly. J'ai juste un truc personnel à récupérer.

Il me jauge d'un regard dubitatif, si l'armée m'a laissé passer, c'est que je ne suis ni armé ni recherché. Je me contracte, pourvu qu'il ne me fouille pas.

– C'est bon, t'es OK, mais déconne pas, mec, demain, on sera tous armés et on n'hésitera pas à te tirer dessus, me prévient-il encore.

Ces mots sont menaçants, pourtant ils sonnent comme un conseil presque protecteur. Ce chef de section m'encourage sincèrement à la prudence. Et je lis dans ses yeux que l'idée d'abattre des jeunes de son âge ne le réjouit pas. Je hoche la tête et repars sans croiser personne. Le nombre de cadavres en décomposition me surprend, il y en a beaucoup plus à Gentilly qu'à Paris, à croire que les militaires n'ont pas encore lancé l'opération de nettoyage des banlieues. D'ailleurs, l'odeur de putréfaction me pénètre, et un dégoût immense me gagne, pire encore que les premiers jours de novembre. La rue Lecocq est bordée de pavillons et de petites entreprises. Le numéro 12 correspond à une ancienne entreprise de ferronnerie. Je m'arrête devant l'entrée métallique. Je crois entendre des voix à l'intérieur, je tends l'oreille, est-ce qu'elle a de la visite? Je n'ose pas toquer. Qu'est-ce qu'elle raconte?

« *Tout beau, bel enfant, dit le druide, que veux-tu que je te chante?* »

« *Chante-moi la série du nombre un jusqu'à ce que je l'apprenne aujourd'hui.* »

« *Pas de série pour le nombre un, répond le prêtre, la Nécessité unique, le Trépas, père de la Douleur, rien avant, rien de plus.* »

Elle crie si fort que ses incantations étranges, presque inquiétantes, retentissent jusqu'à moi. Je frappe à la porte quand même, mais elle continue de psalmodier à tue-tête:

« *Chante-moi la série du nombre onze jusqu'à ce que je l'apprenne aujourd'hui* », demande l'enfant.

« *Onze prêtres armés; venant de Vannes, avec leurs épées brisées; et leurs robes ensanglantées, et des béquilles…* »

Des prêtres armés? Je donne de gros coups de poing contre le métal. C'est bien sympa, la magie bretonne, les druides et tout ça, mais la nuit va finir par tomber.

Je m'apprête à crier plus fort qu'elle, lorsque je sens le canon d'un pistolet sur ma tempe:

– Bouge pas. Tais-toi.

Une décharge de peur me traverse. C'est une voix de fille. Merde.

– Tu t'appelles comment ? Réponds-moi tout bas.

– Jules, je chuchote, la voix tremblante.

– Tu es droitier, Jules ?

Je hoche la tête. Et là, elle saisit mon bras gauche et le remonte très haut dans mon dos. Je sens mes articulations craquer, je me raidis, je n'arrive pas à retenir un cri de douleur. Elle est dingue, cette fille, elle va me casser le bras. Elle souffle de nouveau dans mon oreille :

– Tu vois, même si tu fais le con, je ne te casserai pas ton bras le plus utile, en tout cas pas pour commencer. Tu as une arme ?

Elle chuchote mais il y a une telle densité de hargne dans sa voix qu'elle me panique autant que si elle hurlait. J'opine du chef, je bafouille :

– Dans ma ceinture…

Ma voix s'étrangle dans ma gorge. Elle me palpe et me prend le couteau de mon grand-père. Elle se détourne et le tend à quelqu'un d'autre. Combien sont-ils ? Au moins deux. Elle a relâché la pression sur mon bras, mais alors que je reprends mon souffle, elle le tord de nouveau, putain, ce que ça fait mal.

– Tu sais si la fille est seule, à l'intérieur ? souffle-t-elle.

– Je… je crois…

– Elle a un ordinateur ?

– Je ne sais pas.

– Bon… Maintenant, tu vas recommencer à frapper à la porte. Et pas un mot sur nous, me murmure-t-elle dans l'oreille.

Je cogne trois fois. Koridwen continue à chanter ses incantations, putain, Koridwen, ouvre, s'il te plaît, elle est en train de me péter le bras, cette dingue avec son flingue. J'ai même pas vu sa tête. Ni celle des autres, ils n'ont pas dit un mot. Elle est la seule à siffler ses ordres, c'est leur chef, sûrement.

– Frappe encore ! Plus fort !

Elle s'énerve, monte mon bras d'un cran. Je cogne plus fort et je crie :

– C'est Jules, ouvre-moi !

Quelque chose me frôle les jambes, je baisse les yeux : un gros chien nerveux me tourne autour. C'est un bâtard noir et blanc, il boite. Et Koridwen qui n'ouvre pas. Et le canon métallique du flingue qui ne quitte pas ma tempe. Et mon bras qui se tord.

Et ces chants qui, enfin, s'arrêtent.

14 DÉCEMBRE, FIN D'APRÈS-MIDI

La tête couverte d'un bonnet noir, en manteau, Koridwen ouvre la porte coulissante.

– Désolé, je murmure, ils m'ont pris par surprise...

– Recule ! ordonne la fille à Koridwen en me poussant à l'intérieur.

Puis elle intime sans aménité à l'un de ses complices :

– Ferme derrière nous, Yannis. Toi, recule encore !

Le chien aboie. Je comprends pourquoi il clopine : il n'a que trois pattes, pauvre bête. J'examine rapidement l'ancien local industriel : il y a là des établis, des postes de soudure, des machines qui servent à découper le métal et une bétaillère. Et je les vois enfin, ceux qui me braquent : ils ne sont que deux. Celui qui s'appelle Yannis, c'est un grand brun au visage bien dessiné, au regard effarouché et perçant. Il tient un fusil d'assaut. La tueuse, c'est une grande maigre aux traits fins et réguliers. Ils portent des bonnets, pourtant leurs visages me rappellent quelque chose. La Sorcière bretonne esquisse un mouvement :

– Pourquoi vous nous braquez ? On ne vous a rien fait. On cherche juste à survivre, comme vous.

Et elle vient vers moi comme si personne ne la mena-
çait. Elle me fixe de son regard indéchiffrable, mais c'est
moi qui sens la pression augmenter sur mon bras.

– Il est arrivé quelque chose à Max ?

L'inquiétude dans sa voix contredit son masque de
neutralité. Le problème, c'est que la folle furieuse serre
de plus en plus fermement mon avant-bras, pile sur ma
plaie mal cicatrisée. Je me contracte de douleur. Si elle
interprète chaque question de la Bretonne comme une
provocation, je vais passer un très mauvais moment.
J'articule difficilement :

– Il y a un souci avec lui. Il refuse de…

Elle continue à s'approcher. Et la Dingue hurle en
soulevant mon poignet :

– Ça va ? On ne vous dérange pas ?

Cette fille, elle me donne l'impression de pouvoir péter
un plomb à n'importe quel instant. Je flippe de plus en
plus. Elle vise la tête de Koridwen avec son pistolet. Sans
un mot. Les traits figés, les lèvres serrées. Déterminée.
Prête à tuer. Elle pourrait appuyer sur la détente. Et
soudain, ça me revient, je sais où je les ai déjà vus, tous les
deux : ce sont les terroristes dont les photos étaient placardées sur les murs du lycée Claude-Monet. Nous sommes
sous l'emprise de deux assassins, tueurs de militaires…
Ça ne sert à rien d'essayer de négocier notre sortie, de
lui expliquer qu'un garçon peut mourir si sa cousine ne
se rend pas à son chevet. Ils ne nous laisseront jamais
sortir, ils craindront trop qu'on les dénonce aux autorités.
Nous sommes potentiellement des ennemis, et eux, ils
sont traqués. Leurs réactions sont imprévisibles. Le chien

gémit. Celui qui s'appelle Yannis tend son fusil d'assaut à la Dingue :

– Tiens-les **en** joue. Je vais les fouiller, propose-t-il.

Il nous fouille, puis nous ligote et nous oblige à nous asseoir au fond du hangar. Serrés l'un contre l'autre, nous sommes à la merci de la furieuse, qui s'accroupit en face de nous, le fusil posé en travers de ses cuisses. Elle nous scrute de ses yeux d'argent en fusion :

– Bon. On vous explique la situation. Nous sommes recherchés par la police militaire, pour meurtre. Terrorisme, comme ils disent.

Je le savais mais j'ai du mal à respirer calmement.

– Vous vous foutez de savoir qu'on est innocents. Et nous, on se fout que vous nous croyiez. On a juste besoin d'un endroit où se planquer cette nuit et c'est tombé sur vous. Vous avez à manger, à boire ?

Koridwen opine du chef :

– Dans la bétaillère. Ce sont mes provisions et celles de mon cousin.

– Et un ordinateur, tu en as un ? questionne la terroriste.

La Bretonne fait signe que non.

– Va falloir en trouver un pour nous, ordonne la fille.

Le gars, Yannis, intervient :

– Ensuite, on partira sans vous faire de mal.

Il paraît moins violent, mais je me méfie, il est peut-être plus sournois, comme dans les duos de flics, le gentil et le méchant. Je sens Koridwen se contracter contre moi :

– C'est impossible ! J'ai un cousin malade. Je dois…

La fille lui coupe la parole :

– Tu ne dois rien du tout. Tes plans viennent de changer. Tu nous obéis au doigt et à l'œil, pigé ? Désolée, mais pour nous, dehors, ça craint un peu trop.

Ils ne feront aucune concession. Mains au-dessus de la tête, Koridwen se redresse lentement, notre geôlière arme aussitôt son fusil dans un claquement de thriller.

– Cool, Stéphane, lui souffle son complice, en braquant à son tour la Bretonne avec son pistolet.

– Stéphane… répète soudain Koridwen. J'en étais presque sûre. Je sais qui tu es. Je suis Kori, la fille des fermiers de Menesguen, à côté de Dourdu.

Putain, elles se connaissent ! Est-ce que ça peut nous sauver la vie ? L'autre se lève sans quitter la Sorcière bretonne des yeux, lui ôte son bonnet avec la pointe de son fusil : ses boucles rousses se déploient.

– Ils sont morts, dit soudain Koridwen. Ton frère et ta mère, avec ton beau-père. Tous les trois.

Et merde, pourquoi lui annonce-t-elle un truc pareil ? Elle veut qu'on meure nous aussi ? Et voilà qu'elle donne des détails : leurs corps ont été vus par une amie à elle… Je retiens ma respiration, je m'attends au pire. J'ose à peine regarder celle qui s'appelle Stéphane, un prénom de mec.

– Ta gueule. Tu mens.

Merde, encore merde, la voix de la Dingue tremble. Elle aimait ses parents. Elle est devenue assassin. Elle était peut-être « normale » Avant.

– Stéphane, murmure l'autre, son ami qui semble vraiment triste.

En fait, ils sont sans doute comme moi. Comme nous. Je la vois différemment à présent. Ses yeux sont incroyables, super-clairs, brillants dans la pénombre, intenses. Elle retire son bonnet nerveusement, le remet, mais j'ai le temps de remarquer la teinte étrange de ses cheveux, aussi gris que ses prunelles métalliques. Elle est vraiment très belle en fait, cette fille. Belle comme une héroïne des *X-Men*. Mais il y a quelque chose d'irréel, de dur dans sa beauté. Quelque chose d'inaccessible et de tranchant. Elle fait un pas vers Koridwen :

– Ta gueule, je te dis. Assieds-toi !

Pourquoi la Bretonne n'obéit-elle pas ?

– Il y a une cave, ici, un débarras ?

La voix de Stéphane devient plus menaçante et mes muscles se contractent malgré moi. Koridwen lui désigne une porte du menton sans s'asseoir. Ce qu'elle est bornée, cette magicienne immobile, qui joue avec nos vies ! Mon imagination se met en branle, le pire est encore possible. Je ne quitte pas des yeux l'arme de notre geôlière ; elle serre si fort la crosse de son fusil que ses phalanges blanchissent de manière effrayante.

– Yannis, débarrasse-moi de cette mytho et de son copain, s'il te plaît, ordonne-t-elle.

Et sa voix se brise.

Stupéfait, je réalise soudain qu'elle retient ses larmes.

Yannis détache nos liens, nous tend un duvet et nous enferme dans le débarras sans fenêtre.

Nous sommes maintenant dans le noir complet.

NUIT DU 14 AU 15 DÉCEMBRE

Je trébuche contre des cartons qui encombrent la pièce. Je ne peux pas faire un pas sans me cogner. Nous rangeons les caisses au fond, à tâtons, pour nous ménager une petite place, avant de nous asseoir l'un contre l'autre et couvrir nos corps du duvet. J'entends les battements affolés de mon cœur. La Sorcière bretonne respire régulièrement. Et toute ma colère disparaît comme par magie. Je me surprends à souhaiter qu'elle ait une solution pour nous sortir de là, une solution miracle. Je ferme les yeux, j'essaye de m'apaiser, de réfléchir. J'ai de plus en plus froid, malgré mon blouson et mon bonnet. Koridwen aussi, elle se frotte les bras et frappe ses cuisses. Je n'ose pas parler. Trop peur de voir les terroristes débarquer. Le temps passe lentement, pourquoi ne dit-elle rien ? Peut-être qu'elle dort. J'ai besoin de rompre le silence pour vaincre la peur qui m'envahit. Je chuchote :

– Alors, la fille aux cheveux gris, tu la connais ?

J'économise les mots pour éviter d'éveiller l'attention de nos geôliers.

– Très peu en fait. Je l'ai croisée aux dernières vacances. Sa mère a acheté une maison dans un hameau près de chez moi. Ses parents sont séparés. Elle vivait à Lyon avec son père. Je n'ai jamais discuté vraiment avec elle.

Elle me décrit le look gothique de Stéphane, son caractère étrange.

– Tu as prévenu tes copains que tu venais chez moi? Ils vont sans doute essayer de te retrouver, non? On a peut-être une chance qu'ils nous libèrent, me demande-t-elle.

– Non, ils ne savent pas précisément où je suis.

– Alors, on ne doit compter que sur nous-mêmes.

– Tu as une idée?

– Je trouverai. Je suis sur mon territoire. J'ai un avantage. Parle-moi de Max.

Je lui raconte notre déménagement, la prostration de son cousin. Elle ne commente pas et n'a pas l'air de m'en vouloir. Elle coupe même le silence qui s'installe entre nous:

– Comment t'as fait pour franchir le barrage?

– Je suis passé par le cimetière. Tes deux copains m'ont laissé utiliser leur souterrain. T'es connue des voyous du quartier, c'est pratique.

Une minute passe, cette fois, elle ne dit plus rien. Je me décide à l'interroger sur ses chants bizarres:

– Tout à l'heure, juste avant que les deux autres ne me tombent dessus, je t'ai entendue à travers la porte. Tu récitais des sortes de prières…

– Ce ne sont pas des prières. C'est juste un texte de chez moi que je me récite pour me calmer.

– Et ça parle de quoi?

– Tu veux vraiment savoir?

– Oui, je crois. De toute façon, on a le temps.

– C'est un extrait d'*Ar Rannoù*, un texte sacré en Bretagne, on dit qu'il a été dicté par les dieux celtes. C'est Mamm-gozh, ma grand-mère qui me l'a enseigné.

Sa grand-mère, sa Mamm-gozh comme elle l'appelle, a manifestement beaucoup compté pour elle. C'était une sorte de druidesse.

– Quand je me concentre sur les paroles, mes mauvaises pensées sont balayées, et la paix s'installe en moi. Quand je le récite, je me sens reliée aux forces qui gouvernent l'univers.

Elle est tellement sereine, je ferme les yeux, j'oublie que nous sommes les captifs de deux terroristes. J'oublie même les ténèbres de ce cagibi.

– Je me rends compte que je n'en ai jamais parlé à personne comme ça.

C'est vrai qu'elle pourrait sembler un peu bizarre à d'autres. Mais pas à moi. Je l'ai vue faire fuir des molosses hargneux, je l'ai entendue chanter, je connais la puissance de son avatar sur WOT, je suis prêt à envisager avec sérieux toutes ses croyances.

– Tu vas me prendre pour une folle, là ?

Si elle savait à quel point elle se trompe. J'ai juste envie d'en savoir plus :

– Mais ça parle de quoi, concrètement, tes incantations ?

Elle me serre le poignet gauche à me faire mal, réveillant ma douleur lancinante à l'avant-bras. J'espère que ce n'est pas infecté.

– C'est un druide qui associe les nombres de un à douze à des images ou à des événements passés, présents, futurs. Les paroles sont un peu étranges, murmure-t-elle gravement.

– Et les onze prêtres à la robe ensanglantée, c'est qui ?

– Sans doute des prêtres qui organisaient le culte du dieu Dagda, il y a des milliers d'années. En fait, personne ne sait vraiment. Et aujourd'hui, chacun peut y voir un peu ce qu'il veut. Nous, par exemple, joueurs de WOT, on pourrait assimiler ces prêtres à ceux qui possèdent la connaissance, c'est-à-dire à nous, les Experts du jeu.

Ces mots résonnent en moi comme une prédiction moyenâgeuse, identique aux formules des retours dans le passé, lors des guerres sur Ukraün. Une étonnante idée me vient : Khronos lui-même pourrait être lié aux dieux celtes de Koridwen. Il pourrait être un druide.

– Et toi, tu penses que ce texte pourrait prédire l'avenir, par exemple annoncer ce qui nous arrivera le 24 à minuit quand on rencontrera Khronos ?

– Non… enfin… je ne sais pas. Dis, Jules, si on essayait de dormir un peu ? Demain, si on veut prendre le dessus sur les deux paranos, il faut qu'on soit en forme.

Elle n'a plus envie de discuter. Et je suis crevé moi aussi.

– Tu as raison.

Peut-être regrette-t-elle de s'être laissée aller à de telles confidences ? En sait-elle davantage que ce qu'elle m'a dit ? Elle s'allonge et donne un coup de coude sur ma blessure, j'étouffe un cri de douleur.

– Excuse-moi. Je ne pensais pas…

– Ce n'est pas ta faute. J'ai une plaie qui cicatrise mal sur l'avant-bras.

– Tu me montreras demain. Tu sais que je suis aussi un peu guérisseuse.

– Je veux bien, merci.

Je suis prêt à tout essayer pour arrêter d'avoir mal, même les formules magiques de la Mamm-gozh bretonne. Des mots de Maïa résonnent dans mon esprit : « Quand est-ce que tu arrêteras de croire à la magie, Jules ? » Mon cœur se serre. Elle ne pourra jamais aimer un garçon aussi immature que moi, un garçon qui croit à Khronos. Et si Khronos s'avérait être un manipulateur ou un menteur, est-ce que je pourrais le supporter ? Ça me fait penser que j'ai une dernière question à poser à l'Experte de WOT :

– Koridwen ?

– Oui.

– Finalement, tu y es allée à la tour de l'Horloge faire les repérages avant le rendez-vous de Khronos ?

– Oui, Jules. Je t'en parlerai plus tard. Là, je veux vraiment dormir.

– D'accord.

Alicia et Maïa… Elles vont s'inquiéter de ne pas me voir revenir. Et les autres aussi. Je ne leur ai pas donné l'adresse de Koridwen. Mais ils savent que je suis à Gentilly. Vincent va-t-il venir me chercher demain ? La respiration de Koridwen est régulière, quelle chance elle a de réussir à dormir ! Je claque des dents, frigorifié. Des insectes me courent le long des jambes, j'en écrase un, puis un deuxième. Ça pue. Ce sont des punaises. Quelle horreur ! Je guette le moindre frôlement sur ma peau et je tente d'attraper et de tuer toute bestiole qui s'approche de moi. Je rentre en guerre. Quand il fera jour, quand ils nous ouvriront la porte, il y aura un charnier de punaises et de blattes autour de nous.

S'ils nous ouvrent…

15 DÉCEMBRE, DÉBUT DE MATINÉE

Je sursaute, ils nous ouvrent la porte, je grelotte et j'ai la tête en compote. Il est plus de 8 heures : le jour filtre déjà à travers les baies vitrées. J'avais fini par m'endormir, en plein combat contre les punaises.

– Debout ! Suivez-moi, nous ordonne le brun tandis que la fille braque son arme sur nous.

Ils nous proposent de nous débarbouiller et de faire nos besoins dans les sanitaires à droite du hangar, où Koridwen a stocké des jerricans d'eau.

Je remonte mes manches et me lave au-dessus d'un lavabo, je voudrais aussi vérifier l'état de ma blessure, qui me lance de plus en plus. Je la montrerais bien à Koridwen, elle pourrait peut-être me soulager. Je mets un peu d'eau fraîche sur une cicatrice en forme de V, boursouflée, rouge, purulente. C'est celle qui s'est ouverte. Avec quel ignoble poinçon Logan m'a-t-il charcuté ? Soudain, la Sorcière bretonne attrape mon avant-bras et le rapproche de ses yeux. Elle me fait mal, elle serre trop fort. Je retiens un hurlement de douleur. Pourquoi m'empoigne-t-elle comme ça ? Je la fixe avec insistance. Elle ne s'en soucie pas et scrute ma plaie avec minutie.

266

C'est quoi son problème avec mon bras gauche ? Sa concentration me décourage de lui demander de me lâcher. À part celle en forme de V, mes plaies cicatrisent bien. Je frissonne. Logan m'a-t-il implanté un virus, LE virus ? Je repense à Maïa, qui m'a soigné, à ses mains douces qui effleuraient mes plaies…

Kori me déclare soudain d'un ton neutre :

– Tu t'es fait tracer, Jules.

Tracer ? Tracer par Logan ? Les paroles d'Isa me reviennent en mémoire : l'armée utilise les puces électroniques qui servaient à localiser le virus pour pister les ados délinquants et inadaptés. Elles sont reliées par ondes aux ordinateurs de l'armée. J'ai encore plus froid tout à coup. J'inspecte mon avant-bras, presque avec dégoût. Logan ne s'est pas contenté de me torturer, il m'a aussi connecté à l'armée pour anéantir définitivement la communauté. Il prévoyait le durcissement de la politique militaire, comme Jérôme ; sur ce point, ils se rejoignaient tous les deux, ils faisaient les mêmes prédictions sur l'avenir de ce monde.

J'ai donc dans le corps un objet qui me relie directement à l'état-major militaire. Mes mains sont gelées. Il ne faut pas que je garde ce traceur en moi. La menace est dans ma peau. Si ça se trouve, l'armée sait où je suis, là, en ce moment. C'est pour ça qu'elle connaissait notre planque boulevard Saint-Michel. Et avec le renforcement de la loi martiale aujourd'hui, ils pourraient bien nous exterminer tous autant que nous sommes. À cause de moi. Je chuchote :

– Il faut que quelqu'un m'enlève ça. Tout de suite.

– On ne peut pas en parler aux deux autres, Jules, c'est bien trop dangereux. Tu ne sais pas comment ils pourraient réagir.

Des pas précipités se dirigent vers nous :

– Vos gueules ! Vous vous croyez en colonie de vacances ou quoi ? beugle la terroriste.

– C'est bon, arrête ! Ils font que parler, ils s'échangent pas des bombes ! lui rétorque Yannis d'un air exaspéré.

Houlà, il y a mésentente entre nos deux geôliers. Manifestement, ils ont passé la nuit à s'engueuler. Si leur conflit pouvait les fragiliser et nous permettre de nous tirer d'ici... Je laisse mon avant-bras gauche à nu, le contact avec la laine de mon pull me brûle trop. Ils nous escortent jusqu'à une couverture étalée par terre ; ils y ont disposé de la nourriture, tirée des réserves de la Bretonne. Je m'assois sur le béton dur, les jambes sur le côté. Yannis fait réchauffer l'eau des bidons stockés par Koridwen dans une casserole, au-dessus du réchaud à gaz, puis nous rejoint et pose son arme sur le sol. J'ai le temps de l'observer, il est d'origine maghrébine, ses traits sont fins, ses yeux farouches se posent sur moi et ne me lâchent plus, un vrai oiseau de proie.

Je trempe sans conviction une biscotte dans un café chaud. J'en profite surtout pour me réchauffer les mains au contact de la tasse. Debout, aux aguets, Stéphane s'approche de nous :

– Je sais qu'hier soir je n'aurais pas dû vous braquer. Mais j'ai l'intention de continuer à faire preuve de cette violence aussi longtemps que nous en aurons besoin. Je vous dis ça pour que vous ne vous fassiez aucune illusion. Ce n'est pas parce qu'on est d'ex-voisines qu'on va sympathiser. On ne prendra pas de risques, OK ?

Je préfère ne pas réagir. Elle se reprend et nous rappelle qu'elle a besoin d'un ordinateur et d'une batterie chargée, je ne sais toujours pas pourquoi mais je me garde bien de le leur demander. Koridwen sera beaucoup plus efficace que moi pour dégotter ce genre d'objets dans le coin. Blasée, presque dédaigneuse, la Bretonne leur propose d'aller chercher le matos dans une école du quartier où elle a repéré du matériel qui devrait leur convenir. Ils acceptent, le brun va l'escorter. Selon Koridwen, il leur faut une heure et demie, pas plus. La Dingue se lève et s'approche de moi. Qu'est-ce qu'elle me veut encore ? J'ai rien fait, j'ai rien dit. Elle me colle le canon de son fusil sur la tempe et demande notre attention de sa voix monocorde. Elle commence à m'énerver. Je ne bronche pas, une colère sourde monte en moi. Elle me prend pour un pauvre type ou quoi ? Je n'ai donc aucun charisme pour qu'elle s'amuse à me menacer comme ça ?

– Toi, Jules, tu sais où se trouve le cousin malade de Kori, n'est-ce pas ? Ce sont des amis à toi qui s'en occupent, c'est ça ?

J'acquiesce. Et tout ce qu'elle trouve à faire, c'est d'armer son flingue comme si elle jouait à me faire peur. Quelle espèce de perverse !

– Si Kori et Yannis ne rentrent pas dans une heure et demie, tu m'indiqueras où il habite, le cousin malade ?

Je ne réponds rien, d'abord parce qu'il est hors de question que cette terroriste ait la plus infime possibilité de savoir où nous habitons. Je ne peux pas envisager une seule seconde qu'elle ait le moindre contact avec Alicia. Ou avec Maïa. Ensuite parce que je tente de maîtriser la rage qui monte en moi. Je ne suis pas bagarreur, mais la voix de Jérôme résonne dans mon esprit, sa voix rieuse d'Avant : « Jules, c'est un talonneur, un bœuf, il est impassible, il ne s'énerve pas jusqu'au moment où on le cherche trop, et là, il ne vaut mieux pas être devant lui. » Et cette fille-là, elle commence vraiment à me chercher. Si elle était aussi maligne qu'elle croit, elle s'en rendrait compte. Elle répète en fixant Koridwen qui est déjà sur le seuil :

– Une heure et demie.

Yannis semble exaspéré, il sort et ferme la porte au nez de sa complice.

Nous voilà seuls tous les deux, la Dingue et moi. Je regarde l'horloge murale, il est 9 h 25.

Elle pousse une malle devant la porte pour la bloquer.

Des images défilent dans ma tête, je l'imagine rire avec férocité, me tirer des balles dans les jambes pour le plaisir de me voir souffrir. Il y a donc des Logan partout ? Je suis cerné.

Je déglutis.

J'ai froid et je ne peux plus réchauffer mes mains contre la tasse tiède.

J'ai mal à l'avant-bras.

Je frissonne.

J'aimerais tellement être ailleurs.

Avec Maïa et Alicia. Quelque part, n'importe où, mais ailleurs.

– Tu as peur de moi ?

La voix de Stéphane me fait sursauter. Je secoue la tête sans réfléchir, comme un automate qui ne déciderait pas des mouvements de son corps.

– Tant mieux. Ça t'évitera de tenter une connerie. Je n'ai pas envie d'être méchante, tu comprends ?

J'ai beaucoup de mal à la croire après ce qu'elle vient de nous faire vivre.

– Ce n'est pas pour moi que j'ai peur. C'est pour Alicia.

Pourquoi je lui dis ça, moi ? C'est sorti tout seul sans que je l'aie décidé. La panique me fait dire n'importe quoi. Je suis une mauviette, un pauvre con. Je viens de lui révéler l'existence de celle dont je ne voulais pour rien au monde lui parler. Je viens de lui donner une arme qu'elle pourra utiliser contre moi.

– Tu as une copine ?

– Non. Alicia, c'est ma petite sœur. Elle n'a que sept ans. Elle… elle a besoin de moi.

Ma Minuscule… Rien ni personne ne pourra m'empêcher de la retrouver, et sûrement pas la Dingue.

– Tu mens.

Merde, j'ai encore dit un truc qu'il ne fallait pas. Elle s'excite. Elle s'éloigne vivement, comme si cette information la concernait personnellement, revient vers moi, accusatrice. Je m'attends au pire, je suis un innocent dans le box des accusés, confronté à un procureur intraitable et paranoïaque.

– C'est impossible. Elle n'a pas pu recevoir le vaccin.

Mon cœur bondit dans ma poitrine. Le vaccin ? De quel vaccin parle-t-elle ? Y aurait-il un vaccin contre le virus

271

U4 ? Et pourquoi Alicia ne pourrait-elle pas l'avoir reçu ? Moi non plus, je n'ai pas été vacciné. Aucun de nous ne l'a été à la communauté. Qu'est-ce que ça signifie ? Si je le lui demande, elle ne me révélera rien. Il faut d'abord qu'elle me croie.

– Je ne mens pas. Alicia a sept ans et elle est vivante…

Sa méfiance se transforme progressivement en désarroi. Ses traits s'altèrent. Son visage, presque sculptural, me fait penser à un mur de béton, que l'usure fragilise imperceptiblement. Et un jour, une secousse, même minime, révèle une petite fissure. Et si le mur s'ébranle, il pourrait s'écrouler. Comme dans la fable de La Fontaine, *Le Chêne et le Roseau*. Celui qui plie mais ne rompt pas est le plus solide des deux.

Elle s'agite de nouveau, fait quelques pas nerveux. Elle n'est pas qu'un bloc de hargne. Un élancement cruel à l'avant-bras m'empêche de réfléchir davantage ; je frôle ma plaie, brûlante, purulente. Au seul toucher, j'ai l'impression de m'enfoncer un couteau dans la chair. Je ne pourrai jamais me l'enlever tout seul. Est-ce que je pourrai avouer à Maïa que c'est un traceur de l'armée qui est responsable de l'invasion de notre premier refuge ? Et à Jérôme et Vincent, qu'est-ce que je vais leur dire ? La vérité ? Je grimace de douleur.

– Qu'est-ce que tu as à l'avant-bras ? Fais voir.

J'hésite à montrer ma blessure à la Dingue. Si elle s'amusait à appuyer là-dessus, j'en crèverais.

– Fais voir. Mon père est médecin. Et j'ai été infirmière au R-Point à Lyon.

Je tends mon bras vers elle. Elle inspecte ma plaie en forme de V sans rien dire, comme le ferait un docteur.

– C'est bien infecté. J'ai l'impression qu'il y a un truc sous ta peau.

Elle frôle mon avant-bras, très délicatement, elle qui me le broyait hier soir. Elle est donc capable de délicatesse. C'est comme si toute sa hargne s'était envolée d'une seconde à l'autre. Incompréhensible.

– Vaudrait mieux que quelqu'un te l'enlève.

C'est ça, pour une fois, on est d'accord, elle et moi. Et soudain, j'ai envie de lui faire confiance.

– Alors enlève-le-moi.

Elle en perd son masque d'autorité, à croire que ma demande l'a presque déstabilisée. Décidément.

– La seule fois où j'ai opéré quelqu'un, c'était un chien. Et j'ai dû l'amputer.

Cette réponse qui devrait me paniquer est si raisonnable que je n'ai plus l'ombre d'un doute. C'est elle qui va m'opérer, le plus tôt sera le mieux. C'est indispensable et inespéré. Et s'il le faut, j'ai le bon argument pour la convaincre.

– Fais-le tout de suite. S'il te plaît.

Il doit y avoir assez d'urgence et de gravité dans ma voix pour qu'elle me prenne au sérieux. Elle me fixe de ses yeux lumineux :

– Pourquoi ?

Je prends une inspiration et je me jette à l'eau :

– Parce que ce truc que j'ai sous la peau, c'est un putain de traceur de l'armée.

Elle ne dit rien. Elle pourrait me tuer. Mon cœur bat trop vite :

– Je… je ne savais pas, c'est Koridwen qui me l'a dit ce matin, elle a reconnu la cicatrice. Tu dois l'enlever.

– C'est de ça que vous parliez aux lavabos ?

Je hoche la tête, elle tourne en rond dans le hangar comme un fauve en cage. Elle regarde l'eau bouillie. Elle regarde son sac et elle se tourne vers moi :

– OK, OK. Alors, Jules, on va faire ce que tu me demandes…

Elle sort son matériel médical de sa trousse et le dispose sur une serviette : des scalpels, du désinfectant, des fils à recoudre, une pince à épiler. La lumière du jour nous éclaire bien maintenant à travers la baie vitrée. La vue des outils chirurgicaux me tord le ventre, réveillant une sacrée trouille. Merde, qu'est-ce qui m'attend ?

– T'inquiète pas, théoriquement, je sais faire… Et je n'essaye que si tu es d'accord.

Je tente de lui sourire, mais je suis trop contracté. L'angoisse monte d'un cran. Mon pouls s'accélère. Une partie de moi a envie de fuir.

– Je te préviens, tu vas douiller.

Elle met l'eau à bouillir de nouveau, rince des linges dedans, les soulève avec la pince à épiler. J'opine du chef, je suis prêt. Enfin, je crois. Ses gestes calmes me rassurent.

– Tu sais si Kori a de la morphine ? Ou des antalgiques ?

J'en sais rien. Je ne crois pas. La trouille me file la tremblote maintenant. Mais je dois me faire enlever ce traceur avant de rentrer à la communauté. Même pour nous, ici, c'est dangereux. L'armée peut repérer ma présence dans l'entrepôt. Si ce n'est déjà fait. Et les militaires ne sont pas loin.

– Je n'ai que de l'aspirine. Tu en prendras après, mais pas tout de suite, ça fluidifie le sang. On va faire ça à l'ancienne.

Elle me sourit, c'est la première fois que je vois son sourire. Elle est belle, vraiment, bien plus qu'un mur de béton. Bien moins que Maïa. J'essaye de respirer calmement, comme l'Apothicaire me l'a appris. Échec total. Je ne suis qu'un fichu trouillard qui a peur d'avoir mal, pire qu'un gamin.

– Autre chose, Jules… Pendant que je t'opérerai, je vais poser mon arme… Tu dois peser vingt kilos de plus que moi, et tu m'as l'air parfaitement capable de m'assommer à mains nues. Mais si tu tentes quoi que ce soit, n'oublie jamais, jamais, que j'aurai dans ma main un scalpel, c'est-à-dire l'équivalent d'un rasoir. Et qu'il faudra me tuer pour éviter que je m'en serve. Tu comprends ?

Là, elle me fait franchement rire, avec sa menace, si elle savait à quel point je suis loin de tout ça.

– Bon. On va s'y mettre. Assieds-toi par terre, à côté de cette caisse, le bras gauche tendu sur le linge que je viens de poser.

Je m'installe comme elle me le demande. Elle me frotte le bras, l'enduit de bétadine jaune, me murmure :

– Respire calmement, Jules.

Tiens, elle utilise les mêmes mots que Maïa, elle a la même intonation sereine. Elle enfile des gants de latex ; désinfecte les instruments ; trempe des compresses dans la bétadine. Elle manipule tout avec la pince à épiler, comme

275

un vrai chirurgien. Elle me met en confiance, elle a l'air tellement sûre d'elle et concentrée. J'essaye d'inspirer et d'expirer lentement, mais j'ai le souffle court, désordonné. Je ne dois pas trembler, ça va l'empêcher d'être précise. Je dois me reposer sur son savoir-faire, c'est une professionnelle. Elle me sourit encore, de ce sourire rassurant des médecins :

– Tu mords quelque chose ? C'est un vieux truc barbare, mais ça évite de crier…

J'enlève ma ceinture de cuir, les mains moites. Une ceinture à mordre. Comme dans les films. Pour ce qui est de ne pas trembler, c'est raté, je réprime en vain les soubresauts de mes jambes. Je serre le cuir entre mes dents. Et cette fois-ci, je ferme les yeux. Ne plus rien voir. Penser à autre chose. Penser à respirer.

– Non, Jules, il va falloir que tu me tiennes une lumière de biais, pour que l'ombre de ma main ne me gêne pas. Tu crois que tu vas pouvoir ?

Je prends sa lampe frontale et j'essaye de la tenir avec fermeté, je la cale comme je peux, mais je tremble trop, c'est pas gagné.

– Plus en biais, la lumière…

Je sens une chaleur sur mon avant-bras, c'est la lampe. Et soudain, la lame. Sur ma peau. Elle me frôle. Deux fois. À ce simple contact du métal froid, je frémis.

– Essaye de ne pas bouger avant que je l'aie fait. On y va.

J'ai envie de hurler, tellement ça fait mal. Je serre mes paupières si fort que mes yeux pourraient s'enfoncer dans mes orbites, je contracte mes poings à me faire péter les phalanges. Je lâche la lampe. Tout mon corps est totalement tendu. Et je mords la ceinture à me casser la mâchoire. Une douleur atroce, le sang coule le long de mon bras.

Elle arrête. Elle appuie une compresse sur mon avant-bras. Le timbre de sa voix est précis dans le brouillard qui m'entoure :

– Maintiens ça, Jules…

J'ouvre les yeux. Elle se lève, dépose le scalpel dans une assiette, prend les compresses dans l'autre.

– Surtout, tu ne tournes pas de l'œil… Et tu essayes de bouger le moins possible.

Je hoche la tête, les yeux exorbités, pleins de larmes de douleur, le corps trempé de sueur froide.

– Je vais compter les compresses au fur et à mesure, pour qu'on n'en oublie aucune à l'intérieur quand je vais éponger. Tu fais pareil quand je les retire, OK ? Ça te fera penser à autre chose…

Je croise son regard. Elle a une pince à épiler dans les mains. Je tressaille.

– C'est parti, je vais extraire…

Elle y va. À l'intérieur de ma plaie. Et je vais crever, elle fouille dans ma chair, putain, arrête, meuf, là, tu me fais trop mal, tu vas me tuer. Elle trouve le traceur, je crois qu'elle le trouve parce qu'elle jette un truc par terre. Elle verse de la bétadine, à grands traits. J'ai envie de vomir, la tête qui tourne, je vais m'évanouir.

– Reste avec moi, mec. Le plus dur est fait, il faut juste recoudre. Tu peux lâcher la ceinture maintenant et boire un coup d'alcool de menthe.

Elle me tend un flacon, je bois une rasade. Deux. Ça me fait du bien.

Je sursaute quand elle m'enfonce l'aiguille dans la peau. Elle recoud. Je ne m'y attendais pas, quel con ! Je baisse les paupières, épuisé, vidé, avec l'impression que mon corps ne m'appartient plus, que je tombe dans un abîme sans fond. Mince, je m'évanouis à moitié. Et je vois les yeux de Maïa. Et je prie pour qu'elle m'aime comme je l'aime. « Qu'elle m'aime, faites qu'elle m'aime. » Je marmonne. Si elle pouvait m'envelopper de ses bras, si je pouvais me blottir contre elle. Et de m'imaginer dans les bras de Maïa, ça me fait oublier les piqûres dans mon épiderme autour de ma plaie.

– Tiens le coup. J'ai presque fini. Ça va aller.

Je suis trempé et glacé en même temps. Essayer de respirer normalement pendant qu'elle tire sur le fil. Je grimace de douleur. Ne pas crier. Quand est-ce que ça va finir ? Chercher les yeux de Maïa encore. M'y réfugier pour toujours. Les yeux de Maïa. Où sont-ils ? Non, elle n'est pas là, Maïa. Je suis à Gentilly, avec une terroriste chirurgienne. Une spécialiste. Elle n'est pas la Dingue, elle est la Spécialiste : on l'appellerait comme ça à la communauté. Un beau surnom pour elle. Si elle venait habiter parmi nous. Mais elle ne viendra pas. Il ne faut pas. Trop dangereux. Maïa. Alicia. « Maïa, prends soin d'Alicia », je murmure. Stéphane fait un nœud. Alors, c'est fini, ça y est. J'ouvre les yeux. Ma chirurgienne s'essuie le front, elle est blême, ses cheveux aussi trempés de sueur que les miens. Elle a assuré. Je croise son regard et n'y vois qu'une bienveillance infinie. Une putain de bienveillance dans les yeux d'une meurtrière. Je me sens inondé d'une immense gratitude. Cette fille n'était pas destinée à tuer des soldats. C'est le monde qui a fait d'elle une tueuse. Je plonge encore une fois mes yeux dans les siens, sincères, intègres. Merde. Cette fille n'a assassiné personne. Cette certitude m'assaille, me percute comme un coup qui me laisse le souffle court. C'est impossible, Stéphane est une sauveuse. Pas une tueuse.

Les accusations sur les affiches du gouvernorat sont fausses.

L'armée ment.

Jérôme a raison. L'armée nous manipule.

Elle jette les gants et les compresses imbibées de sang. Mon sang. Je refoule une nouvelle nausée.

– Merci, t'es vraiment une Spécialiste.

Je suis dans les vapes. Elle me donne de l'aspirine. J'ai froid, je remets mon blouson.

– Dans dix jours, un de tes copains coupera le nœud du fil à une extrémité et tirera de l'autre côté. Tu t'en souviendras ?

Elle va me libérer, je vais retrouver les membres de la communauté, elle m'a sauvé la vie, elle ne me tuera jamais.

– On a une Apothicaire, à la communauté…

Et de penser à Maïa, ça me réchauffe à l'intérieur de moi, là où tout est glacé.

Elle est où, la puce ? Que je voie à quoi ça ressemble. Je passe le sol au crible autour de moi. Un petit objet rectangulaire, brillant, argenté et sanglant y traîne : le traceur. Normalement il ne fonctionne plus s'il n'est plus sous ma peau. Mais on ne sait jamais, je me lève et je l'écrabouille à coups de talon. Et je remercie en silence ma mère d'avoir mis ces protections métalliques sous mes chaussures pour qu'elles s'abîment moins vite. Elles sont assez dures pour broyer la puce. Merde, j'ai la tête qui tourne. J'ai envie de m'allonger, mais si je me couche, je vais vomir. Je m'affale, le dos contre un mur, dans un coin du hangar. Je somnole, l'allusion de Stéphane au vaccin tourne en boucle dans ma tête. Maintenant qu'elle m'a soigné, elle ne me fait plus peur. Je peux lui poser la question qui m'obsède :

– Tu as parlé d'un vaccin, tout à l'heure, à propos d'Alicia ? Ma petite sœur ?

Ma voix vacille, je trébuche sur les mots, j'ai la bouche pâteuse.

– Oui. On a tous été vaccinés contre la méningite, l'année de nos onze ans. Ce vaccin, le MeninB-Par, nous a immunisés contre le virus. C'est la raison pour laquelle on est encore vivants. Le vaccin n'a été administré aux ados que pendant trois ans. Il a ensuite été retiré à cause de ses effets secondaires indésirables. On continue à en fabriquer des doses juste en cas de méningite avérée.

C'est comme si je recevais un coup sur la tête. Est-ce que j'ai bien entendu ? Est-ce que c'est sûr ? La fille vient de m'expliquer pourquoi j'ai survécu. Bon Dieu, c'est pour ça qu'on est vivants, nous, certains ados. Je calcule rapidement dans ma tête : le vaccin a été utilisé pendant trois ans, j'ai été vacciné, mon frère aussi. Il y a des responsables de dix-huit ans au R-Point. Je fais donc partie des plus jeunes. Le vaccin n'est plus utilisé depuis quatre ans. Seuls les jeunes qui ont entre quinze et dix-huit ans ont pu être vaccinés. Et survivre.

– Est-ce que nous sommes protégés pour toujours… ?

– Pour l'instant, il y a encore un doute… Si ça se trouve, certains survivants sont des porteurs sains, ils transportent le virus sans en souffrir. C'est peu probable, mais possible. En attendant, maintenant qu'il existe un vaccin contre U4, on a les moyens de vaincre l'épidémie. J'imagine que les autorités ont relancé la production massive de MeninB-Par.

Donc, au pire, si l'effet s'estompe, l'armée pourra nous vacciner. « L'armée vaccinera ceux qui sont dans les R-Points », j'imagine déjà la repartie ironique de Jérôme.

– Quand tous les survivants adultes auront reçu leur dose, on pourra considérer que l'épidémie d'U4 est circonscrite. On le saura très vite… Il suffit d'attendre que les soldats retirent leurs combinaisons NBC.

L'espoir qui m'emplit est immense : maintenant j'ai même LA solution pour éviter la catastrophe. Je pourrai prévenir les autorités du moyen d'immuniser l'humanité contre le virus, grâce au vaccin MeninB-Par antiméningite. La voix dubitative de Stéphane retentit dans l'entrepôt :

– En revanche, je ne sais pas comment ta petite sœur a survécu.

La frimousse d'Alicia s'impose à moi, et une bouffée de tendresse m'envahit, ça me réchauffe autant que la pensée de Maïa apaise ma douleur. Ou bien c'est l'antalgique qui commence à faire effet. Et je ne peux m'empêcher de sourire, au souvenir de ma petite qui joue avec son singe en peluche, de son intonation autoritaire quand elle le gronde : « Babouche », trois fois, toujours trois fois, sinon ça ne marche pas. Ma Minuscule n'a jamais eu onze ans. Elle serait la seule enfant survivante.

Alicia, la miraculée.

Alicia est un phénomène inexplicable pour la science.

À moins qu'il n'y ait une explication ?

Une image précise des premiers jours après la catastrophe surgit dans mon esprit. Quelque chose qui pourrait tout expliquer. J'hésite à en parler à Stéphane... Non, mieux vaut y réfléchir avant de partager cette information avec elle.

Ce détail pourrait être la pièce manquante du puzzle.

15 DÉCEMBRE, MILIEU DE MATINÉE

Ma geôlière est plongée dans ses pensées. Il est déjà 10 h 20.

– Au fait, le cousin de Kori, il a sept ans, lui aussi ? me demande brusquement Stéphane.

– Non mais il est… handicapé. Bizarre, quoi.

Elle remue la tête sans approfondir. Me souvenant de ce que lui a appris Koridwen hier soir, j'en profite pour lui dire :

– Tu sais, elle ne mentait pas, elle est sûre que ta mère et ton frère sont morts en Bretagne…

– Ça non, je ne pense pas, non…

– Pourquoi ils s'en seraient sortis ? Ils ont eu le vaccin ?

– Mon père les a mis à l'abri. Il travaille avec l'armée. C'est un des médecins qui combattent l'épidémie…

Merde, son père est un médecin militaire.

– Et toi, tu es… ?

– « Terroriste », oui. C'est une histoire de fous.

Elle dessine des guillemets dans l'air en prononçant le mot de « terroriste ». Son geste est plein de dérision et de tristesse, elle se referme sur elle-même, et je sens qu'elle n'a plus envie de parler. Elle joue avec son revolver. Je somnole, la douleur s'estompe.

Mes yeux se ferment.

Des coups à la porte me sauvent d'un cauchemar dont j'ai du mal à m'extirper. Où suis-je ? Quel est cet endroit ? Je suis complètement amnésique. L'armée est-elle vraiment là, comme dans mon rêve ? Mon cœur bondit dans ma poitrine, mon Poignard est à l'autre bout de la pièce, je n'ai aucune arme pour me défendre, aucune énergie non plus. Aucune force. C'est foutu pour moi. Des gens parlent. Je reconnais dans un demi-sommeil la voix menaçante de Stéphane :

– Surprise aussi, dit-elle.

Je me force à entrouvrir les yeux, j'ai du plomb sur les paupières. La Spécialiste pointe son flingue vers la porte : si les militaires ne sont pas nombreux, elle arrivera à nous débarrasser d'eux à elle toute seule, en mode Lara Croft. Je tourne les yeux vers l'entrée, merde, c'est Koridwen qu'elle vise ; Koridwen qui braque Yannis, collé contre elle ; Yannis qui panique en voyant l'état dans lequel je suis. «Tu l'as torturé», murmure-t-il à Stéphane. Le chien à trois pattes grogne, il en lâche l'os qu'il avait dans la bouche. Je voudrais détendre un peu la situation :

– C'est OK… Elle est… OK, Kori, je murmure, sans même savoir s'ils m'entendent.

Leurs voix ne traversent pas vraiment le brouillard qui m'enveloppe. Seules des bribes de phrases franchissent l'espace jusqu'à mes oreilles : « Personne n'a envie de flinguer personne »… Super… Et maintenant on fait quoi ? Les fourmillements dans mes mains s'atténuent, j'entends de nouveau normalement, j'arrive à garder les yeux ouverts. Cette confrontation va-t-elle finir dans un bain de sang digne d'un film de Tarantino ? J'ai du mal à l'envisager. Je n'ai pas peur, je sais que ces deux combattantes sont des espèces d'héroïnes à la hauteur des personnages de WOT, des guerrières dont je n'aurais pas cru l'existence possible dans le monde réel. Et je sais aussi qu'elles ne sont pas dingues, même si je l'ai pensé. Ni perverses.

Koridwen parle trop doucement. Je tends l'oreille :

– Tu jouais à des jeux, toi, mon beau Yannis, avant la catastrophe ? Avec Jules, nous étions des fans de WOT, des Experts même ! Ah, ça te fait réagir, Yannis ?

La réponse de Yannis fuse :

– Chevalier Adrial... déclare-t-il.

Mon cœur bondit dans ma poitrine : Chevalier Adrial, c'est un Expert de WOT ! On a fait quelques missions ensemble. Je me redresse légèrement, le dos au mur, je n'ai pas encore la force de tenir debout. Je ne vois qu'une chose à faire, je me frappe la poitrine deux fois, comme sur Ukraün :

– Spider Snake, j'annonce.

Koridwen se présente à son tour. Et Stéphane, serait-il possible qu'elle soit une Experte elle aussi ?

– OK. Dans le jeu, j'étais Lady Rottweiler.

J'en pleurerais de joie, on est tous les quatre des Experts de WOT. Tous les quatre. Et on est tous à Paris pour le rendez-vous du 24 décembre. Personne ne dit plus rien. Seuls les aboiements du chien rompent le silence.

Qu'est-ce qu'elles attendent pour baisser leurs armes ?
Koridwen pose son flingue par terre. Je ne doute pas que
Stéphane va respecter les règles du jeu : un Expert n'a
pas le droit d'exécuter un joueur désarmé. Elle baisse son
pistolet et nous lance :

– Bien, on arrête les conneries.

Koridwen vient vers moi, de sa démarche tonique :

– Jules, ça va ?

– Oui, elle m'a enlevé la puce. Elle est médecin.

Je lance un coup d'œil aux deux autres, ils sont en train
de poser l'ordinateur sur la caisse où la Spécialiste m'a
opéré. Et l'écran s'allume.

– Mission réussie, je chuchote à Koridwen.

Stéphane branche sa clé USB. Yannis s'installe juste
derrière elle. Je veux voir moi aussi. Koridwen m'aide à
me lever et me soutient jusqu'à eux. Les yeux rivés sur
l'écran, nous sommes tous les quatre silencieux. Seul le
chien grogne, il doit avoir faim, le pauvre. Stéphane ouvre
sa clé USB qui ne comporte qu'un seul élément :

DOSSIER : RECHERCHE DE STÉPHANE CERTALDO.

STATUT : FAMILLE DE PHILIPPE CERTALDO.
RECLASSEMENT EN COURS. ACTIVITÉS CRIMI-
NELLES.

ÉTAT : FUGITIVE, VIVANTE.

PRIORITÉ : HAUTE.

La vache, ce n'est pas rien ! Elle ouvre le dossier : plein
de sous-dossiers s'affichent. Elle clique sur celui qui
s'intitule YANNIS CEFAÏ : des éléments de biographie,
des photos, un autre fichier : INCENDIE CRIMINEL/
MARSEILLE. Elle referme, trop intime.

Elle passe déjà à une autre icône : BRETAGNE/ DOURDU. Elle est hypnotisée par les photos d'une femme et d'un garçon, commentées d'un bref *Décès probable*. Elle se tourne vers nous et je perçois sur son visage blême les failles invisibles qui pourraient bien tout faire péter en elle. Elle le referme aussi. Les icônes défilent ensuite, elle laisse la souris quelques secondes sur un nouveau dossier, comme si elle hésitait à l'ouvrir. J'ai le temps de lire son titre. Je sursaute, je plisse les yeux pour être sûr de ce que je vois, sûr de ne pas délirer. Mais elle s'intéresse déjà à d'autres dossiers qui figurent plus bas : CERTALDO/LYON…

Un mauvais pressentiment m'envahit, parce que le nom du dossier qu'elle n'a pas ouvert ne devrait absolument pas se trouver lié à une affaire militaire officielle.

Je suis certain d'avoir bien lu. Son nom, c'était : PARIS/ KHRONOS.

Koridwen me fait comprendre d'un très léger hochement de tête qu'elle a repéré la même chose que moi. L'enquête sur Stéphane est tellement minutieuse que la police militaire est remontée jusqu'à WOT, jusqu'à Khronos. Ils savent peut-être qui est le maître de jeu. Elle clique enfin sur l'icône qui me préoccupe : PARIS/ KHRONOS. Nous nous penchons pour mieux lire tous ensemble :

Trois des quatre éléments soupçonnés dans l'en- quête criminelle en cours de reclassement ont consacré leurs dernières connexions au forum d'un jeu en ligne

multijoueurs, appelé WOT. Les joueurs ont échangé
sur le forum des informations concernant l'épidémie
dans les différentes régions où ils vivent. Les dernières
connexions, le 1er novembre, de Stéphane CERTALDO,
Marco GALLEHAULT et Yannis CEFAÏ ont porté sur un
message du moteur de jeu KHRONOS, les invitant à se
rendre à Paris, le 24 décembre.

Les militaires connaissent donc la date du rendez-vous.
Je reprends ma lecture :

Ces connexions indiquent un rendez-vous possible avec
d'autres éléments criminels, même si le message du moteur
de jeu KHRONOS est un leurre.

Un étau m'enserre la poitrine. Je me retiens au bras
de Koridwen parce que mes jambes vacillent. Moteur
de jeu ? Un leurre ? Et ça veut dire quoi ? Que Khronos
n'existe pas ? Que le message est faux ? Je suis incapable
d'assimiler l'information qui vient de me tomber dessus.
Khronos n'existerait pas. Pas de retour dans le passé
possible. C'est fini, vraiment fini. Il n'y a plus d'espoir.
Un grand froid m'envahit. Stéphane nous lit la suite en
criant pour couvrir les aboiements du chien :
— Khronos est l'avatar du « maître de jeu » sur WOT.
Il s'agit d'un moteur de jeu de type Eugene Goostman
(Intelligence Artificielle), créé par la société Ukromania
et acquis par l'éditeur du jeu, Next Games. Il est chargé de
gérer les interactions entre les joueurs, au cours de leurs
retours dans le temps.

«Rendez-vous du 24 décembre : L'invitation faite sur le forum par le moteur de jeu Khronos à remonter dans le temps résulte des multiples alertes reçues par le moteur au cours de la dernière semaine de fonctionnement (coupures de courant, messages des «Experts» sur le virus U4 interprété par le moteur comme un virus informatique). Le moteur de jeu est programmé dans ce cas pour envoyer un message. Ce message incite les joueurs à rebooter leur jeu dans une deuxième version, en recommençant la partie en temps réel là où elle a commencé : le 24 décembre (année inconnue, «guerre des Menteurs») au pied de la tour de l'Horloge.

– Une... une Intelligence Artificielle ? balbutie le Chevalier Adrial d'une voix désespérée.

Sa question fait écho à mon refus d'enregistrer l'information, à mon incrédulité. Khronos, une Intelligence Artificielle... Je me masse la poitrine parce que l'étau se resserre encore et que j'ai du mal à respirer. Les militaires connaissent aussi le lieu de la rencontre : ils vont faire le lien entre le rendez-vous des éléments subversifs à Paris et la tour de l'Horloge. Ils seront là le 24 décembre, c'est certain. Ils viendront arrêter les Experts qui ne se doutent de rien.

– Putain !

Au cri de Yannis, qui se termine en sanglot, Stéphane se tourne vers nous :

– On ne remonte pas dans le temps, les mecs ! Fin du rêve !

La dureté de Stéphane me donne envie de la tuer. Je pouvais supporter son flingue sur ma tempe, mais cette supériorité, non, je pourrais la tuer à cause de cette phrase cinglante, qui anéantit mon rêve. Je refoule mon désir de me jeter sur elle, de la plaquer au sol, de l'écraser, de l'étrangler.

– Tu n'en sais rien, Stéphane, lui répond Koridwen.

– Je viens de te le lire. Le message de Khronos a été généré par un moteur de jeu, c'est juste un message de rebootage. Quelqu'un va sur WOT depuis le début ?

Je pourrais lui fermer sa gueule d'un coup de poing. Mais je lui dis que oui, moi, j'y vais depuis le début.

– La guerre des Menteurs, ça commençait à la tour de l'Horloge, un 24 décembre ?

Je hoche la tête, j'ai envie de vomir et mon bras recommence à me lancer, une douleur aiguë.

– Voilà, conclut-elle, trop sûre d'elle.

– Il n'y a pas que Khronos qui remonte dans le temps, réplique la Sorcière bretonne sèchement.

Ah oui, elle croit aux passages temporels, comme dans sa chanson sur les dieux celtes. Je m'éloigne, chancelle, me cogne au chien, qui continue d'aboyer sans relâche, et m'écroule contre le mur. Que quelqu'un me donne un antalgique. Les grognements empirent.

– Qu'est-ce qu'il y a, Happy ? Qu'est-ce qui t'inquiète ? demande Yannis à son chien nerveux.

J'entends qu'il fait coulisser la porte d'entrée, et il nous annonce d'une voix hachée :

– Une patrouille ! Au bout de la rue ! Avec des soldats cette fois...

15 DÉCEMBRE, FIN DE MATINÉE

On a deux minutes, pas plus !
Koridwen prépare déjà son sac. Je me redresse difficilement. Stéphane et Yannis remballent leurs affaires, dont les médicaments. Il faut que je tienne sans aspirine. La Bretonne nous fait signe :

– Suivez-moi. On se barre !

Ils décampent par une sortie de secours au fond du hangar. Ils foncent, moi je me traîne, mes jambes flanchent ; c'est infernal. Je vais les retarder. Yannis m'attend :

– Tiens, ton poignard, tu peux en avoir besoin.

– Merci, je murmure avant de vaciller.

Il me rattrape par le poignet :

– Appuie-toi sur moi, me propose-t-il gentiment.

Nous filons dans un dédale de ruelles, traversons des petites cours à l'arrière d'entrepôts, enjambons quelques cadavres. Les militaires nous ont repérés à cause de la puce. À cause de moi. Nous débouchons sur une rue plus large, longeons les murs, Koridwen semble savoir où elle va. Elle doit avoir une planque pas loin. La nouvelle loi martiale s'applique depuis ce matin. L'avertissement du jeune chef de section que j'ai croisé hier me revient en

mémoire : «Demain, nous serons armés et nous tirerons.»
Je trébuche sur un cadavre. Et un ordre me cloue sur place :

– Halte! Rendez-vous!

C'est une voix de jeune homme. Je lève les yeux au ralenti, heureusement ils ne sont que deux soldats, à peine plus âgés que moi, portant le brassard des nouvelles recrues de l'armée.

Ils braquent leurs flingues sur nous. Je croise le regard de l'un d'entre eux, un blond, plein d'acné, aux yeux clairs. Sa main ne tremble pas, pourtant ce qui le poussera à appuyer sur la détente, ce n'est pas la volonté de remplir sa mission, ni l'obéissance, c'est la peur : pour lui, Stéphane et Yannis sont de dangereux criminels. J'en suis sûr, ce mec-là n'a jamais tué personne, mais il est prêt à tirer au moindre geste. Stéphane et Koridwen ont déjà les mains en l'air sous la menace de l'autre soldat.

– Vous deux, approchez! Jetez vos armes! nous lance-t-il.

Happy grogne.

– Gaffe au chien, je le tue s'il bouge, menace le boutonneux en s'approchant de nous.

Il vise l'animal nerveux et, au moment où il s'apprête à lui tirer dessus, je me jette sur lui et le plaque au sol. En une fois. Il s'écroule. Je m'assois à califourchon sur lui et j'agrippe en même temps son arme pour l'obliger à la lâcher. Yannis crie derrière moi :

– Attaque, Happy, attaque!

J'entends les grognements sauvages de son chien. Des coups de feu éclatent. J'espère que ce sont mes amis qui ont tiré, mais je leur tourne le dos et je ne dois pas me déconcentrer, le blondinet résiste, il se tortille. Je réussis à m'emparer du flingue, que j'envoie valser au loin. Je maintiens le garçon allongé à terre, mes genoux calés sur ses jambes, je cloue ses bras au sol. Il y a une telle rage dans ses yeux. Je lui donne un coup dans l'entrejambe avec mon genou, il grogne de douleur. Il me hait. Et sa haine me donne envie de le tuer. Je sors mon Poignard, appuie la pointe de la lame sur son artère, une goutte de sang jaillit. J'ai envie de le tuer pour tuer ma peur, mais je vois sa peur à lui, dans ses yeux. Nous sommes pareils, lui et moi. Des pauvres mecs paumés, qui ont perdu toute leur famille en trois jours. Et qui survivent comme ils peuvent. Je retire la lame de son cou, range Poignard. Les derniers mots de la mère de Jérôme me reviennent brusquement en mémoire : « Il faudra changer pour pouvoir continuer à vivre, t'adapter. Ne te contente pas de survivre, vis. » Je ne sais pas si je saurai faire ça. Je ne m'adaptais pas, moi, je vivais d'espoir. Je tenais jusqu'au 24 décembre. Rien ne comptait vraiment. Personne n'était vraiment mort.

Yannis file soudain un coup de crosse sur la tête du soldat sous moi, qui perd connaissance. Je peux enfin me relever. Je me retourne, un corps est allongé au sol : les coups de feu, c'était mes amis, ils ont tué l'autre soldat.

– Merci Jules, tu as assuré.

– On m'appelle le Plaqueur dans ma communauté.

– Et le soldat, là, on en fait quoi ? demande Stéphane.

Je me demande si elle veut tuer Blondinet.

Moi, je préfère qu'il ne meure pas. Il a notre âge, il est assommé. Ça suffit.

– On le laisse comme ça. Pas la peine d'en rajouter, lui dis-je.

Il ne faut pas s'attarder, ça grouille de brigades. Nous avons de la chance d'être tombés sur deux jeunes isolés. Nous repartons sans plus attendre dans le sillage de Koridwen.

– Ce n'est plus très loin, nous annonce-t-elle, encore quelques mètres.

Nous traversons un garage désaffecté, dont la charpente s'est effondrée. Des poutrelles tordues, des gravats, des débris de pneus calcinés, des tas de cendre traînent à côté de carcasses de voitures noircies. Notre guide bretonne se précipite vers de longues tôles rouillées posées sur le sol, qu'elle soulève tant bien que mal. Je me penche : les plaques d'acier dissimulent une fosse en béton dans laquelle elle jette son sac, puis saute en nous intimant de l'imiter. C'est une ancienne fosse à camion, de moins de deux mètres de profondeur. Elle est étroite, d'environ un mètre de large sur quinze de long. Je m'y engouffre le dernier, Stéphane replace les plaques de métal derrière moi.

Nous nous retrouvons dans une obscurité striée de fins rais de lumière, qui filtrent entre les tôles mal jointes. Le chien halète mais n'aboie pas. Ça pue l'essence. Nos respirations sont hachées. Je m'affale, dos au mur.

– Ne dites pas un mot, conseille Koridwen avec fermeté.

Quelques minutes passent. Les ordres de militaires, les aboiements de molosses et les coups de sifflet s'estompent. Nous sommes sauvés pour le moment. Je respire lentement pour chasser ma douleur au bras. Personne ne parle.

Ils m'en veulent sûrement, c'est ma faute si l'armée a repéré notre planque. La Sorcière bretonne et son cousin ne pourront plus jamais retourner dans leur abri.

– Je… je suis désolé… Si je n'avais pas eu ma puce, ils n'auraient pas…

Koridwen me coupe la parole :

– Ça n'a rien à voir. Ils doivent ratisser les rues les unes après les autres.

En quelques mots, elle vient de m'enlever la responsabilité de notre fuite. Son ton est toujours aussi peu amène, mais elle est sacrément sympa de me dire ça. Ce qui compte pour elle, c'est d'être précise. Elle se fiche d'être sympathique. Je repense à la douceur de Stéphane la Dingue, à l'empathie dont elle a fait preuve en m'opérant. C'est d'ailleurs sa voix qui résonne maintenant entre les parois de béton :

– Ton bras, ça va ?

– J'ai mal.

– Normal, les effets de l'aspirine se dissipent… Ça ne t'a pas empêché de plaquer ce flic… Attends…

Elle palpe son sac, un filet de lumière l'éclaire, c'est une lampe frontale ! Les deux autres aussi allument les leurs. Je suis le seul à ne pas en avoir. Stéphane s'approche de moi et m'aveugle en éclairant mon visage, je cligne des yeux.

– Laisse-moi regarder.

Elle décolle mon pansement.

– Merde, ça a beaucoup saigné, maugrée-t-elle.

Pendant que je maintenais le soldat au sol, j'ai sans doute tellement contracté mes muscles que j'ai rouvert la blessure.

– C'était vraiment pas recommandé deux heures après que je t'ai recousu, mec. Mais on va essayer d'arranger ça…

Elle nettoie ma plaie, je me contracte, elle pose sa main gelée sur mon front, refait mon pansement et me tend des comprimés avec une bouteille d'eau :

– Avec ça, tu devrais moins souffrir. Tu as une montre ?

Je secoue la tête négativement, je n'ai jamais réussi à remettre la main sur ma montre, à croire que Lego l'a avalée. Je me souviens, quand ma mère avait vu les trois lettres de *WOT* maladroitement gravées au cutter, elle m'avait souri, mi-excédée, mi-amusée : « On en a une overdose, de ton WOT, tu passes ta vie devant ton écran, sur ton monde d'Ukraün, tu ne vas pas créer des produits dérivés en plus ! » Je me souviens de sa moue et de son clin d'œil. Mes parents travaillaient tous les deux dans le marketing, alors, en matière de produits dérivés, ils savaient de quoi ils parlaient. Je souris, envahi d'une bouf-fée de tendresse, presque prêt à tendre les bras vers elle. C'est la première fois qu'un souvenir aussi précis de ma mère me revient. J'avale l'aspirine. La Spécialiste, qui n'a pas plus de montre que moi, demande aux autres s'ils peuvent la prévenir dans trois heures ; puis me couvre d'un duvet dans lequel je m'enveloppe. Yannis nous informe qu'il est 12 h 20, et qu'il y en a pour cinq heures de batterie. Si je comprends bien, il n'a pas de montre non plus, il lit l'heure sur son ordinateur. Je ferme les yeux. Pourvu que ma Minuscule ne s'inquiète pas trop. Heureu-sement Maïa est avec elle, elle trouvera les mots pour la rassurer. Koridwen pense-t-elle à son cousin Max ? J'espère que Vincent n'a pas cherché à me retrouver à

Gentilly. Avec tous les militaires qui patrouillent, il pourrait se faire arrêter. À cause de moi.

La Spécialiste s'assoit juste à côté de moi, épaule contre épaule.

– Ça va aller ? Tu nous as sauvé la mise, tout à l'heure, chuchote-t-elle.

– Ça va aller, je lui réponds, même si ça ne va pas si fort que ça.

Assise à l'autre bout de la fosse, Koridwen me propose un calmant bio, un truc qui peut provoquer des hallucinations.

– Je ne préfère pas…

– C'est sous forme liquide. Je pense que ça marche aussi pour les chiens.

Si elle me donne cette dernière précision pour me convaincre, c'est raté. On se marre avec Stéphane. Un remède de vétérinaire breton, très peu pour moi. Stéphane éclaire de sa frontale le mur opposé : Yannis et Koridwen sont assis côte à côte, exactement comme nous, et ils ont froid eux aussi, de la fumée sort de leurs bouches.

– Éteins ta lampe. C'est inutile de gâcher des piles.

Toujours aussi pragmatique et autoritaire, la Sorcière bretonne…

Mon épaule calée contre celle de Stéphane, épuisé, je somnole. La douleur s'apaise, l'aspirine commence à faire effet. Je crois que je m'endors.

⬛

La voix de Yannis me sort du sommeil :
– Quand on sera sortis, on ira où ?

– Si Jules est d'accord, on se rendra chez ses amis pour y trouver un abri. C'est possible, Jules ? me demande Stéphane.

Je crains que ça ne soit pas franchement le moment d'accueillir des nouveaux venus dans la communauté. Entre les bagarres qui se préparent sur la dalle des Olympiades et la loi martiale renforcée, Jérôme est de plus en plus vigilant :

– Il va falloir que je prévienne Jérôme, c'est notre Chef, avant de vous faire monter. Il ne voudra jamais mettre la communauté en danger en faisant venir deux personnes accusées de terrorisme… Il faudrait que je trouve…

Je reprends mon souffle, réfléchis avant de leur exposer mon idée :

– Je sais ce que je vais faire… Stéphane, je vais te présenter comme une spécialiste du virus et lui dire que tu dois voir Alicia, que tu peux savoir comment elle a survécu. Dans ces conditions, il acceptera de vous faire entrer, je l'espère.

Tout se bouscule dans ma tête. Comment va réagir Jérôme quand il saura que j'ai été tracé par l'armée ? Je me souviens de son intransigeance envers Cédric, il l'a suspecté de nous avoir dénoncés aux militaires et il était prêt à l'éliminer pour haute trahison. Je serai peut-être désormais coupable à ses yeux.

En ce qui concerne Khronos, il ne faut pas qu'il sache. Pas tout de suite. C'est moi qui le leur expliquerai, j'ai trop honte d'y avoir cru. Pour l'instant, j'ai vraiment trop honte.

Il n'y a qu'une chose à faire. Et elle me demande un gros effort.

15 DÉCEMBRE, DÉBUT D'APRÈS-MIDI

Je prends une grande inspiration, j'en ai besoin pour me donner la force de leur parler :

– J'ai une chose à vous demander à tous les trois. S'il vous plaît, jurez-moi de ne rien révéler de l'identité de Khronos et de ne pas évoquer le traceur qu'on m'a implanté. Personne ne doit savoir dans la communauté.

Ils acquiescent tous, l'un après l'autre, presque solennels. La gravité de mon intonation m'a surpris moi-même, j'ai l'impression d'être un chevalier de WOT qui prête serment. L'évocation du jeu déclenche en moi une bouffée d'angoisse, comme si j'avais été trahi par Khronos. Je voudrais ne plus jamais entendre parler des Warriors of Time.

– Tu devrais peut-être essayer son remède, à Kori… C'est quoi, cette fille ? Une guérisseuse ? murmure Stéphane.

– Je ne sais pas. Elle est… étrange. Mais elle est chouette. Elle a sauvé Alicia.

– Prends son calmant, ça ne peut pas te faire de mal, insiste-t-elle.

– Non. Notre Apothicaire n'aimerait pas beaucoup ça… Maïa…

Ma voix tremble presque de prononcer son prénom. Je l'aime. Cela me saute aux yeux, je l'aime plus que jamais. Malgré mon désespoir, je l'aime.

– C'est elle qui garde ta petite sœur, en ton absence ?

– Oui… En fait, Alicia n'est pas vraiment ma petite sœur. Je l'ai recueillie chez son grand-père, qui habitait le même immeuble que moi, trois semaines après le début de… tout ça.

Je n'arrive pas à trouver les mots pour parler de la catastrophe. Je bute sur les termes exacts. J'arrive à les penser, pas à les dire : filovirus, U4. Parce que désormais ils incarnent quelque chose qui existe vraiment. Une vérité inacceptable, que j'ai évitée jusqu'à aujourd'hui. Je me souviens de ma terreur devant les chiffres et les termes scientifiques à la télévision. De ma terreur et de mon refus absolu de cette réalité-là. Alors, ils sont tous morts ? C'est ça que j'ai refusé. Ils sont tous morts. Est-ce que je pourrai l'accepter un jour ? Est-ce que je pourrai vivre ? Tous morts. Sauf nous, les adolescents, et quelques militaires. Tous morts. Et nous, on est là, réunis dans cette fosse, quatre existences dévastées.

– Je… je suis désolé, pour ton frère… et ta mère… je murmure.

Elle ne répond pas. Épaule contre épaule. Mon cœur bat trop vite, comme s'il allait exploser de chagrin. Si je commence à pleurer, je ne m'arrêterai pas. Alors je me retiens. À quoi penser pour ne pas crever de tristesse ? Au rire d'Alicia. Je ne pleurerai pas. Je serre mes paupières pour bloquer les larmes. Je ne pleurerai plus. La respiration de Stéphane s'accélère.

Et c'est elle, la Spécialiste, que j'entends soudain pleurer.

Je dois me calmer, je dois assurer. On est tous dans les mêmes ténèbres. J'essaye de me contrôler, de ne pas penser à mes parents, à mon frère. Plus je veux éviter d'y penser, plus je suis assailli d'images intolérables de leur mort. J'imagine mes parents transpirant du sang, j'imagine leurs cadavres. J'imagine qu'ils ont pensé à nous avant de mourir, qu'ils sont morts sans avoir pu nous parler. J'imagine leur désespoir à eux. Et je ne supporte pas ces pensées. Le sourire de ma mère me percute le cœur. Maman. Putain, non, Jules, tiens le coup. Ne pleure pas. Je pourrais mourir cette nuit, je n'ai plus peur de mourir. Est-ce que ça veut dire que je ne veux plus vivre? Alicia. Elle compte sur moi. Je ne peux pas l'abandonner. La Minuscule... Si elle n'a pas été vaccinée, comment a-t-elle survécu? Une décharge d'épouvante me foudroie: est-ce qu'elle pourrait encore attraper le virus? Seule la Spécialiste saura répondre à cette question.

Mais elle s'est endormie, la tête sur mon épaule. Sentir Stéphane s'appuyer sur moi, blottie tout contre moi, m'extirpe de mes images de cauchemar. Un faisceau de lumière nous éclaire, c'est Yannis qui s'approche de nous:

– Stéphane, Jules doit prendre son aspirine, c'est l'heure...

La Spécialiste se réveille dans un sursaut, se décolle de moi:

– OK.

Elle est dans le coaltar, tâtonne pour retrouver sa lampe, fouille dans son sac. Elle pose de nouveau sa main sur mon front :

– C'est l'heure de ton comprimé, mec…

Je les ingurgite avec un peu d'eau, et je ne peux plus attendre pour lui poser ma question :

– Je me demandais… Si Alicia n'a pas eu le vaccin, elle peut… tomber malade ?

– Je n'en sais rien. Mais il n'y a pas de raison qu'elle tombe malade juste aujourd'hui. On en parlera plus tard. Repose-toi.

Merde, pourquoi pas maintenant ? Elle fait chier. Yannis chuchote dans l'oreille de Stéphane, qui se lève en soupirant et va vers Koridwen de l'autre côté.

Lui s'installe près de moi. Avec son chien qui commence à puer sérieusement dans l'espace confiné.

15 DÉCEMBRE, MILIEU D'APRÈS-MIDI

Nous ne nous connaissons pas beaucoup, mais j'aime bien Yannis. J'ai l'impression qu'il se débat dans des relations compliquées avec Stéphane et qu'il essaye de se comporter dignement, comme Chevalier Adrial. Non, pas WOT. Ne pas penser à WOT. D'ailleurs, lui aussi avait l'air d'y croire, au retour dans le passé. Il doit être déstabilisé. Je retiens mes questions sur le jeu, qui ne peuvent que nous faire plus de mal encore.

– Tu as parlé d'Alicia ? C'est qui ?

Finalement, c'est lui qui a trouvé un bon sujet de discussion. Je lui raconte Alicia, notre rencontre, Dora... Il se renferme, bafouille :

- Moi aussi, je... j'ai une...

Peut-être n'arrive-t-il pas à dire qu'il a une petite sœur ? Qu'il avait une petite sœur. À moi de le faire penser à autre chose :

– Tu viens de Marseille, c'est bien ça ?

– Oui, j'habitais dans un quartier qui s'appelle le Panier, avec ma... famille...

Il trébuche sur ce mot, se reprend :

– Tu connais le Panier ?

– Non. Mais… alors… tu… tu as traversé tout la France?

Il m'explique comment il a appris à survivre en montagne et en forêt, il me parle de sa rencontre avec la Spécialiste au R-Point de Lyon, de sa méfiance des hommes, de sa confiance en l'amitié, en Stéphane. Le lien doit être très fort entre eux, il se tait brusquement. S'ils sont en conflit, il n'a sans doute pas envie de se confier davantage.

– T'inquiète pas, Yannis, ne te sens pas obligé de me raconter.

J'hésite avant de poursuivre, peut-être que c'est une connerie, mais peut-être que ça va lui faire du bien d'en parler:

– Tes parents? je murmure.

– Mes parents. Et ma petite sœur Camila. Ils sont là.

– Que… qu'est-ce que tu veux dire?

– Je veux dire que je les vois. Tu vas me prendre pour un cinglé…

– Non, je te promets. Dis.

– Je vois leurs fantômes.

– Et ils ressemblent à quoi, tes fantômes? Je veux dire, ils ressemblent à tes parents? Ils sont transparents?

– Ils ressemblent à ce qu'ils étaient avant de mourir. Ils sont juste beaucoup plus légers, flottants. Et, oui, transparents…

Yannis croit aux fantômes; comme Alicia croit qu'elle est Dora; comme Koridwen croit à la magie des druides bretons. Comme je croyais en l'existence de Khronos. Je me sentais libre alors, je me sentais léger. Enfin, je me *croyais* libre, je me *croyais* léger… Maintenant, je me sens moins libre que jamais, empêtré, enfermé. Je ne sais pas si j'ai envie de sortir, je ne sais pas si je suis capable de retourner aux Olympiades. Quelle valeur a la liberté dans ce monde, maintenant qu'il faut absolument et définitivement affronter l'inacceptable ?

– J'ai... j'ai perdu mon frère. Il y a deux semaines...

Je bredouille, une boule dans ma gorge m'empêche de continuer. Quel con, j'aurais pas dû lui parler de Pierre.

– Je suis désolé pour toi. Tu veux qu'on change de sujet ?

– Je me suis fait torturer par un malade mental. Mon grand frère, il m'a sauvé la vie.

Son silence désolé est pire que tout, et ça me pète à la gueule, encore et encore, la haine, la sauvagerie de Logan. La terreur. Et la mort de mon frère. Est-ce que je m'en remettrai un jour ? Merde, je ne dois pas pleurer. Faut que je me contrôle. Khronos. Le rendez-vous. C'est FINI. Mon frère est vraiment mort. MORT. Il me touche l'épaule :

– Ça va ? Jules ? Tu tiens le coup ?

Non, ça ne va pas, je m'effondre, je m'éparpille, je me casse en mille morceaux. Et là, sans autre préambule, il commence à me raconter d'une voix douce, tendre, et chantante, qui donne envie de rire, pas de pleurer :

– Dans la campagne où je suis passé, il est possible de cultiver, de creuser des puits, de vivre sans se cacher. On peut allumer sans crainte un feu de cheminée, le jour comme la nuit.

Il me raconte son voyage, il m'encourage à m'y plonger, il m'offre un peu de lumière pour m'extraire de mes ténèbres.

Ce mec-là, je le connais à peine, et déjà il m'offre un voyage. Je l'écoute avec avidité, avec curiosité. C'est la première fois que j'ai des informations sur ce qui se passe ailleurs qu'à Paris.

– À Lyon, en revanche, quand l'armée a décidé de nettoyer un quartier, personne n'a pu y échapper. Ils ont bombardé au napalm.

Des bombardements au napalm. La vache, la situation est bien plus terrible à Lyon qu'à Paris, alors. Ici c'est le chaos désorganisé, nos pires ennemis sont les gangs, pas encore l'armée, même si Jérôme et Vincent se préparent au pire depuis l'annonce de la loi martiale renforcée. Je me demande pourquoi l'armée a agi aussi durement là-bas. Sa voix me berce. Je pourrais presque m'endormir en l'écoutant. Yannis… Il pourrait devenir un ami. Un ami…

—

Le temps se délite. Je ne sais pas depuis combien d'heures nous sommes là. Des rais de lumière filtrent encore entre les tôles d'acier. Il ne fait même pas nuit, c'est interminable, et les odeurs ne s'évaporent pas de cette cage étroite. C'est le chien qui pue, la nervosité lui donne une odeur aigre de chien humide. Kori pourrait lui faire avaler un de ses remèdes pour le calmer. Je n'ai même pas la force de demander l'heure à Yannis.

NUIT DU 15 AU 16 DÉCEMBRE

J e me réveille avec des crampes à l'estomac et un mal au bras infernal, je ne sais pas combien de temps j'ai dormi. Je sais simplement qu'aucune lumière ne traverse les plaques métalliques. La nuit est tombée.

– Je me sens bizarre, je murmure à Yannis, sans savoir s'il dort lui aussi.

– Tu dois avoir faim, me répond-il du tac au tac.

C'est vrai que mon ventre gargouille sacrément. Et ça le fait rire.

– Stéphane ? Jules, il peut manger ?

– Oui. Désolée, je n'ai pas pu lui faire d'anesthésie générale dans le hangar ! Je crois qu'il s'en est rendu compte, d'ailleurs…

Yannis fouille dans le sac, en sort des biscottes, une tablette de chocolat que j'aperçois à la lueur de sa frontale. Nous mangeons en silence. Il avait raison, j'étais affamé. Je dormirai peut-être mieux le ventre plein, même si je suis frigorifié, que je grelotte, que le sol est dur et que j'aimerais me dégourdir les jambes. Et quitter cet endroit obscur.

—

Koridwen fait un aller-retour dehors, pour vérifier si nous pouvons sortir de notre abri. Mais rien à faire, des blindés et des jeunes armés, avec des brassards et des torches, patrouillent dans tout le quartier. Je lui demande, inquiet à l'idée de rester enfermé dans cette fosse :

– On va rester ici combien de temps encore ?

– Jusqu'à demain matin, me répond-elle. Avant le renforcement de la loi martiale, les blindés rentraient chez eux dès 7 heures, après la fin du couvre-feu… On va espérer qu'ils ont gardé leurs habitudes, malgré les nouvelles règles. Ça nous donnerait une fenêtre de liberté.

Je ferme les yeux, découragé par la perspective de passer encore au moins une dizaine d'heures dans cette fosse. « Repose-toi, Jules, repose-toi, profites-en pour te reposer », c'est ce que je ne cesse de me dire, sans aucun résultat. Si ce fichu chien arrêtait de se jeter comme un dératé contre les murs, j'arriverais peut-être à dormir. Un psychopathe, ce Happy. Moi aussi, j'ai envie de me barrer d'ici, boule de poils, moi aussi j'ai envie d'écarter une plaque et de respirer autre chose que l'odeur putride de cette fosse. Yannis le câline, il s'apaise, puis s'excite de nouveau.

——

Mais faites taire ce chien. Il gémit à fendre l'âme, comme s'il se faisait torturer.

——

Koridwen lui donne un calmant, il va enfin se taire. Ce Happy porte mal son nom. Je sais que ça doit être insupportable pour lui d'être enfermé. Happy-le-Claustro.

—

Et maintenant, des rats courent au-dessus de nos têtes sur les tôles de métal, pourvu qu'aucun ne se faufile à travers les fissures. Comment dormir ?

16 DÉCEMBRE, À L'AUBE

Kori me réveille :
— Debout, le jour se lève, c'est bon, on peut sortir.

Nous allons enfin quitter cette cave. Le corps ankylosé, l'avant-bras endolori, je me redresse et suis les autres, nous n'échangeons pas une parole.

Nous longeons les murs, tout près les uns des autres, derrière Koridwen, et parce qu'ils sont tous des Experts, je voudrais me sentir comme dans une partie de WOT. Mais non, cela n'a plus de sens. Khronos me débecte. WOT est un piège. Penser à mes parties de jeu obsessionnelles me met en colère. Nous traversons un square miteux, jonché de cadavres déchiquetés de chiens et de rats qui se sont joyeusement entretués près des toboggans. La maladie tue les hommes par milliards, les animaux se font la guerre autour des balançoires. Fatal et dérisoire. Notre guide nous fait signe de ralentir et nous désigne une bouche d'égout dans l'allée de gravier. Nous descendons dans le souterrain des trafiquants, ressortons par le caveau que j'ai déjà emprunté, courons au milieu des tombes, et nous engouffrons dans d'autres égouts sur le boulevard des Maréchaux. Je me mets en apnée, histoire de m'éviter de vomir. L'odeur est si dense qu'elle paraît consistante. Je réfléchis aux révélations de Stéphane, si les survivants ont été immunisés par ce vaccin utilisé pendant trois ans seulement, le cas d'Alicia reste un mystère. Je ne sais toujours pas si la Minuscule risque d'attraper U4. Je retourne dans tous les sens la manière de révéler à Stéphane ce que j'ai découvert chez le grand-père d'Alicia, dont je me suis souvenu hier matin, la pièce manquante du puzzle. Je voudrais que nous allions ensemble chez le pédiatre, pour confirmer ou infirmer mon hypothèse. Elle marche juste devant moi, nous éclairant le chemin de sa frontale.

– Stéphane, je voudrais te dire quelque chose...

Je prends toujours des pincettes avec elle... Elle opine du chef.

– Quand j'étais chez le grand-père d'Alicia, j'ai marché sur des seringues éparpillées par terre, j'en ai même écrasé une.

Elle ne réagit pas. Je poursuis :

– Si ça se trouve, parmi elles, il y avait une ampoule vide du vaccin antiméningite dont tu m'as parlé...

Toujours aucune réponse. Je continue, le cœur battant la chamade :

– Et dans ce cas, Alicia aurait pu être vaccinée par son grand-père, *in extremis*, et sauvée du virus... Ou bien son grand-père lui a injecté un autre traitement qui la protège aussi d'U4... Est-ce que tu voudrais m'accompagner au plus vite chez le grand-père d'Alicia ? On pourrait essayer de trouver son carnet de santé. Son dossier médical. On pourrait comprendre quel traitement elle a reçu dans le passé. J'ai besoin de savoir.

Je débite ma tirade sans reprendre mon souffle, mes mots devancent mes pensées. Je m'arrête soudain :

– Et toi aussi, non, tu aimerais comprendre ?

Elle avance de son pas rapide, sans prendre la peine de tourner la tête vers moi, et me répond simplement :

– OK, Jules, on ira chez ton pédiatre. Dès aujourd'hui. Sinon, ton bras, il va comment ?

16 DÉCEMBRE, DÉBUT DE MATINÉE

J'ouvre la porte des escaliers intérieurs qui relient les sous-sols des Olympiades au rez-de-chaussée de la tour Athènes : sous la dalle, des routes souterraines permettent de passer d'une tour à l'autre et d'un parking à l'autre. C'est un vrai labyrinthe pour ceux qui ne connaissent pas. Vincent monte la garde. Il me voit et son visage s'éclaire d'un sourire de soulagement, puis se teinte de méfiance : il ne connaît pas Stéphane ni Yannis.

– Tout va bien, Vincent. Ils ne sont pas dangereux. Ils sont avec moi.

Il nous autorise à pénétrer dans le hall. Je lui explique que nous sommes passés par les égouts depuis les Maréchaux, puis que je les ai guidés dans les sous-sols. Il m'écoute sans quitter les trois Experts des yeux. Pourvu qu'il ne fasse pas le rapprochement avec les photographies des affiches posées par les militaires.

– Tu nous amènes qui ?

– Elle, c'est Stéphane, elle veut voir Alicia. Elle est spécialiste du virus. Lui, c'est Yannis, son ami. Kori, tu la connais, elle vient pour Max.

– Tu te portes garant d'eux ?

– Oui, ils sont *clean*, fais-moi confiance. T'as pas besoin d'avertir Jérôme avec ton talkie-walkie. Je vais le prévenir moi-même.

– Désarme-les. Je préfère.

Les Experts me tendent leurs flingues, blasés.

– Monte les armes dans ma réserve, s'il te plaît, me demande Vincent.

Je suis sûr que le Chef voudra rallier la Spécialiste à son grand rassemblement communautaire. Dans l'union des forces libres, il a tout intérêt à intégrer des scientifiques. Laissant Yannis et Stéphane au rez-de-chaussée avec Vincent, Koridwen et moi montons jusqu'au troisième étage, mon cœur bat, je vais enfin les retrouver, ma Minuscule et Maïa. Je ne peux m'empêcher de sourire, je suis si heureux de les savoir toutes proches de moi. Arrivé sur le palier, je dépose les fusils dans la réserve du Soldat, puis me dirige directement vers l'infirmerie, entraînant Koridwen avec moi :

– Viens, on va à l'infirmerie.

J'ouvre la porte, tout est silencieux, je fais quelques pas :

– Alicia ? Maïa ? Vous êtes là ?

Et soudain, j'entends sa voix claire, qui m'emporte le cœur :

– Diego Diego Diego…

Ma Minuscule ! Elle fonce sur moi, se jette à mon cou, je la soulève, elle attrape mon visage et y colle des bisous ! Elle plisse le nez, fronce les sourcils, fait une mimique écœurée. J'ai compris, je pue, normal, je sors des égouts. Mais mon odeur ne la gêne pas plus que ça, elle accroche ses mains à mon cou, se cale contre ma poitrine et ne me lâche plus. La petite dans mes bras, je désigne la chambre du fond à Koridwen d'un mouvement de tête :

– Ton cousin est là.

Maïa en sort à ce moment-là, le visage altéré, les traits tirés, les yeux brillants.

– Jules, murmure-t-elle, Jules, j'ai… on a eu tellement peur ! Où étais-tu ? Que t'est-il arrivé ?

Et elle est déjà près de moi, je ne peux pas la toucher, ni l'enlacer ni l'embrasser, parce que mes bras serrent Alicia, qui retient l'Apothicaire par la nuque et nous regarde à tour de rôle, ravie. Je voudrais que Maïa reste près de nous, mais elle ne me sourit pas, évite mon regard. Elle m'annonce d'un ton neutre qu'elle doit faire un topo à Koridwen sur l'état de son cousin. Je la suis jusqu'à la porte de la chambre du fond : assis par terre, recroque-villé dans les bras de sa cousine, Max pleure, attentif aux mots qu'elle lui murmure à l'oreille. J'entrevois le visage bouleversé de la Sorcière bretonne, et mon cœur se serre ; moi qui la pensais indestructible, je supporte mal de la découvrir dans un tel état de désarroi. Maïa s'accroupit près d'eux.

– Il s'est mis en état végétatif. Il refusait de s'alimenter et même de boire. Au début, il appelait ses parents et toi aussi. Ensuite, il s'est muré dans le silence. J'ai réussi à le faire boire, mais seulement en très petites quantités, énonce-t-elle.

Je préfère ne pas troubler plus longtemps leurs éprouvantes retrouvailles. Kori est si ébranlée qu'elle ne nous a même pas vus, ni Alicia, toujours accrochée à mon cou, ni moi. Je repars attendre dans l'autre chambre que Maïa ait fini son bilan médical. Dès qu'elle nous rejoint, je lui explique :

– Il y a une fille, elle s'appelle Stéphane, elle est spécialiste du virus, elle veut examiner la Minuscule.

En fait, je ne suis pas si à l'aise avec l'idée qu'elle ausculte Alicia comme un cobaye pour la science. Je mets son petit visage sérieux juste en face du mien, nez contre nez.

– Alicia, une dame docteur aux cheveux gris va te poser des questions, tu ne t'inquiètes pas. On va voir si je peux traduire tes réponses…

Alicia se blottit davantage contre moi, je n'ai aucune chance de la détacher de mes bras, et Maïa sourit enfin :

– Eh bien, elle va s'amuser avec notre Alicia, cette doctoresse ! Crois-moi !

Je m'apprête à sortir prévenir le Chef, quand il fait irruption dans l'infirmerie :

– Jules ! T'étais où ? On s'inquiétait !

– Je vous raconterai, j'étais avec des Experts de WOT et j'ai ramené Koridwen. Au rez-de-chaussée, il y a une fille, Stéphane, elle est spécialiste du virus, elle voudrait voir Alicia.

– Spécialiste du virus ? Que veux-tu dire ?

Une légère tension de sa voix me signale que je marche sur des œufs. Ce n'est pas un sujet à prendre à la légère. C'est vrai qu'eux ne savent encore RIEN. Rien. Ni sur le vaccin antiméningite, ni sur Khronos, ni sur le traceur… Le regard de Maïa est si intense qu'il me brûle.

– Elle t'expliquera, elle sait pourquoi on a survécu. On nous a fait à tous un même vaccin l'année de nos onze ans.

Ils blêmissent tous les deux. Sous le choc.

– La Spécialiste, elle doit voir Alicia. Peut-être comprendra-t-elle pourquoi c'est la seule enfant qui n'est pas…

– OK, je vois. Va la chercher.

C'est un ordre, le Chef ne prend pas la peine de dire « s'il te plaît ». Faut-il lui répondre : « OK Chef, oui Chef » ? J'enfile des habits propres et je descends chercher Stéphane et Yannis.

Jérôme se présente aux deux nouveaux venus en mode : « C'est moi le responsable ici, en cas de problème, s'adresser à moi », c'en est presque caricatural. Yannis peut aller se reposer avec Happy dans l'appartement commun, il y trouvera de quoi se faire un café chaud et manger, et il rencontrera sans doute Katia et Séverine.

J'accompagne Stéphane et Jérôme jusqu'à la chambre où la Minuscule est restée sagement sur les genoux de Maïa. Dès qu'elle m'aperçoit, elle me scrute de ses grands yeux inquiets et tend les mains vers moi. Maïa attend que je sois assis près d'elle pour se lever. Fébrile, ma petite grimpe sur mes genoux et fourre sa frimousse contre mon cou, tournant ostensiblement le dos à la Spécialiste, à qui elle ne daigne pas jeter le moindre coup d'œil. Quant à Maïa, elle est de plus en plus distante, son visage est figé, ses yeux brillants de colère, ses lèvres crispées d'amertume.

– Tu es « spécialiste du virus », m'a dit Jules ? demande-t-elle presque agressivement.

– Mon père est virologue et épidémiologiste. Spécialiste des épidémies, quoi.

– J'avais compris. Ma mère était pharmacienne.

Est-ce que l'Apothicaire est vexée, comme toujours dès qu'il s'agit de questions liées aux médicaments ? Nous restons quelques secondes plantés là, tous les quatre, sans rien dire. Jérôme se tourne alors vers l'Apothicaire :

– Tu nous laisses ?

Pourquoi lui impose-t-il de partir ? Elle s'occupe d'Alicia autant que moi. C'est quoi ce délire ? Il cloisonne de plus en plus les informations, le Chef. Stéphane lui rabat aussitôt le caquet :

– Il vaut mieux qu'elle reste. J'ai besoin qu'Alicia soit en confiance, et ça n'a pas l'air gagné !

Je croise le regard de Maïa : rien. Le vide. Elle ne semble même pas me voir. Où est passée notre complicité ? Jérôme s'incline :

– Alors c'est moi qui vais vous laisser. Je vous attends dans le couloir. J'ai des questions à vous poser.

Stéphane est hypnotisée par la Minuscule, qui ne lui dévoile que ses cheveux.

– Tu peux tourner la tête, ma chérie, la doctoresse est gentille, elle peut nous aider, tu sais… je murmure à son oreille.

Elle se tourne doucement, un œil vers Stéphane, puis l'autre. Si je ne sentais pas son corps aussi tendu, je pourrais penser qu'elle joue. Mais le regard acéré de la Spécialiste la perturbe. Elle se crispe :

– Diego, gémit-elle d'une voix chevrotante, retenant ses sanglots.

– Ne t'inquiète pas, ma Minuscule. Elle ne te fera aucun mal. Et puis, je suis là, tu ne crains rien.

Stéphane me questionne avec le ton d'un pédiatre en consultation :

– Tu l'as trouvée chez son grand-père, c'est ça ?

– Oui. Il était médecin. Le docteur Dionée. Elle a survécu trois semaines toute seule dans son appartement.

– Et c'était quand, exactement ?

– Le 18 novembre.

Malgré le geste protecteur et agacé de Maïa, elle se penche vers Alicia, recroquevillée contre moi, sa petite main dans la mienne :

– Alicia, je m'appelle Stéphane. Et je dois savoir ce qui t'est arrivé.

Bien évidemment, silence de la Minuscule qui balance ses jambes avec nervosité.

– Tu me comprends ? Est-ce que tu te souviens d'un vaccin ?

Silence.

– Une piqûre, Alicia ? Quelqu'un t'a-t-il fait une piqûre ? Ton grand-père ? Quand les gens ont... commencé à mourir ?

Et soudain, le timbre si confondant de ma petite :

– Princesse... La Princesse des neiges.

Je croise le regard toujours aussi peu amène de Maïa, souris et caresse les joues de la Minuscule, avant d'expliquer à Stéphane :

– Elle vient de te donner ton nom. Elle vit dans le monde de Dora l'exploratrice depuis que je l'ai trouvée. Tu ne l'auscultes pas ?

La Spécialiste se redresse sans manifester la moindre impatience envers Alicia, ce que j'apprécie vraiment. Elle accepte simplement la situation. La grande classe.

– Non, inutile.

Elle s'apprête à s'en aller, je m'écrie :

– On va chez le pédiatre, tu te souviens ? Tu es toujours d'accord ?

– On y va quand tu veux. Tout de suite. Je suis prête.

– Le temps de l'expliquer à Alicia, j'arrive…

À ces mots, ma petite s'agrippe encore plus à mes épaules. Lorsque la Spécialiste se tourne vers moi dans l'encadrement de la porte, son visage exprime une sorte de lassitude. Je croise son regard profond, ambivalent, changeant, où se mêlent fatalisme, désespoir, bienveillance, acharnement et colère. L'Apothicaire abandonne enfin son silence hostile :

– Que comptes-tu faire d'Alicia ?

– Tu pourrais t'occuper d'elle, s'il te plaît ?

– Tu ferais mieux de la confier à Koridwen. La petite aura moins de mal à te quitter si elle est avec son Totor.

J'acquiesce, Maïa n'a pas tort. En entendant le nom du taureau bleu, Alicia desserre légèrement son étreinte, j'en profite pour caresser ses cheveux :

– Tu vas prendre soin de Max, il a besoin de toi, et je reviens vite.

Elle remue lentement la tête et se détache enfin de moi. Sacrée petite fille… J'imagine le courage que ça lui demande de me laisser repartir. Ma petite fille jolie. Ma courageuse.

L'Apothicaire continue à me fixer sans ciller. Je plonge mes yeux dans les siens et me cogne à un mur, aussi épais que le béton de la fosse à Gentilly.

– Maïa, je balbutie, qu'est-ce qui se passe ?

– C'est quoi, cette histoire d'aller chez le pédiatre ? m'interroge-t-elle d'un ton pincé.

– Je peux peut-être y découvrir pourquoi Alicia a survécu.

Les bras croisés sur la poitrine, les lèvres serrées, elle ne moufte pas.

– Tu veux venir avec nous ? Je t'expliquerai mieux en chemin.

Elle hoche la tête positivement, se détend un peu :

– Faudra être très vigilants, avec le renforcement de la loi martiale, on n'a même pas le droit de circuler dans les rues sans être tracés.

En entendant ces derniers mots, je frémis, il va falloir que je lui raconte. TOUT. Nous nous dirigeons vers la sortie. Et comme en écho de mes pensées, la voix fébrile de Jérôme résonne sur le palier :

– Tu devais nous parler d'un vaccin…

Sa tension est palpable. Lui qui est si maître de lui, il est impatient. Il sait que les informations que détient la Spécialiste sont capitales.

16 DÉCEMBRE, MILIEU DE MATINÉE

J'attends d'être dans la cage d'escalier pour donner son pistolet semi-automatique à Stéphane.

– C'est pour toi, Vincent préfère te le rendre… Au cas où nous ferions de mauvaises rencontres.

Quand il a su que nous partions chez le pédiatre, Vincent m'a entraîné dans sa réserve et m'a alerté :

– Soyez prudents, Plaqueur, la tension monte dans les rues. Les militaires sont à fleur de peau. Depuis le renforcement de la loi martiale, les sections spéciales sont sans pitié.

Il m'a pris par les épaules, m'a proposé un pistolet automatique et m'a tendu le flingue de la Spécialiste. J'ai déjà Poignard, ça me suffit. À ma grande surprise, Maïa, elle, a accepté un pistolet.

Je sens une légère hésitation quand Stéphane met son arme dans sa poche, comme si elle avait peur de ce qu'elle était capable de faire. Si tout se déroule sans accroc, nous n'en avons pas pour longtemps à atteindre le Luxembourg. Afin d'éviter l'agitation des Olympiades, j'allume ma torche et j'emprunte les rues souterraines sous la dalle. Un Chinois filtre les trafics au niveau de la sortie rue du

Javelot ; je le reconnais, c'est lui qui était de faction le jour de notre installation. Il a la consigne de nous laisser aller et venir à notre guise. D'un signe de son fusil, il nous autorise à sortir. Nous débouchons dans la petite rue perpendiculaire à la rue de Tolbiac. Nous n'avons plus le droit de circuler de jour dans la capitale et nous sommes conscients que nous pouvons nous faire tirer dessus à vue. Mais je ne maîtrise pas assez bien le réseau des égouts et des couloirs du métro pour m'y aventurer sans Koridwen. Je risquerais de nous égarer dans les sous-sols parisiens. Nous sommes donc extrêmement vigilants. Sur le qui-vive, les filles me suivent sans un mot. J'ai déjà réfléchi à notre itinéraire : je vais éviter les grandes artères et privilégier les ruelles où nous risquons moins de nous faire repérer par les blindés en patrouille. Stéphane et Maïa ne s'adressent pas la parole. La Spécialiste brise finalement le silence :

– Tes potes, Vincent et Jérôme, ils sont Experts de WOT eux aussi ?

– Non, mais ils étaient joueurs.

– Tu leur as dit que les Experts de WOT avaient rendez-vous le 24 décembre ?

– Oui. Ils veulent y aller. Ils pensent que nous pourrons y recruter d'autres survivants motivés par une vie commune, hors des R-Points.

– Ça se tient, ça, répond Stéphane d'un ton respectueux. Mais il ne faut pas que vous y alliez. Ce rendez-vous sous l'Horloge, c'est un piège maintenant... Les militaires antiterroristes, ceux qui ont enquêté sur Khronos, ils seront là-bas. Et ils vous attendront.

– Tu n'iras pas ?

– Non. Ce serait trop long à t'expliquer mais c'est à cause de moi qu'ils se sont intéressés à Khronos, et qu'ils considèrent le rendez-vous du 24 comme subversif. À présent, quoi qu'il arrive, ils iront à la tour de l'Horloge.

– L'armée sera sans pitié, c'est ça ?

La Spécialiste confirme mes craintes :

– Sans pitié. C'est la loi martiale.

Elle n'en dit pas plus, ses mots claquent, définitifs, sans appel.

– Peut-être faudrait-il renoncer à ce rendez-vous, Jules ? murmure Maïa qui n'a pas perdu une miette de notre conversation.

Je ne lui réponds pas. Khronos constitue le seul point sur lequel nous sommes en désaccord, et elle ne sait même pas encore que Khronos est une Intelligence Artificielle et que je n'y crois plus. Quelle ironie ! Je lui souris tristement, elle me lance un long regard, tourmenté. Ce soir, je vais tout lui dire. Avec elle, j'aurai moins honte. Quand nous arrivons au pied de mon immeuble, sans avoir croisé de patrouille militaire, mon cœur bat la chamade. Revenir là me plonge quelques secondes dans l'état de sidération dans lequel j'ai vécu plusieurs semaines. Une sensation de malaise afflue d'un seul coup dans mon cerveau. Je dois m'appuyer au mur. Maïa retient un geste vers moi, je crois qu'elle a failli poser sa main sur mon épaule. Cette panique venue du passé ne doit pas me dominer. Courage, Jules. Je leur ouvre la porte et leur fais une petite révérence :

– Je vous préviens, les filles, ça pourrait bien grouiller de rats.

Mais, dans les escaliers, il n'y a aucun rongeur et ça sent le désinfectant chimique.

– Merde, une section de Nettoyeurs a dû passer ici.

L'action des équipes chargées de la purification de Paris évite d'en venir à la désinfection par les flammes ou les explosifs *in situ*. Ils ont nettoyé mon immeuble.

Je crains qu'ils n'aient évacué le corps du pédiatre. Et peut-être purifié tout son appartement. Et s'ils ont fait disparaître les seringues, nous n'avons plus de preuves.

Je monte rapidement les deux étages, pousse la porte avec anxiété, traverse la salle d'attente et pénètre dans le cabinet. C'est là que j'ai rencontré ma Minuscule. Quand je pense à l'état dans lequel je l'ai trouvée… Je fais quelques pas dans la pièce.

– Ils ont emporté le corps du docteur Dionée.

Pourvu qu'ils n'aient pas tout enlevé… Je me penche vers le sol, encore jonché de seringues. La Spécialiste en ramasse déjà une première, vide, lit l'étiquette, la repose. Maïa demeure près de moi. Je la sens tendue. Stéphane saisit une deuxième seringue, elle n'a pas été utilisée. Elle la met sur le frigo. Elle en prend une troisième, vide. Elle lit l'étiquette. Et, l'espace d'un instant, son visage se teinte d'une sincère admiration. Une décharge d'adrénaline me transperce. Elle nous la montre :

– Voilà l'explication : celle-là, c'est une injection de MeninB-Par. Le grand-père d'Alicia avait deviné. C'était un brillant médecin.

Ainsi ma petite a été vaccinée contre la méningite ! Elle est comme moi, comme nous ! Maïa s'interpose soudain entre Stéphane et moi, les bras croisés sur la poitrine, les sourcils froncés :

– Dans ce cas, pourquoi n'a-t-il pas averti les autorités ?

– En fait, le docteur Dionée n'avait pas trouvé la solution, il l'avait seulement entrevue, nous précise-t-elle. Il a essayé sur sa petite-fille tous les vaccins administrés ces dernières années au cours de l'adolescence, sans savoir lequel était le bon…

Le grand-père d'Alicia n'était pas certain que le MeninB-Par était celui qui sauvait des vies, il a juste suivi une intuition. La Spécialiste ouvre le frigidaire, rempli de vaccins pour adolescents, enfants, nourrissons. Après les avoir tous passés en revue, elle se tourne vers nous :

– Sans doute est-il allé les chercher dans une pharmacie du réseau d'urgence. Ils ont toujours quelques doses de chaque vaccin au cas où.

La Spécialiste m'avait dit que le MeninB-Par était encore prescrit en cas de méningite avérée.

– Regardez, la plupart des ampoules vides sont en double, poursuit-elle… Il s'est également auto-administré des doses… Mais il n'avait qu'une ampoule du MeninB. Et, dans l'incertitude, il a choisi de l'injecter à l'enfant plutôt qu'à lui-même.

Maïa me chuchote à l'oreille :

– Il s'est sacrifié…

Son émotion n'échappe pas à Stéphane, qui réplique avec sécheresse :

– S'il avait sauvé sa propre vie, il aurait pu en épargner des milliers d'autres.

– Et Alicia serait morte !

J'ai presque crié cette phrase en plongeant mes yeux dans les siens. Et je ne cille pas devant son regard dur, c'est même elle, la Spécialiste, qui finit par se détourner. J'ai eu le temps de saisir quelque chose de très triste dans ses prunelles brillantes, presque du désespoir. Comme si le choix qu'avait fait le pédiatre la concernait personnellement. Mais déjà elle se reprend, et son visage ne laisse plus rien paraître qu'une détermination froide.

– Je… Je vais vous laisser maintenant, Jules. Je ne rentre pas avec vous à la communauté, m'annonce-t-elle, soudain solennelle.

– Maintenant ?

– Oui. Je dois partir.

Sa décision me stupéfie.

– Mais… Et Yannis ?…

– Tu le préviens, s'il te plaît. Si je trouve mon père, je lui expliquerai que Yannis n'était pas un terroriste et qu'il n'y a aucun complot en lien avec Khronos. Tu le lui diras ?

Je hoche la tête, bouche bée. Elle pose ses mains sur mes épaules, cherche à cacher sa détresse. La première fois qu'elle m'a touché, c'était pour me tordre le bras dans le dos à me faire hurler de douleur. Puis elle m'a opéré, elle est tellement balèze, je n'avais jamais rencontré une fille comme ça avant. Ma cicatrice au poignet me lance d'ailleurs de nouveau. Elle m'étreint de plus en plus fort, comme si elle voulait me transmettre son énergie, son indocilité. Alors je la fixe à mon tour et j'essaye de partager avec elle ma patience et mon amitié. Je voudrais lui faire comprendre en silence à quel point je souhaite qu'elle s'en sorte.

Elle me fait soudain penser aux héros aux destins tragiques. Ceux qui sont enfermés dans leur mission et ne peuvent pas vivre leur vie normalement. Comme si elle était une *X-Men* et qu'elle n'avait pas choisi son sort. Son père est l'un des toubibs qui travaillent avec l'état-major de l'armée. Et l'armée la traque. Elle porte en elle un secret classé défense. Une information au plus haut niveau de l'armée. Je lis dans ses yeux gris cendre qu'elle connaît déjà la fin de l'histoire et qu'elle est plutôt triste.

– Merci, je lui murmure. Merci pour tout.

Elle me sourit, salue Maïa d'un regard sans agressivité, et nous plante là, tous les deux.

– Qu'est-ce qu'elle fuit ? chuchote Maïa, estomaquée.

Moi je n'interprète pas son départ comme une fuite, plutôt comme un réflexe de survie…

16 DÉCEMBRE, FIN DE MATINÉE

Je dois pouvoir trouver des antalgiques dans le cabinet du docteur Dionée. Il faudrait aussi que je retire mon pansement pour vérifier l'état de ma cicatrice. Il doit bien y avoir des compresses stériles et des bandages quelque part. Je fouille fébrilement dans l'armoire à médicaments.

– Jules, qu'est-ce que tu cherches ? me questionne Maïa avec anxiété.

– Des antidouleurs.

– Qu'est-ce qui t'arrive ? Tu es très pâle.

Je hausse les épaules :

– Toujours cet avant-bras…

– Attends, je vais te soigner…

Elle trouve les pansements, compresses, désinfectant dans des caisses sous le lit-brancard. Et je dégotte du doliprane au caramel. Le sirop fera l'affaire, vu mon état, il y a urgence. J'avale la moitié du flacon, j'imagine que c'est la dose. Ce goût acidulé me rappelle instantanément mon enfance. Super, l'efferalgan pédiatrique comme madeleine de Proust. Je sens la main de Maïa sur mon poignet gauche :

– Montre-moi.

Je recule instinctivement :

– Non, ne me touche pas, faut que je te dise…

Mais ma gorge se noue, et son visage, à elle, révèle son désarroi :

– Jules, qu'est-ce qu'il y a ? Tu me caches quelque chose… C'est cette fille, elle… ? Tu… ?

Il y a tant de confusion dans ses yeux que je chancelle. Tout l'épuisement que je contenais me tombe dessus. Elle m'entraîne vers le fauteuil du médecin :

– Assieds-toi.

Sa voix tremble, tandis qu'elle m'aide à enlever mon blouson, relève ma manche et découvre le pansement suintant de sang et de bétadine. Je ne dis rien, bien incapable de trouver les bons mots. Elle retire les compresses, nettoie doucement, découvre la plaie :

– Mon Dieu, c'est une des blessures que Logan t'a faites ! Je l'avais mal soignée, elle s'est infectée ? C'est ça… ?

Et de nouveau, sa voix vacille, et je frémis :

– Maïa… La Spécialiste a dû m'opérer. J'avais une puce électronique sous la peau. Un traceur de l'armée. Elle me l'a enlevé.

Elle écarquille les yeux, se penche en avant comme si elle avait reçu un coup, balbutie :

– Je suis tellement désolée, Jules, je n'ai rien remarqué. J'ai cru que…

Elle se sent coupable. Elle qui veut toujours si bien faire. Mais je ne lui en veux pas du tout. C'est à moi que j'en veux. J'attrape sa main :

– Maintenant, nous savons pourquoi l'armée a envahi notre immeuble boulevard Saint-Michel…

– C'est… c'est Logan qui te l'a… implanté ?

Je hoche la tête et retiens mes larmes. Depuis que je sais que Khronos n'existe pas, je ne veux plus pleurer. Je serre les doigts de Maïa plus fort et je me lance :

– Et ce n'est pas tout, Maïa. Il y a autre chose…

Elle se fige, comme si elle s'attendait au pire.

– Khronos… Khronos n'existe pas. Il n'y a pas de retour en arrière possible.

Ma voix s'étrangle, mais je ne pleure toujours pas. Elle me scrute avec inquiétude, sans songer une seule seconde à se moquer de moi.

– Et comment tu l'as su ?

– Je l'ai découvert en même temps que Koridwen, Stéphane et Yannis. La Spécialiste est recherchée par les militaires pour meurtre.

Elle tressaille.

– Je ne crois pas qu'elle soit coupable. L'armée se trompe, toute son histoire est compliquée.

Et je lui déballe tout : l'enquête des flics qui sont remontés jusqu'à WOT, l'Intelligence Artificielle, le rendez-vous du 24 décembre sous haute surveillance militaire…

– Ce rendez-vous, tu ne dois pas y aller. Maintenant que tu sais…

Elle ne finit pas sa phrase, gênée. Je me projette soudain à la place des autres Experts, ceux qui se rendront, crédules, sous la tour de l'Horloge, sans se douter que l'armée est avertie. J'imagine leur terreur. Face aux militaires, ils n'auront aucune chance. Ce rendez-vous se transformera en immense traquenard. En massacre assuré. Je la dévisage, je ne me lasse pas de la dévisager :

– Je... je ne vois pas comment laisser ceux qui iront sur place se faire assassiner...

Plus j'y pense, plus je suis sûr que je dois aller à ce rendez-vous de Khronos sans Khronos.

– ... alors que je peux agir.

Agir pour sauver les Experts. Je ne peux pas les abandonner à leur sort. Je ne peux pas les laisser derrière moi, je ne pourrai pas vivre avec leur mort sur la conscience.

– Mais... comment ?

– Je vais en parler avec Jérôme et Vincent. Je vais tout leur dire. Ça va être dur, mais je vais le faire. Je pense qu'ils voudront aller au rendez-vous eux aussi. Pour les mêmes raisons qu'avant, pour rallier des Experts aux forces libres... Et pour les sauver.

Elle baisse la tête, je ne sais pas si elle est d'accord.

– Et Alicia ?...

– Alicia restera avec toi. Tout se passera bien.

Je suis envahi d'une folle envie de la rassurer, de la prendre dans mes bras. La douleur s'estompe, le paracétamol agit. Je me force à lui sourire :

– J'ai maintenant des blessures de guerre à exhiber, des vraies !

Et je fais étalage de toutes mes cicatrices aux formes diverses, en mode super-héros.

– En fait, je suis un mutant, un *X-Men* !

Je gonfle mes muscles de façon caricaturale.

– Wolverine, c'est moi !

Je n'arrive pas à la détendre, je refoule la réplique que je m'apprêtais à prononcer : «Et tu es Superwoman!»... Je reprends mon sérieux, d'autant que j'ai quelque chose d'important à faire.

Une chose que j'aurais faite depuis longtemps si je n'avais pas cru à Khronos...

16 DÉCEMBRE, DÉBUT D'APRÈS-MIDI

Je monte jusqu'au cinquième étage d'un pas mal assuré. C'est la première fois que j'y retourne.

Je vais récupérer des photos de mes parents, de mon frère, de mes grands-parents. Je veux conserver des traces d'eux. Avant de partir de Paris. Pour ne pas oublier. Jamais. Je les ai perdus, mais je ne veux pas les oublier.

Je veux aussi retrouver ma montre. Elle me sera utile. Et cet objet me rappellera ce à quoi j'ai cru, ma connerie, ma naïveté. Dans ma chambre, je tombe en arrêt devant mon ordinateur. Combien d'heures ai-je passées face à cet écran ? Mes grands-parents trouvaient que je jouais trop souvent, ma mère, qui n'arrêtait pas de me dire la même chose, leur répondait que c'était normal, que tous les jeunes de ma génération étaient accros aux écrans. J'ai un petit rire en me rappelant la proposition de mon grand-père : « Je lui ai appris à faire du vélo, au gamin, tu crois quoi, que je vais avoir peur d'un ordinateur ? Je vais te le désintoxiquer, Julot, qu'il passe deux semaines avec nous à la campagne, et tu vas voir. » Mon cœur se serre. Je ne dois pas m'engouffrer dans mes souvenirs, c'est un puits sans fond. Je m'allonge sur le sol, le long

de mon lit : pas de montre. Je soulève ma table de nuit :
elle est là, coincée entre deux lames de plancher. Il est
14h05. Je feuillette fiévreusement les albums de famille.
À voir leurs visages d'Avant, mes mains tremblent.
Je fouille dans la commode de l'entrée et m'empare des
cartes d'identité de mes parents, Éva et Antoine Péret,
de mon frère et de moi. Qui je suis. D'où je viens. Maïa
me chuchote :

– Je garde toujours sur moi une photo de maman et
moi.

Et elle sort de la poche intérieure de son blouson un
cliché protégé sous du plastique : elles sont rayonnantes,
toutes les deux, la mère et la fille, au bord de la mer.

– C'était à Arcachon, me précise Maïa.

Et elle sourit au souvenir de ce moment heureux
d'Avant. Elle sourit vaillamment. Il est trop triste, ce
sourire. Il me donne soudain l'envie de tout fracasser,
je suffoque.

– Jules, ça va ?

Une douleur atroce me plie en deux comme si une
grande main m'arrachait le ventre. Qu'est-ce qui m'arrive ?
J'ai du mal à respirer. Je cours vers la fenêtre, l'ouvre, il
fait aussi froid dehors que dedans. J'inspire une bouffée d'air frais, un souvenir me cloue de nouveau au sol :
celui de l'odeur de putréfaction, les premiers jours, qui
montait jusqu'à moi. Je referme la vitre, le cœur au bord
des lèvres. La nausée empire. Je fonce aux toilettes, je
vomis. Je ne sais plus ce que je fais. Des secousses agitent
tout mon corps. Et soudain, la main de Maïa qui prend
la mienne et me tire :

– On s'en va. On sort de là. C'est trop pour toi.

Je me laisse faire comme un automate. Je la laisse me guider, je n'écoute pas la voix ricanante qui me conseille de la repousser, de tout casser, de hurler, de sauter par la fenêtre. Cette voix, je fais comme si je ne l'entendais pas.

On redescend chez le grand-père d'Alicia. Maïa cherche dans les tiroirs du cabinet, fébrilement. Elle jette des paquets de médicaments par terre. Et elle finit par trouver une boîte d'où elle extirpe deux pilules.

– Avale ça ! m'ordonne-t-elle.

Elle a recouvré son aplomb d'Apothicaire. J'ingurgite les comprimés sans eau.

– Et maintenant, on attend que ça agisse.

Des soubresauts continuent d'agiter mes mains et mes jambes. Mais ma rage s'apaise.

– C'est un calmant, m'informe Maïa simplement.

Je m'en serais douté. La chimie opère. La crise passe. Je suis dans un état cotonneux, anesthésié, et ça me fait plutôt du bien, même si je me sens diminué.

– Je veux faire pareil pour Alicia, je marmonne d'une voix pâteuse, la langue sèche.

– Faire quoi ?

– Lui trouver des photos de sa famille.

Elle approuve. Et nous allons ensemble dans l'appartement du grand-père: des clichés de la Minuscule, souriante, à différents âges, avec ses parents, ses grands-parents, sont accrochés aux murs. J'en détache trois-quatre. Je veux pouvoir lui expliquer, lui raconter un jour d'où elle vient. Que faisaient ses parents ? Je fouine partout et découvre le tiroir où sont rangés les documents officiels, les cartes d'identité, les passeports… Je les mets tous dans ma poche avec les miens. Je tombe sur une feuille plus grande, je lis *Diplôme d'État de docteur en médecine*. Il y en a deux : celui du grand-père et celui de la mère d'Alicia. Elle était médecin, comme son père, et il a gardé ce diplôme, sans doute par fierté. Le père d'Alicia, je ne sais toujours pas.

– Jules, il faudrait qu'on y aille, m'interpelle Maïa. Il est bientôt 15 heures. Ce serait mieux si tu racontais tout à la communauté avant ce soir. Vincent part en mission à 18 heures.

Oui, elle a raison, il est temps de quitter cet endroit.

Retrouvons l'air de la rue.

Je vais révéler à Jérôme, Vincent, Séverine et Katia que j'ai été tracé, que Khronos est une Intelligence Artificielle, que l'armée interviendra le 24 décembre. Ne plus leur cacher tout ça va m'alléger. Maïa marche à mes côtés, combative, attentive aux moindres mouvements suspects, prête à nous mettre à l'abri. Je me sens étrangement détaché de ce qui m'entoure. Rien ne m'effraye. Maïa accélère le pas, je me cale sur son rythme. Je ne sais pas trop comment Jérôme va réagir.

Mais ce que je sais, c'est que je ne suis pas seul.

16 DÉCEMBRE, FIN D'APRÈS-MIDI

Depuis que nous sommes revenus dans l'appartement, Yannis ne cesse de m'observer de son regard
grave. Assis près de Koridwen et Max sur le canapé, il
ne prononce pas un mot et jette de temps à autre des
regards vers la porte d'entrée. Ayant commencé par
relater aux autres les moindres détails de notre mission
chez le pédiatre, j'ai réussi à esquiver jusqu'à présent
la confrontation avec lui. À la fin de mon monologue
qu'elle a attentivement écouté, Alicia part dans la cuisine
avec Séverine. J'ai remarqué que l'amoureuse de Jérôme
s'occupe de plus en plus souvent de ma petite. Elle me
semble très gaie depuis que nous sommes installés aux
Olympiades. Yannis s'approche soudain de moi :

– Où est Stéphane ? me demande-t-il abruptement.

J'aurais voulu éviter d'avoir à lui annoncer ce départ.
Mais j'ai promis à la Spécialiste que je transmettrai son
message. Je le mène donc à l'écart des autres dans un coin
du salon moderne et lui murmure :

– Yannis... Stéphane est partie.

– Comment ça, partie ? souffle-t-il sans dissimuler son
anxiété.

– Partie. Elle a dit qu'elle ne se rendrait pas au rendez-vous du 24 décembre…

– Mais qu'est-ce que… ? Pourquoi elle… ?

Merde, sa tristesse me va droit au cœur. Il blêmit. Sa réaction est si vive, je me mets à sa place. Si Maïa partait sans me prévenir, je serais aussi bouleversé que lui. Est-il réellement amoureux de Stéphane ? Et si c'est le cas, en a-t-il seulement conscience ?

– Elle a aussi ajouté un truc bizarre…

Je réfléchis, je ne veux pas faire d'erreur. J'aimerais réussir à lui répéter au mot près les paroles de son amie. Il attend, fébrile, sans me quitter des yeux.

– Elle m'a dit qu'elle expliquerait à son père que tu n'étais pas un terroriste. Et qu'elle lui affirmerait qu'il n'y avait aucun complot autour de Khronos.

Il ne répond rien. Son silence désespéré me déstabilise, il tente de me sourire, sans y parvenir. Il retourne s'asseoir près de Kori et caresse son chien. Il préfère ne pas me faire partager son chagrin, et je ne le comprends que trop bien. Je me réfugie dans la cuisine, où Séverine prépare le dîner avec la Minuscule. Elle m'apprend que Yannis et Koridwen restent parmi nous et qu'ils passeront la nuit dans la communauté. Vincent leur a cédé sa chambre à deux lits. Il dormira avec Katia, ce qui n'est pas pour lui déplaire ! Un feulement de Lego, suivi d'un grognement de Happy, me fait penser que leur cohabitation promet d'être animée. Yannis surgit à son tour pour maintenir les deux animaux à distance.

– Moi qui pensais qu'ils s'entendaient plutôt bien ! déclare-t-il en maintenant Happy par l'encolure.

– Lego n'est pas un chaton très sociable. Tu veux que je te fasse visiter ta chambre ?

Il acquiesce, et nous parcourons le couloir, suivi du duo explosif formé par Happy et Lego. Une fois dans la chambre, il me lance d'une voix sourde :

– Elle m'avait promis de me prévenir si elle partait. Elle m'a trahi !

– Je comprends, Yannis, je serais comme toi si…

Je m'arrête. Je n'ai jamais confié à personne que j'étais amoureux de Maïa. J'ai déjà mis tellement de temps à me l'avouer à moi-même. Son regard honnête m'inspire décidément confiance. Je bredouille, en sentant le rouge me monter aux joues :

– Je… Je suis amoureux… Si celle que j'aime me faisait ça, je serais fou de rage et de désespoir.

– Mais moi je ne suis pas amoureux de Stéphane, je ne crois pas.

Il reste pensif quelques instants, puis me sourit soudain joyeusement :

– Et qui est l'heureuse élue ? On peut savoir ?

– C'est Maïa, je bafouille, en rougissant tellement que mon visage me brûle.

– Ça ne m'étonne pas ! s'exclame-t-il dans un rire où il n'y a plus trace de tristesse.

– Personne ne le sait à la communauté, surtout pas elle. Alors pas un mot, hein ?

– Tu peux me faire confiance. Je ne répéterai rien à personne.

17 DÉCEMBRE, DÉBUT DE MATINÉE

Vincent me lance un clin d'œil complice quand j'entre dans le salon. Les révélations d'hier soir se sont bien passées. Personne ne m'en veut pour la puce d'identification. D'ailleurs le Soldat est quasi sûr que le traceur n'est pas la cause de l'offensive boulevard Saint-Michel. Logan avait sûrement informé les militaires de l'emplacement de notre communauté dès son arrivée au R-Point. C'est sans doute grâce à cette délation qu'il a obtenu son gilet de responsable. Et l'armée nous a attaqués dix jours plus tard, à un moment où elle commençait à intensifier les opérations d'anéantissement des gangs possédant des armes. Vincent m'a affirmé que d'autres clans avaient subi de telles invasions autour du 10 décembre. Ce n'est pas Cédric non plus qui nous a dénoncés. Isa l'a revu, il est cuistot à la Salpêtrière. Il est apaisé et prend toujours de nos nouvelles.

Selon lui, les gars du R-Point qu'on avait interrogés se trompaient, la puce fonctionnerait par onde courte: il a remarqué que les chefs de brigade étaient équipés de récepteurs, sans doute destinés à repérer la présence de survivants lors de leurs patrouilles hors des R-Points.

D'une certaine façon, cette puce m'a donc sauvé la mise quand j'ai croisé la patrouille à Gentilly. Ils ont pensé que j'étais tracé, et donc relié à un R-Point!… Quel pied de nez à Logan, lui qui croyait qu'en me connectant à l'armée, il provoquerait ma perte, s'il savait au contraire le service qu'il m'a rendu!

Et lorsque je leur ai annoncé que Khronos était une Intelligence Artificielle, les autres se sont contentés de hocher la tête sans se moquer de moi. La présence de l'armée au rendez-vous du 24 décembre et la disparition imprévue de Stéphane les a davantage inquiétés. Pour ne pas éveiller plus encore leur méfiance, je n'ai pas révélé ce que je sais du rôle du père de la Spécialiste, médecin dans l'armée. Personne n'a besoin non plus de savoir que j'ai ramené dans la communauté deux terroristes recherchés pour meurtre. D'autant que je ne veux surtout pas fragiliser la situation de Yannis s'il a besoin de s'installer pour de bon avec nous. Même si nous n'avons pas eu le temps d'en discuter vraiment, je reste persuadé qu'ils ne sont pas des meurtriers, ni l'un ni l'autre. J'ai donc prétexté que la Spécialiste devait retrouver un ami menacé, et que l'armée était remontée jusqu'au message de Khronos dans le cadre d'une enquête sur les forums Internet utilisés par les survivants. Mes arguments ont laissé Jérôme dubitatif; par chance, il est trop préoccupé par le durcissement militaire pour approfondir la question. À mon grand soulagement, nous ne nous sommes pas attardés sur le rendez-vous du 24 décembre et nous avons ensuite abordé la question du recrutement des jeunes dans les rangs de l'armée, qui les forme au filage policier. Il devient impératif de renforcer la communauté en ralliant de nouveaux membres, dont les Experts de WOT.

Conclusion : rien de changé, nous irons bien à la tour de l'Horloge. Affaire classée.

Max va mieux : il prend son petit déjeuner avec Kori à l'autre bout de la table. Jérôme lève à peine les yeux de sa tasse de café, le Soldat m'interpelle joyeusement :

– Hello Plaqueur, ça va ? Tu te remets de l'intervention chirurgicale ?

– Ça va mieux. En deux jours, la cicatrisation progresse bien. Et Maïa m'a bien désinfecté hier.

Je grimace un sourire, il me désigne la chaise près de lui, Lego y ronronne paisiblement :

– Viens boire un café avec ton chat.

Je me sers une grande tasse, attrape Lego sous le ventre, le repose sur mes genoux et lui caresse la tête.

– Elle est où, Katia ?

– Elle est de garde.

– Et Séverine ?

– Elle est patraque, elle est restée au lit, me répond Jérôme.

Le café chaud me fait du bien.

– Ne t'en veux pas trop, Jules, me dit Vincent, c'est moi qui aurais dû être tracé. Cette putain de puce, c'est à moi que ce salopard aurait dû l'implanter.

On est trois à se sentir coupables dans cette histoire : Maïa de ne pas avoir su repérer la puce sous ma peau, Vincent de n'avoir pas su empêcher la séance de torture qui lui était destinée, moi de ne pas avoir fait le lien entre cette cicatrice en forme de V et les traçages au R-Point dont j'avais entendu parler.

– Merci, Vincent. J'espère que l'armée n'a pas eu le temps de nous localiser aux Olympiades avant que je parte à Gentilly.

– Si c'est le cas, les Chinois ont dressé des barricades et ont un véritable arsenal d'armes, t'imagines même pas.

– C'est toi qui les leur as fournies ?

– En partie, oui, faut bien alimenter nos alliances !

Yannis entre à ce moment-là. La présence de Happy réveille Lego, qui fait le dos rond. Ma boule de poils furieuse saute par terre, crache, siffle. S'il veut faire peur au gros chien, c'est raté, il ne fait pas le poids ! Mais mon chaton n'a décidément aucune conscience des réalités musculaires et dimensionnelles, il faut qu'il arrête de se prendre pour un fauve devant des chiens plus costauds que lui. Je souris à Yannis, heureux qu'il soit là. J'espère qu'il digère le départ de Stéphane. Il nous fixe un bref instant de ses yeux noirs et nostalgiques et nous déclare d'un ton grave :

– Je pense qu'on doit tous aller à la tour de l'Horloge, dès aujourd'hui, pour trouver un moyen d'échapper à l'armée le 24.

Sa résolution semble aussi inébranlable que la mienne. Lui aussi veut sauver les Experts. Je me sens responsable d'eux, ils seront vulnérables. Ils sont comme moi avant. Ils ont l'espoir de retourner dans le passé, ils peuvent s'écrouler quand ils apprendront que Khronos n'est qu'une Intelligence Artificielle. Imaginer leur douleur m'est insupportable. La perspective d'une tuerie aussi.

– Mais comment s'y rendre, avec la loi martiale ? L'armée surveille certainement particulièrement ces lieux.

– Et impossible d'envisager une seconde y transporter des armes par les rues, renchérit Vincent.

– Il y a bien un moyen, déclare Koridwen.

Nous nous tournons tous en même temps vers la Sorcière bretonne, personne n'échappe à cette aura particulière qui l'entoure, à ce mélange de présence concrète et de flottement irréel, peut-être reflet de sa magie.

– On peut s'y rendre par les tunnels du métro et les égouts. Si vous voulez, je peux faire les repérages aujourd'hui.

– Je viens avec toi, propose Yannis.

– Je préfère y aller seule, lui répond-elle.

– Bien, Koridwen. Je te fais confiance. On passera tous par ton itinéraire demain, tranche Jérôme.

– Pourquoi demain ? s'interroge Yannis.

– Parce que j'ai des affaires urgentes à régler aujour-d'hui, conclut le Chef d'un ton sans réplique.

Je sens qu'il se prépare à prendre le commandement de l'Opération tour de l'Horloge. Et ça m'énerve un peu.

– Diego ! Diego ! Diego !

C'est Alicia, elle se précipite dans la cuisine, essaye de se faufiler jusqu'à moi, se retrouve coincée par Jérôme et Vincent. Elle prend appui de ses mains sur les genoux du Chef, qui l'attrape sous les épaules, la soulève de terre et la transmet à Vincent comme si elle était un ballon de rugby. Le Soldat la récupère, se redresse, la fait sauter en l'air. Et elle éclate de son rire incroyable. Je la regarde, elle est rayonnante. Et le Chef la regarde aussi, en souriant, comme aurait fait mon grand-père. Comme Al Pacino dans *Le Parrain*. Nous sommes la Famille de Jérôme. Il nous aime à sa façon. Il veut nous protéger, il se sent responsable de nous. C'est la première fois depuis longtemps que je le vois détendu. Je pense qu'il sacrifierait sa vie pour sauver ma petite. Il essaye d'être juste, même s'il frôle parfois l'intransigeance. Mais supporterait-il que l'un d'entre nous refuse sa protection ou remette en cause l'une de ses décisions ? Alicia n'arrête pas de rire, et à son rire se mêle celui de Vincent, son rire d'Avant la catastrophe, et quand à la porte, apparaît Maïa, je voudrais juste que le temps s'arrête.

18 DÉCEMBRE, À L'AUBE

Il est 6 heures du matin, Katia monte la garde au rez-de-chaussée et s'agrippe nerveusement au bras de Vincent quand il passe devant elle. Il la rassure d'un clin d'œil malicieux :

– T'inquiète pas, c'est seulement du repérage et j'ai de quoi nous défendre.

Et il lui montre le holster d'épaule en cuir noir auquel est accroché son pistolet mitrailleur Uzi. Tout est dissimulé sous son blouson. Puis, tout sourire, il se penche, soulève le bas de son jean sous lequel est caché un second holster de cheville qui retient un autre pistolet automatique. Koridwen, Yannis et Jérôme nous précèdent, Happy tourne autour d'eux en remuant la queue, tout content de partir en balade. Nous laissons Katia à son poste et rattrapons les autres qui nous attendent sur la dalle, où la pluie fine et froide nous oblige à couvrir nos têtes de nos capuches. Vincent prend la parole :

– Je vous préviens, j'ai croisé des groupes vraiment dangereux dans les tunnels du métro, des punks drogués, des hystériques bouffeurs de rats. Mais les pires, ce sont les sections d'ados encadrés par les militaires. Ils sont armés et ils patrouillent avec des chiens dressés pour tuer. OK ?

Les conseils du Soldat sont explicites, je serre Poignard dans ma main.

– Alors, au moindre bruit suspect, on se cache, on reste immobiles et on attend. J'en ai parlé hier soir avec Koridwen, elle fonctionne comme ça aussi.

Nous descendons les marches jusqu'à la rue de Tolbiac. Ils ont étudié les plans du métro sans moi hier soir. J'étais de faction en bas, je n'ai pas pu participer aux préparatifs de l'expédition et je me sens pire qu'un boulet. Apparemment, la Sorcière bretonne a repéré un lieu parfait pour rapatrier les Experts : c'est sur l'île de la Cité, dans une salle de la Conciergerie située à quelques mètres seulement de la tour de l'Horloge. Selon elle, c'est un vrai bunker. Imprenable si on s'organise bien. La Sorcière, ou plutôt la Stratège bretonne, se retourne à ce moment-là et nous ordonne de la suivre. Nous ne disons plus un mot jusqu'à la station de métro Olympiades et nous engouffrons dans les profondeurs. Vincent éclaire des traînées de sang sur le sol, résidus des violents combats qui y ont eu lieu.

– On va suivre les tunnels de la ligne quatorze jusqu'à Châtelet puis on prendra la ligne quatre jusqu'à la station Cité. Et maintenant, plus un bruit.

OK. Nous avançons tous les cinq en silence. J'entends seulement les cavalcades des rats et le bruit de nos semelles sur les rails. Nous ne gardons qu'une lampe allumée à la fois pour économiser nos piles. Et dans le faisceau de celle de Koridwen, je crois soudain voir des ombres mouvantes circuler le long des murs couverts de graffitis. Elles foncent droit sur nous.

– Qu'est-ce que c'est ?

Koridwen oriente sa torche vers la forme animée qui progresse vers nous avec un couinement infernal. Jérôme s'agrippe à mon bras :

– Des rats !

C'est une colonie de rongeurs qui passent à l'attaque. Des rats… Merde, la panique me cloue sur place.

– Ils… Ils vont nous bouffer les jambes.

– Garde ton sang-froid. Ils ne vont faire que…

– On dirait un tapis volant, chuchote Vincent, que ces rongeurs n'impressionnent pas du tout.

Je ne sais pas si sa comparaison a pour objectif de me rasséréner, mais c'est totalement inefficace parce que ce « tapis » recouvre maintenant toutes les parois du sol au plafond. Et là, même Vincent ne fait plus le fier : nous nous accroupissons tous, tête entre les mains. Ils nous frôlent, courent sur nos dos, je sens leurs pattes sur mon crâne. Si je pouvais me fondre dans le béton, je le ferais. Ils vont nous dévorer. Je suis tétanisé. Happy aboie, je l'entends sauter d'un rat à l'autre, puis hurler de douleur. Les rats commencent à le bouffer. Et nous allons tous mourir bouffés par des rats, si mon cœur n'explose pas avant, tellement il bat vite. J'entends Koridwen crier quelque chose. Je lève les sourcils : elle ouvre sa veste de chasse. Et les rongeurs dévient leur chemin. C'est ce qu'elle avait fait avec les chiens aux Gobelins. Elle utilise de nouveau son pouvoir de domination sur les animaux. La horde de rongeurs s'éloigne et disparaît. Un seul geste a suffi à les faire fuir. Elle est puissante. Je me redresse, pas très fier, et souris à Yannis, qui caresse son chien, la queue en sang :

– Ça va, Jules ? Tu as été mordu ?

– Oui… enfin non, j'ai pas été mordu, finalement. Ça va…

Nous nous engageons dans de longs couloirs plus larges jusqu'à la station Châtelet.

– Faites gaffe, c'est beaucoup plus exposé que dans le renfoncement de la voie ferrée, ici, et il y a moins de recoins pour se cacher, nous avertit Vincent.

– Grouillez-vous, nous ordonne Jérôme.

– Il faut suivre la ligne quatre jusqu'à Cité, murmure Koridwen.

– Tu es sûre de toi ? lui demande le Chef.

Elle hoche la tête. Les gémissements de Happy entre-coupent notre silence tendu. Vincent s'arrête soudain :

– Attendez. Je sens une…

Trop tard, le sifflet d'une patrouille retentit, suivi de bruits de pas.

– Courez !

Un cri fait écho au sifflement, un cri juste derrière nous, tout proche :

– Là ! Ils sont là !

18 DÉCEMBRE, DÉBUT DE MATINÉE

Les bruits de pas s'amplifient. Les militaires approchent. Nous sommes trop repérables. Vincent nous désigne sans un mot une lueur au fond d'un couloir : une seconde patrouille. Nous fonçons dans la direction opposée sans nous séparer, d'un seul bloc, soudés. Combien sont-ils à nous pourchasser ? Et combien de chiens dont les grognements m'affolent ? Qu'est-ce qu'on peut faire ? Il ne reste plus qu'un corridor où fuir. Si une troisième section de surveillance arrive par là, nous serons cernés. À leur merci. Nous continuons de courir.

– Sortons ! crie Koridwen.

– Ce sera pire dehors, répond le Soldat.

Mais elle éteint sa torche, j'ai le temps de voir son expression déterminée, confiante. Elle a sûrement raison, décamper hors de la station de métro, c'est peut-être bien notre seule chance d'échapper aux militaires. Yannis suit Koridwen et nous leur emboîtons tous le pas. Courir. Mettre le plus de distance possible entre nous et nos poursuivants. Grimper comme des dératés les escalators immobiles, sauter au-dessus des tourniquets d'entrée. Les coups de sifflet se font moins stridents.

Enfin dehors. J'inspire une grande bolée d'air frais et humide. Mes poumons s'emplissent. Mes battements de cœur ralentissent un peu. Mais il faut détaler, tout de suite. Courir encore ; courir sans réfléchir ; courir derrière Koridwen ; courir à découvert. Seuls nos halètements perturbent le silence.

Elle stoppe soudain, soulève une plaque d'égout. Il va falloir plonger de nouveau dans les sous-sols puants. Yannis s'y enfonce le premier. Le cœur battant la chamade, je m'agrippe à mon tour à l'échelle métallique, dégringole à moitié, rate ma réception, trébuche, me tords la cheville. Vincent me tombe dessus. Puis Jérôme s'affale aussi. Nous avons tous le souffle coupé par la course-poursuite. Koridwen referme la plaque d'égout derrière elle. Nous tentons de respirer le plus doucement possible, pétrifiés, concentrés pour ne pas nous faire repérer, comme dans notre fosse à Gentilly.

J'entends les chiens bondir dehors, juste au-dessus de nos têtes. Je saisis Poignard. Les bruits s'éloignent. Je prends une grande inspiration :

– C'est bon, ils ne nous ont pas vus…

Le Soldat fait un signe du menton à Koridwen pour qu'elle nous guide dans les méandres des égouts. Elle est la seule à pouvoir nous diriger jusqu'à l'île de la Cité. Même Jérôme et Vincent ne peuvent s'orienter sans elle. Nous repartons, et elle nous désigne sans tarder une sortie. Nous ressortons à l'air libre, sur le quai de l'Horloge, à une cinquantaine de mètres de la Concier-gerie. Je reconnais le clocheton doré au-dessus de la tour de l'Horloge.

– On ne sera exposés que quelques secondes avant de pénétrer dans la Conciergerie, me chuchote Vincent.

La Sorcière bretonne repart déjà, dos courbé, jusqu'à une grille entrouverte qui donne sur une petite cour que nous traversons. Grâce à Koridwen, cet accès dérobé permet d'entrer discrètement et facilement à l'intérieur de l'édifice : nous la suivons dans une enfilade de petites pièces. Les trois dernières sont d'anciens bureaux administratifs. C'est par l'un de ces bureaux qu'elle s'est déjà introduite dans le bâtiment, en sectionnant le grillage de la fenêtre avec un coupe-boulon et en brisant la vitre. Elle a réussi à ouvrir toutes les portes blindées de l'intérieur et en a empêché la fermeture en les bloquant !

– Elle a forcé les portes avec un pied-de-biche, m'explique le Soldat, sans cacher son admiration.

Nous parvenons enfin dans une salle dite des « gens d'armes », plus vaste que le préau du collège. L'immense pièce, au plafond constitué d'une multitude de voûtes à croisées d'ogives, ressemble à une église gothique. Un vrai décor du Moyen Âge. Les mains sur les hanches, Jérôme passe l'espace au crible :

– C'est ici qu'il faudra se replier. C'est l'endroit parfait.

Je ne sais pas encore pourquoi ça lui semble si évident et j'observe les lieux, quand Yannis nous annonce abruptement :

– Je… j'ai des lunettes qui permettent de voir dans le noir.

– Des lunettes ILR ? demande le Soldat.

– Oui. À réflecteur de lumière. C'est un ami qui…

L'information intéresse le Chef :

– Vincent, qu'en penses-tu, Jules pourrait faire le guet sur le clocheton avec Yannis, grâce à ces lunettes ?

Le Soldat valide. Je n'ai pas vraiment mon mot à dire, mais être sentinelle avec Yannis la nuit du 24 décembre me convient. Je me tourne vers lui, son comportement m'étonne, il fait les cent pas, nerveusement. Il erre, comme s'il cherchait un sens à sa présence ici. Vincent propose quant à lui de se positionner dans la rue, assez près de la tour pour pouvoir rabattre les Experts dans la salle. Il sera directement confronté aux militaires en cas d'invasion. C'est le poste le plus exposé, le plus dangereux. Il examine les issues une par une :

– Il va être impératif de boucher toutes les fenêtres avec des planches pour nous protéger, nous prévient-il.

Sa phrase sonne comme une consigne militaire et me rappelle ce jour où il m'avait dit qu'on était en guerre. Le Chef, lui, prévoit d'accueillir les Experts dans la salle et de les surveiller, d'autant que certains peuvent être armés.

– La porte principale, celle par où viendront les Experts, est blindée et bardée de verrous, on n'aura pas besoin de la barricader, poursuit Jérôme.

Ils dressent à eux deux un plan d'action du rendez-vous avec Khronos. C'est pourtant ma mission, sauver les Experts de WOT. Je conçois que le Chef espère y rencontrer de nouveaux alliés, mais de là à diriger les opérations, il y a une marge.

– Il faut qu'on trouve un endroit sûr pour entreposer les grenades, déclare le Soldat.

Notre spécialiste des armes est le mieux placé pour s'acquitter de cette mission. Quant à moi, je sèche, je n'ai rien à proposer, aucune tactique, aucune idée. Rien. Le blanc. Je suis définitivement moins stratège dans la vie que sur Ukraün. Dans une dernière tentative, je me concentre sur le plan de la Conciergerie, avec l'espoir d'y puiser une source d'inspiration lumineuse.

– Regarde, Soldat, il y a deux pièces pratiques d'accès où tu pourrais mettre les grenades : le pavillon des cuisines, ou la cellule de Marie-Antoinette.

Je prie pour qu'il valide ma suggestion. Pourquoi son aval est-il si important pour moi ? Je pourrais prendre du recul, m'en foutre de ne pas avoir l'âme d'un dirigeant, reconnaître mes limites, faire confiance à ceux qui m'attribuent ma fonction, l'accepter. Puis la remplir au mieux de mes capacités.

– La cellule, tranche-t-il.

Il m'a écouté, ne m'a pas dénigré ni remis à ma place. Comme quoi, je me fais peut-être des films. Est-ce l'attitude de Jérôme qui me déstabilise et casse ma confiance en moi ? Je n'avais pas tant besoin que les autres me voient comme un héros avant. Vincent échafaude déjà la suite du plan : pour faciliter la fuite des Experts, il va placer quelques armes et des fumigènes dans l'enfilade de pièces qui mènent à la petite cour arrière. Demain, on retournera sur les lieux pour commencer à aveugler les ouvertures, déposer les armes et baliser le chemin.

En attendant, j'aimerais déjà monter une première fois en haut du clocher pour avoir une idée du panorama.

– Yannis, tu m'accompagnes dans le clocheton ?

Il ne me répond pas, c'est la voix de Kori qui s'élève sous les voûtes :

– Moi, je connais déjà les lieux. Allez repérer, je vous attends là.

Yannis n'a pas bougé d'un cil.

– Non. Je n'irai pas, me dit-il avec un grand calme.

Je reviens sur mes pas, pourquoi ne viendrait-il pas dans la tour avec moi?

– Où ça? Dans le clocheton? je lui demande.

– Le 24. Je ne viendrai pas au rendez-vous le 24 décembre, me répond-il d'une voix blanche.

C'est drôle, ils sont tous estomaqués autour de moi. Mais je ne suis pas si étonné. Je m'en doutais en fait. Depuis que je lui ai annoncé le départ de Stéphane, il a changé. C'est comme s'il était coupé en deux et qu'il lui manquait une partie de lui-même. Ce qui pétillait tant chez lui s'est éteint. Il s'est terni, affaissé, alourdi. Yannis bafouille:

– N'y allez pas vous non plus, le 24. Je vous en prie, n'y allez pas. Vous pouvez vous faire massacrer. Vraiment.

– Fais ce que tu crois juste, mais…

Vincent coupe la parole à Koridwen, et bouscule Yannis:

– Tu ne peux pas abandonner! On a besoin de toutes les forces pour…

– Laisse-le, Vincent. On ne peut forcer personne, lui dis-je avec une fermeté qui m'étonne moi-même.

Le Soldat ne peut pas comprendre, il ne sait pas, il n'a pas idée de ce qu'ils ont traversé tous les deux, Chevalier Adrial et sa Lady Rottweiler. Je m'approche de mon ami marseillais:

– Yannis, on va sauver les Experts, et on va s'en sortir, ne t'inquiète pas.

– Jules… Je t'en prie, n'y va pas. Kori, n'y va pas. N'y allez pas… nous répète-t-il d'un ton suppliant.

Maïa ne veut pas non plus que j'aille au rendez-vous du 24 décembre. Mais ma décision est prise et elle m'appartient. Celle de Yannis est aussi irréfutable que la mienne, je le lis dans ses yeux. Il n'a pas d'autre choix que de retrouver Stéphane. Son besoin d'être auprès d'elle est plus fort que tout. Il ne peut plus lutter contre le sentiment qui l'emporte.

– Je ne suis pas Adrial, Jules. Je suis désolé…

Je repense à tous les moments qu'on a vécus ensemble, à notre tristesse partagée, à notre croyance trop brutalement brisée. Et je lui souris :

– Heureusement que tu n'es pas Adrial, Yannis ! Tu es bien mieux que lui.

– Toi aussi, Jules, tu vaux mieux que Spider Snake. En tout cas tu plaques mieux que lui… Et tu avais raison, l'autre soir. Tu sais, quand tu parlais de Maïa et que tu disais que moi aussi…

– Ne t'en fais pas, je comprends. Va la rejoindre. Fais-moi confiance, on va s'en sortir.

Je réalise qu'il va nous quitter, que je ne sais même pas si je le reverrai un jour. Il est devenu mon ami en si peu de temps… Je ne l'oublierai jamais et je voudrais qu'il ne m'oublie pas, lui non plus. Je détache le bracelet de ma montre :

– Avant de partir, prends ça. C'est pour toi. Ça sera plus pratique qu'une batterie d'ordinateur pour savoir l'heure…

Je lui donne ma montre *collector*, plus ému que je ne l'aurais imaginé :

– C'est une pièce unique. Je… J'ai gravé un mot au dos. Je préfère que tu le lises plus tard. Ça te rappellera quand…

Je ne finis pas et lui souris :

– Et comme ça, tu penseras à nous à minuit pile. Le 24 décembre.

NUIT DU 18 AU 19 DÉCEMBRE

Il est 4 heures du matin, Alicia a encore fait un cauchemar qui l'a laissée pantelante et trempée de sueur. Elle a mis plus d'une heure à évacuer les images d'horreur dont elle n'arrivait pas à se défaire. Hier, elle a vu par la fenêtre des immeubles brûler à l'est de Paris. Elle a entendu des tirs, remarqué les patrouilles d'hélicos de plus en plus nombreuses et même des avions gros-porteurs. Si elle a fini par se rendormir, moi je n'y parviens plus. Est-ce qu'il viendra, ce moment où la Minuscule ne se réveillera plus au milieu de la nuit, terrorisée par ses rêves récurrents ? Je sors de l'infirmerie, me dirige vers l'appartement pour y chercher de quoi grignoter. J'entends quelqu'un vomir sur le palier dans le noir complet.

– Ça va ? je demande, sans oser diriger le faisceau de ma lampe dans sa direction.

– Non pas trop, répond la voix de Séverine.

Elle n'est donc toujours pas guérie. Ça fait plusieurs jours qu'elle est patraque. Elle n'a pas dîné avec nous hier soir ; Maïa est soucieuse de son état, mais ne se prononce pas tant qu'elle n'a pas tous les éléments en main.

– Jules, chuchote-t-elle.

359

– Oui ? Je peux t'aider ?

Je m'approche et balaye l'espace de ma lampe : elle est assise contre le mur, les épaules couvertes d'une épaisse couverture, un seau devant elle.

– Tu n'as pas de lampe de poche ?

– Si, elle est là, je l'ai éteinte pendant que…

Elle n'achève pas sa phrase, un spasme la reprend. Merde, qu'est-ce qu'elle a chopé comme sale virus ? Elle relève la tête :

– Jules, je peux te demander un service ?

– Qu'est-ce que je peux faire ?

– Est-ce que tu veux bien prendre ma garde à 7 heures ? Je ne me sens pas capable d'assurer la relève après Koridwen…

– Oui, bien sûr, ne t'inquiète pas.

La pauvre… Ses jambes tremblent.

– Tu veux que j'aille te chercher un médicament contre les nausées ?

– Maïa m'en a déjà donné. Mais ça ne marche pas vraiment.

– Tu devrais t'installer et te faire soigner à l'infirmerie, non ?

– Je ne préfère pas. Je veux rester dans notre chambre, avec Jérôme.

– Tu te sens prête à y retourner maintenant ?

– Non, je ne bouge pas de là tant que je me sens mal, je ne veux pas le réveiller. Il s'inquiète pour moi, et ce n'est pas le moment.

– Je comprends qu'il s'inquiète.

Je lui souris, et son visage s'éclaire entre deux nausées. Ça m'embête de l'abandonner là, toute seule, dans le noir et le froid du couloir collectif :

– Tu veux que je reste avec toi en attendant que tu ailles mieux ?

Elle opine du chef :

– Merci, murmure-t-elle.

Je prends le torchon humide, posé près d'elle, et je lui essuie le front avec. Nous demeurons silencieux quelques secondes. La porte s'ouvre soudain, un rai de lumière balaie l'espace jusqu'à nous :

– Séverine, où tu es ? Pourquoi tu ne m'as pas réveillé ?

C'est Jérôme. Sa voix trahit son anxiété. Je me redresse :

– Je suis avec elle.

– Plaqueur ? Qu'est-ce que tu fais là ?

– J'avais une insomnie.

– Il s'occupe de moi, mon amour, je ne voulais pas t'empêcher de dormir, chuchote Séverine.

– C'est sympa, Jules, merci. Je vais prendre soin d'elle maintenant, tu peux te recoucher.

– Surtout qu'il va monter la garde à ma place tout à l'heure, lui annonce-t-elle.

– Bonne idée, oui. Merci pour ça aussi, Plaqueur, commente-t-il brièvement.

Il s'assoit près de Séverine, lui caresse la main tendrement. Avant de les quitter, j'ai le temps d'entrevoir l'angoisse sur son beau visage. Merde, le Chef est vraiment amoureux d'elle. Ils sont si discrets que je n'avais pas mesuré la force de leurs sentiments.

Il est bientôt 6 heures du matin, impossible de me rendormir. Trop de questions tournent dans ma tête : les Experts qui ont besoin de moi, les terreurs nocturnes de ma Minuscule, mon amour pour Maïa, Khronos qui n'existe pas... Je décide de descendre rejoindre Koridwen. Elle saura peut-être m'aider à faire le net dans le flou de mes pensées. J'ouvre la porte qui donne sur le hall :

– Salut Kori, tout va bien ?

– Ça va. Et toi ?

– C'est moi qui te remplace dans une heure. Séverine est encore malade.

– OK.

Elle se tait, mais j'ai besoin de lui parler et je choisis le thème qui nous a réunis tous les deux :

– Tu crois encore à Khronos malgré les révélations des autorités ?

– Khronos n'existe pas. J'en avais eu l'intuition avant même que Stéphane et Yannis n'ouvrent le fichier de la police militaire.

Sa réponse m'étonne. Je n'aurais jamais pensé qu'elle remettait en cause la réalité de Khronos avant le 15 décembre. Au contraire, je la trouvais beaucoup plus convaincue que moi.

– Tu t'en doutais, c'est cela ?

– Ce n'était pas très net. Je reconnais que le voir écrit et démontré sous mes yeux, ça m'a quand même filé un sacré choc.

Et moi donc ! Je me souviens de notre stupeur, de notre désarroi, à Yannis et à moi. La réplique agacée de la Sorcière bretonne à Stéphane me revient aussi en mémoire : «Il n'y a pas que Khronos qui remonte dans le temps», avait-elle rétorqué fermement. Cette phrase m'intrigue toujours autant :

– Et tu crois qu'on peut quand même remonter dans le temps ?

– Pour tout t'avouer, je ne suis sûre de rien. Mais je reste ouverte à toutes les possibilités. Je passe par des phases de doute profond. À d'autres moments, ma conviction est sans faille.

– Mais pourquoi tu y crois ? Tu as la preuve qu'un voyage dans le temps est possible ?

– Je fais des rêves de plus en plus précis. Je me vois réussir. Mes ancêtres me parlent, Mamm-gozh m'encourage de là-haut. Je sais que ça paraît dingue.

D'une certaine façon, c'est vrai que sa foi me paraît dingue. Moi, penser à l'appel de Khronos ne nourrit plus que ma colère et ma honte d'y avoir cru. D'un autre côté, j'aimerais garder un espoir, même minime, qu'elle ait ce pouvoir issu des divinités celtes auxquelles sa Mamm-gozh semble liée.

– J'aimerais que tu aies raison, Kori. Je ne sais pas si je peux y croire, mais j'aimerais que les choses puissent redevenir comme Avant.

20 DÉCEMBRE, À L'AUBE

Il est 5 heures, nous somme prêts à quitter notre tour Athènes en toute urgence. Nos sacs s'entassent dans le hall. Nous partons. Tout s'est décidé très vite, hier soir. Jérôme a annoncé sa décision de nous conduire dans un immeuble à une centaine de mètres rue de Tolbiac. Il avait déjà prévenu son ami, le chef du gang des Chinois, de notre départ et il l'a mis en garde contre une probable attaque imminente de l'armée. Selon Vincent, informé par Isa, les Olympiades font partie des secteurs notifiés comme des « repaires de terroristes ». Nous avons tous voté pour le déménagement.

Je laisse Max et Alicia sous la garde de Maïa dans la tour et je me mets en route avec le premier groupe. C'est Koridwen qui nous guide dans les égouts pour éviter que nous croisions des bataillons des sections spéciales. Elle a trouvé une sortie juste devant notre futur logement. Assez nerveuses, Séverine et Katia sont aux aguets. Jérôme les attend :

– Ça va aller ? demande-t-il à son amoureuse.

– C'est la première fois que je passe par là… Ça sent tellement mauvais, j'ai peur de vomir, soupire-t-elle, plus pâle que jamais.

Vincent sort en premier et nous donne le signal quand il estime que nous pouvons émerger à l'air libre.

Notre nouvel appartement est plus petit. Katia et Séverine déballent les affaires.

– Attention, les filles, interdiction absolue d'ouvrir les volets. Des drones patrouillent en permanence, à la recherche du moindre mouvement suspect... les met en garde le Chef, avant de repartir.

Et nous retournons en sens inverse chercher les autres. Alicia somnole dans mes bras pendant tout le chemin. Accompagné de sa cousine, Max se montre docile, ce changement de lieu semble moins l'affecter que la dernière fois.

Je m'occupe avec Vincent de dénicher un radiateur et un petit bloc électrogène pendant que Jérôme, Katia et Koridwen gèrent la mission «approvisionnement». Il fait déjà nuit quand ils reviennent un peu dépités de leur expédition, dont ils ne rapportent que des boîtes de conserve...

– Il y a de moins en moins de nourriture intacte, les rats bouffent tout, déplore Katia.

– Ça va devenir un problème pour Alicia. Il lui faut des produits frais, des vitamines, remarque Koridwen.

– Nous allons bientôt partir à la campagne, la coupe Jérôme brutalement. Nous n'aurons plus ce problème.

La Sorcière bretonne reste pensive, puis se tourne vers moi :

– Je pense repartir demain matin.

Je sursaute :

– Pour combien de temps ?

– Je serai de retour dans deux jours. Faut juste que je récupère des trucs dans mon hangar à Gentilly, me rassure-t-elle.

Nous installons Max et Alicia dans une ancienne chambre d'enfants avec deux lits simples. Ils sont tellement fatigués qu'ils s'endorment comme des masses.

Nous discutons tous ensemble de notre départ de Paris. Vincent m'apprend qu'il a préparé une base de repli dans la forêt de Meudon, où il a camouflé deux camionnettes, des armes, des vivres, des bidons d'essence et d'eau.

– De quoi tenir deux semaines et gagner un endroit où l'armée ne nous cherchera pas, m'explique-t-il.

Au moment où je lui propose de l'aider à organiser notre fuite, des vrombissements d'hélicoptères retentissent. C'est assourdissant, ils sont plus nombreux que d'habitude. Ce n'est pas normal. Les murs de l'immeuble tremblent. Je saisis la main de Maïa. Nous nous précipitons tous vers les fenêtres pour regarder entre les lames des volets fermés : l'armée s'attaque aux Olympiades ! Jérôme a eu raison de nous faire partir. Il nous a sauvé la vie. Effaré, je vois les gratte-ciel brûler. Des flammes immenses ravagent les tours les unes après les autres. Un abominable massacre.

– Putain, les salauds, c'est un nettoyage au napalm, souffle Vincent.

– Quel ravage ! souffle Katia d'une voix blanche.

Une odeur de kérosène monte jusqu'à l'appartement. Séverine couvre son nez d'un foulard et ravale ses haut-le-cœur. Pétrifiés, nous assistons, impuissants, à la destruction de la tour dans laquelle nous étions encore il y a quelques heures, à la disparition d'un quartier entier. Alors, ça y est, c'est la guerre. Impitoyable. La guerre, en vrai.

Pourvu que la Minuscule ne se réveille pas…

22 DÉCEMBRE, SOIRÉE

K ori est revenue ce matin comme prévu.
Mais elle est déjà repartie. Elle ne restera pas avec nous.

Elle croit pouvoir retourner dans le passé par un Passage temporel. Elle pense que cette Porte magique, reliée aux dieux celtes et à sa Mamm-gozh, est située dans les sous-sols de la tour de l'Horloge ; et elle semble sûre que le départ se produira dans la nuit du 24 au 25 décembre, peu après minuit. Alors…

Alors elle m'a confié la garde de Max.

Elle m'a demandé de l'adopter.

Elle était très émue, et je n'ai pas hésité une seconde avant d'accepter. Alicia est tout excitée, tout à sa joie de pouvoir profiter pleinement de Totor. Ils s'aiment tellement, la Minuscule et le Géant, ils sont plus inséparables que jamais. Quelle chance pour Alicia d'avoir un grand frère !

Je n'ai encore parlé qu'à Maïa de l'adoption de Max. J'attends que le 24 décembre soit passé pour le révéler aux autres. Rien ne sert de compliquer l'ambiance entre nous avant l'affrontement à la tour de l'Horloge. Ensuite, je saurai bien les convaincre de garder Max parmi nous. D'une certaine façon, il fait déjà partie de la communauté… Et je proposerai qu'on parte en Bretagne, chez Koridwen. Si par hasard elle revenait un jour, elle viendrait nous y retrouver. C'est comme si on s'était donné une sorte de rendez-vous à travers le temps, la Sorcière bretonne et moi.

Assis sur son lit, Max serre dans ses bras ma Minuscule en pyjama Dora. Et elle glapit joyeusement toutes les dix secondes :

– Totor !

Et le grand simplet répète en boucle :

– Alicia, Alicia !

Je vais devoir interrompre leur jeu, c'est l'heure de dormir. Chacun dans son lit : miracle, ils obéissent sans rechigner. Mon charisme s'améliore.

Je borde les draps autour de ma petite et l'embrasse sur ses cheveux doux, caresse ses joues roses, pose mon visage contre son cou et m'imprègne de son odeur enfantine.

– Diego… murmure-t-elle, les yeux grands ouverts.

– Ma Minuscule, je serai toujours là pour toi, lui dis-je comme chaque soir depuis mon retour de Gentilly.

Ce besoin viscéral de la rassurer est nouveau pour moi. Et pourtant j'ai fait le choix du combat. Peut-être n'est-ce pas contradictoire, au contraire. Peut-être est-ce seulement depuis que j'ai décidé de sauver les Experts que je peux l'aimer aussi fort ? Je lui caresse la tête en attendant qu'elle s'endorme et je me remémore les derniers jours : tout est allé si vite. Jérôme et Vincent ont fini par m'associer à l'organisation de l'après-rendez-vous du 24.

Je me demande si Koridwen n'y est pas pour quelque chose. Elle leur a raconté la façon dont j'avais plaqué le soldat à Gentilly, et ça les a impressionnés. Grâce à elle, je leur ai aussi procuré cet après-midi un nouveau véhicule stratégique : son tracteur et sa bétaillère. Elle me la lègue, avec des vivres, des bidons d'essence, des plantes et des remèdes pour canaliser les crises de Max.

Alicia gémit dans un demi-sommeil. J'amorce à peine le mouvement de me lever qu'elle me serre la main, me signifiant qu'elle ne dort pas encore. Je me rassois près d'elle, pensif, étonné de ma propre patience. Ils vont bien, tous les deux. Nous sommes tous en vie. Quelle chance ! Je frissonne en repensant à la nuit du 20 décembre. Ni les secousses des murs ni l'odeur de kérosène n'ont réussi à les réveiller, ils dormaient comme des bienheureux. Comme maintenant. Je sors de leur chambre et, soudain, je panique : je vais me retrouver en tête à tête avec Maïa. J'ai pensé toute la journée à ce moment où nous serions enfin seuls tous les deux. C'est la première fois que l'occasion se présente depuis notre dernière nuit aux Olympiades, sur la terrasse, en haut de la tour Athènes. Paris éclairée par la pleine lune, et les étoiles à perte de vue, seulement pour nous. Nous deux protégés sous un duvet épais, la main dans la main, pour la première fois. Et j'en suis encore complètement chamboulé trois jours après. Mais je ne l'ai pas embrassée. Quel idiot ! Quel branquignol, aurait dit mon grand-père. Quel benêt, quel coincé, quel branque...

J'ai décidé de l'embrasser ce soir.

Coûte que coûte. Ce soir, je l'embrasse. Ce soir, j'ose

l'embrasser. Avant le rendez-vous du 24 décembre. C'est maintenant ou jamais.

Il fait froid dans le petit salon, je remonte un peu la température des radiateurs électriques.

– Où sont les autres ? je lui demande en essayant de paraître neutre.

– Ils sont à l'étage en dessous. Je voulais te parler seule à seul.

C'est aussi mon cas, mais son intonation ne me dit rien qui vaille. Ses yeux noirs sont agités comme un soir de tempête. Merde, je ne vais pas oser l'embrasser. Ce n'est pas gagné. Je sais qu'elle m'en veut depuis que j'ai réaffirmé ma décision d'aller sauver les Experts.

– Jules, je voudrais te parler une dernière fois du rendez-vous du 24 décembre.

Je réprime un soupir de découragement. Elle estime qu'à trop vouloir jouer les héros, j'en oublie mes responsabilités vis-à-vis de la Minuscule.

– J'irai, Maïa. J'irai sauver les Experts. Je le dois, à moi-même, à mes parents que je n'ai pas pu sauver.

Je voudrais réussir à lui expliquer ce que je ressens :

– Personne ne pouvait agir contre U4. Mais je peux agir pour empêcher l'extermination des Experts. Agir pour leur éviter la mort. Tu comprends ?

– Alicia a besoin de toi.

– Je ferai tout pour me sauver moi-même. Pour Alicia…

Je plonge mes yeux dans ses iris noirs, fiévreux. Je lui prends la main, j'ose. Elle est glacée. Elle ne cille pas, son visage est indéchiffrable.

– … Et pour toi…

Je rougis, je n'avais jamais osé lui dévoiler autant mes sentiments. Elle me dit, écarlate elle aussi :

– Si tu… si tu m'aimes, n'y va pas.

– J'y vais parce que je veux vivre avec vous, Maïa. Si je laisse mourir les Experts, je ne pourrai pas vivre avec leurs morts sur la conscience. Et je ne pourrai pas me sentir responsable d'Alicia si je n'assume pas ma responsabilité vis-à-vis de ceux qui sont comme moi j'étais Avant.

Elle fronce les sourcils, j'essaye encore de détendre l'atmosphère et lui souris :

– Et je ne compte pas mourir, tu sais ! Nous avons préparé une tactique de repli, de défense et de fuite. Maïa, fais-nous confiance, tout va bien se passer.

– Arrête de me dire que vous ne risquez rien. J'ai entendu Vincent informer Jérôme sur les fusils d'assaut dont se servira l'armée, il a parlé de Famas à visée nocturne. Comment vous défendre contre ça ?

– Tu connais le Soldat, il a rassemblé les armes les plus efficaces, même des grenades. On aura le temps de réagir. Notre stratégie est précise.

Nous avons tout mis en place en deux jours. Chacun son rôle. Vincent nous a distribué nos armes, des pistolets Uzi, « pratiques, courts, faciles d'utilisation, mais attention au recul ». Il a aussi déposé des grenades dans la cellule de Marie-Antoinette, « trop dangereux de les laisser à portée de main ». C'est lui, et lui seul, qui les utilisera si nécessaire, en dernier recours.

J'explique tous ces détails à Maïa, mais elle retire vivement sa main de la mienne :

– Tu ne peux pas nous laisser, Alicia et moi, me lance-t-elle avec dureté avant de s'éloigner.

Je voudrais la retenir. L'hostilité de son ton me déchire le cœur. Je ne dois pas céder au sentiment d'abandonner ma Minuscule. Je ne les abandonne pas, ni l'une ni l'autre. Au contraire, j'agis pour elles. Je me donne une chance de vivre dans ce monde, de m'y adapter. Elle s'arrête sur le pas de la porte et se retourne vers moi. Lorsque je croise son regard grave, je suis pris d'un doute : pourvu que je ne fasse pas la pire erreur de ma vie.

– Et pourquoi je n'irais pas avec vous si ce rendez-vous est si inoffensif ? me demande-t-elle avant de disparaître sans me laisser le temps de lui répondre.

NUIT DU 24 AU 25 DÉCEMBRE

Je guette du haut de la tour, concentré, silencieux. Des Experts arrivent, parfois isolés, parfois groupés. La lune est basse. J'enfile mes lunettes ILR, Yannis me les a offertes avant de partir: «Elles m'ont été données par un ami. Je crois que c'est bien que tu les aies maintenant…» m'a-t-il dit. Il me confiait, à moi, le cadeau d'un de ses amis, et ses mots ont sonné comme une déclaration d'amitié. J'espère qu'il a retrouvé la Spécialiste, j'espère qu'ils vont s'en sortir ensemble. Les rues de Paris paraissent plus scintillantes à travers les verres teintés. Soudain, je les vois, les faisceaux lumineux qui balayent l'espace. C'est l'armée. Certains blindés sont surmontés de phares. Les militaires viennent, comme prévu, et ils ont déjà dépassé Notre-Dame. Bientôt minuit. Pourvu que tous les Experts soient déjà dans la salle, il n'y a plus une minute à perdre, le temps est compté, il faut fermer les portes et fuir. Je dévale les escaliers en hurlant:

– Les militaires arrivent!

Vincent, qui s'est replié à l'intérieur, jette un dernier regard dans la rue:

– Merde, il y a encore trois gars qui courent sur le pont, ils viennent vers la Conciergerie. Je ne peux pas les laisser en plan !

– On n'a pas le temps, bordel, referme la porte et barricade-la ! gueule Jérôme.

– Non ! Je refuse de les abandonner !

C'est la première fois que le Soldat désobéit à son Chef. J'approuve en silence, même si l'armée s'approche dangereusement, j'entends de mieux en mieux le vrombissement de leurs blindés. Vincent fait de grands signes aux retardataires :

– Vite ! Grouillez-vous !

Ils accélèrent, se ruent à l'intérieur, le Soldat referme derrière eux et barricade la porte. Les blindés militaires sont presque arrivés.

– Nous avons très peu de temps, il faut être efficaces, grogne Jérôme, en jetant un regard de reproche à son Soldat.

Il se précipite vers le centre de l'immense salle, s'avance dans la lumière du grand brasero qu'il a allumé :

– Rassemblez-vous tous autour du brasero, ordonne-t-il aux Experts dispersés dans la salle.

Ils sont une trentaine. Certains ont des visages abîmés, les visages de ceux qui ont subi trop d'épreuves ; d'autres, qui semblent bien se connaître, se regroupent, soudés, prêts à réagir ; immobiles ou nerveux, les derniers se jaugent dans un silence tendu, électrique, à force d'impatience et d'espoir. La voix rauque de Jérôme résonne sous les voûtes de pierre, se répercute contre les arcs :

– Écoutez-moi bien, tous, Khronos n'existe pas. C'est une Intelligence Artificielle qui a envoyé le message de rendez-vous. Aucun retour dans le passé n'est possible.

Un grand brouhaha s'élève au fur et à mesure qu'il leur parle avec assurance et fermeté. Des coups sourds contre la porte se mêlent aux coups de minuit de l'horloge. C'est l'armée. L'armée, prête à nous massacrer. Nous sommes tous des hors-la-loi.

– Gardez votre calme. Écoutez-moi ! Vous pouvez choisir de vivre. Nous avons fondé une communauté de survivants libres, nous refusons l'autorité militaire. Nous pouvons vous y accueillir.

L'expression tourmentée ou agitée de leurs visages éclairés par les flammes me happe, je sais ce qu'ils ressentent.

– Maintenant nous avons très peu de temps. L'armée est aux portes de la Conciergerie. Elle va attaquer d'un instant à l'autre.

« Les militaires… » « C'est un piège ! » « On a été trahis » : des réactions de panique, des chuchotements de terreur fusent autour de moi. Certains Experts sortent des armes. Puis la voix de Jérôme s'élève de nouveau, plus forte pour couvrir les cris et les coups de bélier contre la porte :

– Faites-nous confiance. On peut s'en sortir. Vous allez nous suivre, nous allons fuir par l'arrière de la Conciergerie. Nous connaissons un passage.

Son autorité et son calme me fascinent. Le bois de la porte s'ébranle sous les assauts des militaires. Et je sais que les soldats seront sans pitié. Je repense aux avertissements de Stéphane. Je serre Poignard, envahi d'une appréhension terrible.

– Regroupez-vous vers la porte du fond ! De l'autre côté ! Vite ! ordonne Jérôme aux Experts tétanisés en leur désignant la sortie vers la petite cour.

Certains se mettent aussitôt à courir vers le fond de la salle. Vincent et Jérôme couvrent leur fuite, prêts à tirer en cas d'invasion. Je vois soudain passer Koridwen, elle se dirige à contre-courant, vers la tour du clocher, là où l'attend son Passage temporel ! Elle me salue de loin, je lui fais signe de la main en murmurant :

– Bonne chance, chère druidesse celte…

Je remarque que certains Experts hésitent, piétinent sur place ; une fille vacille devant moi. Je m'approche, elle est maigre, elle a des piercings, je la reconnais, elle était au Panthéon. Je sens qu'elle a envie de s'asseoir et de tout laisser tomber, je crois que j'aurais réagi comme elle à sa place. Je la tire par la main :

– Vite, fuis, fais-nous confiance !

Mais une explosion puissante secoue tout à coup les murs. Des débris de bois et de pierre s'éclatent contre les cloisons, le sol vibre. Je suis projeté par terre. La fille aussi. Jérôme donne un coup de pied pour renverser le brasero, plongeant la salle dans l'obscurité. Le noir, pour tous, sauf pour moi, merci Yannis. Des dizaines de rafales me vrillent les tympans : les militaires ont donc réussi à défoncer la porte. Des corps chutent. C'est la guerre, celle que Vincent et Jérôme préparaient, celle que Stéphane prédisait.

Les soldats se déploient, ils ne portent plus de combinaisons ni de masques. Je rampe vers la porte du fond avec quelques Experts, roulant sur le côté pour éviter les lasers rouges de leurs fusils à visée nocturne. Il ne reste plus grand monde au centre de la salle. Des survivants se planquent derrière des colonnes pour se protéger des tirs. Une silhouette debout, immobile, à découvert attire soudain mon attention : hiératique, désarmée, putain, c'est Maïa ! Qu'est-ce qu'elle fait là ? Maïa !? Un soldat adulte braque son revolver sur elle. Il ne sait pas que je le vois avec mes lunettes. C'est mon seul avantage sur lui. Ils sont seulement à quelques mètres de moi. Je me redresse, bondis vers eux et les vois au même moment s'effondrer sur le sol : Maïa, le militaire et un troisième homme, qui s'est placé entre eux, sont à terre. Je plonge vers elle :

– Maïa ? je crie.

– Jules, ça va, je me suis juste cognée, il m'a entraînée dans sa chute, mais ça va. Jérôme, il…

Jérôme ? Je pivote, tombe sur le tireur adulte. Mort. Mais près de lui, le troisième corps étendu à leur côté, c'est celui de notre Chef. Il est inerte. Un filet de sang coule de son nez. Je me colle contre lui :

– Jérôme, ça va ?

– Plaqueur, je crois que je viens de sauver ta nana.

Ce sourire d'Avant qu'il m'adresse. Oh bon Dieu ! ce sourire malicieux de Jérôme. Ce sourire pour me dire qu'il avait deviné, qu'il savait mon amour pour elle. Ses paupières se ferment. Il n'arrive pas à garder les yeux ouverts. Il grimace de souffrance. Je prends un peu de recul : son blouson est couvert de sang. Il a fait de son corps un bouclier pour protéger Maïa des balles du militaire. Il a réussi à l'abattre, mais l'autre a lui aussi eu le temps d'appuyer sur la gâchette et de lui tirer dessus.

Jérôme me saisit par le col, maintient mon visage tout contre le sien.

– Plaqueur, écoute-moi…

Le gargouillis du sang dans sa bouche me terrifie. Il essaye d'inspirer, sa voix n'est plus qu'un souffle.

– Chef, on va y arriver… Tu ne vas pas mourir.

Je ne sais plus ce que je dis.

– Jules… Arrête avec ces conneries. Julot, mon pote, je suis… heureux d'être ton pote, de…

Encore ce sourire d'Avant.

– Réunir des survivants, libres… Construire un monde… Tu sais, tout ça… Ce que m'a dit ma mère avant de mourir. C'était un bon moyen de… Je… Jules, je vais mourir, toi, tu dois vivre, il y a Alicia, Maïa et tous les autres… Séverine, elle… Tu dois…

Vincent déboule, se met à genoux devant Jérôme :

– Jérôme, reste avec nous, mec, on a besoin de toi, nous laisse pas.

– Vincent, mon pote, je…

Mais son corps convulse. Du sang sort de sa bouche. Vincent ravale sa tristesse et nous ordonne :

– Faut se replier. Rampez derrière moi. Je vous couvre ! Vite !

Les rafales s'intensifient, les lasers rouges se multiplient. Des ordres, des coups de feu, des râles, des pleurs. Tous ces bruits s'amplifient, s'entrechoquent. Putain de massacre. Le Soldat se redresse d'un bond :

– Maintenant ! Levez-vous !

Nous avons déjà atteint le fond de la salle, je me retourne une dernière fois vers le cadavre de Jérôme.

Il s'est sacrifié pour sauver Maïa. Je jette un coup d'œil vers la tour de l'Horloge : pas trace de Koridwen. J'en déduis que la Sorcière bretonne est vivante, qu'elle a eu le temps de se réfugier dans ses souterrains, qu'elle va tenter d'utiliser la magie de sa Mamm-gozh pour voyager dans le temps.

– Courez ! Vers la sortie !

Vincent me pousse de l'autre côté de la porte :

– Tu te charges des Experts qu'on a réussi à sauver. Ne m'attendez pas, partez par le même chemin qu'à l'aller. Fais gaffe au phare que l'armée a positionné sur un de ses blindés. Le rayon passe toutes les vingt secondes dans la rue. Faut vous exfiltrer entre deux balayages.

La bouche d'égout est à cinquante mètres. Cinquante mètres en vingt secondes. Faisable. Tendu, mais faisable.

– Vincent, je…

– Dépêche-toi, on se retrouvera. Protège Maïa. Et les autres.

Nous traversons les trois bureaux du Palais de justice et l'enfilade de pièces éclairées par les bâtons incandescents rouges que Jérôme avait balancés pour baliser les issues de secours. Et nous nous planquons dans la petite cour qui donne sur le quai de l'Horloge, où se trouvent les quelques Experts qui ont réussi à se sortir de ce carnage. Nous ne sommes pas nombreux : une dizaine de survivants pour l'instant. Et soudain, une explosion hyper-violente nous fait vaciller. Les murs s'ébranlent, des pierres et des débris sont projetés en tous sens, un souffle chaud fait vibrer le bâtiment, transforme la densité de l'air. Nous nous recroquevillons tous, je couvre Maïa de mon corps.

– On y va, on n'a pas de temps à perdre.

C'est Vincent, les habits déchiquetés, le visage en sang, mais vivant :

– J'ai balancé deux grenades au phosphore, on est tranquilles le temps d'aller aux souterrains.

Il se place devant nous.

– Sortez deux par deux. Vous avez vingt secondes pour atteindre l'entrée des égouts. Pas une de plus. Foncez sans vous poser de questions. Maïa, Jules, allez-y en premier. Faudra soulever la trappe d'égout et vous jeter dedans.

J'aperçois la fille gothique aux piercings. Blafarde, flageolante, elle s'en est sortie.

– Prends mes lunettes, tu y verras plus clair. Moi je connais déjà le chemin.

Elle me remercie, les saisit de ses mains tremblantes. Avant de quitter la cour intérieure, je repense encore à la Sorcière bretonne. Où est-elle à présent ?

L'ordre de Vincent claque soudain :

– Go !

Nous courons comme des dératés dans la rue, Maïa trébuche, je la rattrape par la main. La trappe d'égout. La soulever. Glisser le long de l'échelle. Sauvés. Attendre les autres. Serrer Maïa dans mes bras.

Plus tard, mais seulement plus tard, lui demander pourquoi elle a fait ça, pourquoi elle est venue.

Et soudain, son visage contre le mien. Ses lèvres contre les miennes. Son baiser. Je la serre à l'étouffer. Je la serre et je pleure. Je pleure mes parents, mon frère et Jérôme. Je pleure aussi parce que je ne suis pas seul. Et que je suis

vivant. Parce que Alicia nous attend et que je l'aime tant.
Parce que Maïa m'embrasse.

Et je l'embrasse aussi.

Je suis là, Maïa.

Je suis là.

ÉPILOGUE
JOURNAL D'ALICIA

*H*ier Katia m'a offert mon journal intime.

Avant j'étais Dora. Mais c'était Avant. Il dit comme ça, papa Jules, souvent.

Et puis il dit aussi qu'il y avait Avant-avant. Je sais pas, moi, je me rappelle pas.

Maintenant, Dora c'est une vache.

Dedans le ventre de Dora-la-vache, il y avait un veau.

Hier il est né. Vincent et maman Maïa l'ont aidé à sortir.

Katia a dit que, comme je suis magicienne, c'est moi qui choisis le nom du veau.

Il s'appelle Tico, j'ai dit.

Mais Tico, c'est l'écureuil violet de Dora, elle a dit, maman Maïa.

Non, c'est le veau, j'ai dit.

C'est bien comme ça, c'est Alicia qui décide, Vincent a dit.

Et Max, il a dit pareil, parce que Max, il est toujours d'accord avec moi.

Aujourd'hui.

J'aide Séverine à préparer les tartes aux pommes pour les invités.

Isa et les autres. On sera quinze, elle a dit.

Je dois apprendre : quinze = trois fois cinq. Apprendre les multiplications, j'aime pas ça.

Et Lego aussi, il aime pas les calculs.

La magicienne, Koridwen, elle viendra peut-être.

Papa Jules, il a dit : Elle viendra, un jour, elle viendra.

Max, parfois, il l'attend, je le sais parce qu'il regarde quelque part, un endroit.

Moi, je ne connais pas cet endroit, lui, il cherche sa cousine.

Alors je joue à chercher avec lui, dans la forêt, on cherche la fée cachée, notre jeu préféré.

Et aujourd'hui j'ai le droit de donner le bain au bébé Jérôme pour la première fois !!! Séverine, elle m'a dit, oui, tu peux le faire.

Le bébé, il a trois mois.

Il s'appelle comme son papa.

Son papa, il est mort, il a sauvé maman Maïa, c'est un héros, son papa.

Demain.

Demain, papa Jules m'apprend à faire du vélo.

Je suis impatiente.

REMERCIEMENTS

Merci à mes coauteurs, Florence, Vincent, Yves, pour le voyage partagé et ce qu'il a charrié d'aventures, d'émotions, de fous rires et de changements. Deux ans déjà et ce n'est que le début. Biquets's Power. Il y aura un Avant et un Après U4. Pour nous aussi.

Merci à la Publisher Team, à Marianne, Eva, Sandrine, Stéphanie, Florence, Céline, d'avoir tout de suite cru à ce projet ! Merci de l'avoir accueilli, accompagné. De l'avoir rendu possible : aujourd'hui ce sont quatre livres ! Merci aussi à Quentin, Marianne, Christian et Véronique…

Un spécial merci à mon éditrice, Stéphanie H-G, pour ses retours aussi exigeants que bienveillants. Grâce à elle, j'ai dessiné le plan d'un rez-de-chaussée, où Jules s'abrite derrière la cloison de la loge, dont l'autre mur est perpendiculaire à la rue, et dessine un angle droit avec la première paroi, qui donne en face de la cage d'escalier sous lequel Cédric se cache. Ah non, c'est pas ça. Elle est où, la porte de la loge ? Merde, il est où, mon plan ?

Un autre merci du fond du cœur à Nathalie, ma super libraire, qui m'a obligée à me confronter aux corps en décomposition. C'était devant un plateau de fromages et des verres de vin rouge : «Il faut qu'on voit les morts, qu'on imagine leur odeur». Merci Nathalie. Vous lui devez le premier cadavre sur lequel Jules trébuche.

Merci à mes mômes, ce livre, comme tous mes livres, est pour vous, Paul et Paloma; pour vous et ceux qui vous aiment et sont à vos côtés.

Merci à Marc, qui m'a lue, écoutée, encouragée avec toute sa patience et sa tendresse. Merci tant, mon très beau.

Son doctorat d'histoire en poche, Carole Trébor enseigne l'histoire de l'art à l'université puis se lance dans la réalisation. Ses premiers documentaires autoproduits sur les artistes russes en exil, le métier de sage-femme et les humoristes sont présentés à de nombreux festivals. Elle réalise ensuite des reportages pour l'INA, Arte, YouHumour.com, des télévisions locales et France 5 (*Silence, ça pousse!*). Passionnée par le théâtre, elle tourne aussi pour de nombreux festivals d'humour (caméras cachées, bandes annonces, documentaires). Et à force de traîner dans les coulisses, de filmer des répétitions et de rencontrer des artistes, elle devient elle-même dramaturge (*Noctambule de bitume, Merci l'ours, Au cirque Fanfaron*)! Emportée alors par l'imaginaire, ce qu'il libère, ce qu'il permet et ce qu'il transmet, elle se consacre à l'écriture d'albums pour enfants et de romans pour la jeunesse depuis 2012. Sa première série, *Nina Volkovitch*, remporte un beau succès critique et publique (12 prix littéraires en 2013-2014).

VOUS VENEZ DE LIRE
UN DES QUATRE ROMANS

DÉCOUVREZ
LES PREMIERS CHAPITRES
DES TROIS AUTRES !

YVES GREVET

U4
.KORIDWEN

7 NOVEMBRE

Comme tous les autres jours, je me suis levée tôt pour nourrir les bêtes. Ce matin, c'était au prix d'un très gros effort. Je n'ai pratiquement pas fermé l'œil de la nuit. À mesure que le temps s'écoulait, mes pensées devenaient plus sombres et plus désespérées. Vers 4 ou 5 heures, j'ai débouché le flacon de poison et je l'ai porté à mes lèvres. Avant d'avaler la première gorgée, je me suis fixé un ultimatum : « Koridwen, si tu ne trouves pas dans la minute une seule raison de ne pas en finir, bois-le ! »

Et là, au bout de longues secondes de noir complet, j'ai vu apparaître dans un coin de mon cerveau la grosse tête de la vieille Bergamote. Jamais elle ne parviendra à mettre bas sans mon aide. Je la connais. J'étais là la dernière fois et ça n'avait pas été une partie de plaisir. Si je ne suis pas à ses côtés, elle en crèvera, c'est sûr. Elle et son petit.

Alors c'est pour cette vache que je suis encore vivante à cette heure. Après son vêlage, il faudra donc que je me repose la question. Depuis que je suis la seule survivante du hameau, je fonctionne comme un robot, sans jamais réfléchir. J'alterne les moments d'activité intense et les temps morts où, prostrée dans un coin, je ne fais que pleurer ou me laisser aller à de brefs instants de sommeil.

Je continue à traire mes bêtes mais je répands le lait dans la rigole. Si j'arrêtais la traite, elles souffriraient quelque temps, puis leur production stopperait d'elle-même. Je continue à le faire parce que ça m'occupe l'esprit et me donne l'illusion que la vie suit un cours presque normal. Je change les litières. Je remplis la brouette avec la paille souillée. L'odeur est forte mais elle est rassurante. Le poids de la charge tire dans mes épaules. Ça m'épuise vite et, le soir, cela m'aide à trouver plus facilement le sommeil. C'est une tâche fastidieuse et pénible mais on voit le travail avancer et, à la fin, on a le sentiment du devoir accompli. Les bruits de la campagne ont changé depuis deux semaines. Le silence n'est plus troublé par le bourdonnement des voitures et des engins agricoles.

Pourtant, il y a quelques minutes, j'ai cru entendre un véhicule approcher. Puis plus rien. Je suis sortie pour voir. Mais il n'y avait personne. Je commence peut-être à perdre la boule.

J'étale maintenant de la paille propre sur tout le sol de l'étable. Les bêtes sont soudain nerveuses, comme avant un orage ou lorsque des taons les agressent l'été. Je sursaute en sentant une présence derrière mon dos. Ce sont deux gars à peine plus âgés que moi. Ils se ressemblent, peut-être sont-ils frères. Je reconnais l'un des deux. Je l'ai vu en ville plusieurs fois avant la catastrophe. Il traînait avec d'autres à l'entrée du mini-market du centre. Ils sirotaient des bières et faisaient la manche. Je ne suis donc pas la seule dans les parages à avoir survécu. J'en éprouve une sorte de soulagement. Mais ce n'est pas avec eux que je vais pouvoir rompre ma solitude. Le regard qu'ils posent sur moi me glace le sang. Je ressens leur hostilité et leur malveillance. C'est le plus vieux qui m'interpelle en grimaçant :

– On a besoin d'outils du genre perceuse-visseuse, scie circulaire, marteau, hache, tronçonneuse. On a des portes et des volets à faire sauter dans le coin.

– Vous n'êtes pas chez vous ici et vous n'avez aucun droit, dis-je en relevant la fourche pour les menacer.

– Hé la gamine, reprend le gars en colère, tu vis sur une autre planète ou quoi ? C'est fini tout ça. Tout le monde est mort, sauf quelques jeunes de notre âge. Maintenant, plus rien n'appartient à personne. Si on veut survivre, on doit se servir. Ceux qui voudront rester honnêtes crèveront.

– Pourquoi vous n'allez pas ailleurs ? Ce ne sont pas les hameaux désertés qui manquent dans les environs.

– Ici, on savait qu'on trouverait de la compagnie, lance le plus jeune. Il paraît que sous ta salopette de paysanne se cache un corps de déesse.

– Arrête tes conneries, Kev ! On n'est pas venus pour ça. Toi, la petite, magne-toi de répondre ou ça va chauffer !

– La clé de l'appentis est sur la porte.

– Merci ma belle.

Le jeune Kevin m'adresse un regard qui signifie que je ne perds rien pour attendre. Je fais mine de reprendre ma tâche et je baisse les yeux. L'aîné est sorti et l'autre me surveille. Je m'approche pour répartir la paille à quelques mètres de lui. Il finit par se lasser de me contempler et se tourne vers la cour. Je me jette alors sur lui, la fourche en avant, et lui plante deux pointes dans la cuisse gauche. Ses genoux plient sous la douleur et il s'écroule à mes pieds. Il semble manquer d'air et ne parvient pas à crier. Je le contourne et cours jusqu'au râtelier planqué dans un placard de l'arrière-cuisine. J'attrape un des fusils de chasse avec lesquels mon père m'a initiée au tir. Je le charge avec des cartouches qui étaient cachées dans le bahut du salon. Je ressors, pénètre dans l'appentis et tire à deux reprises au-dessus de la tête du pillard qui lâche ce qu'il avait pris. Il a la trouille et son visage vire au gris.

– Va récupérer ton frangin et barrez-vous d'ici. Sinon, je vous abats comme des lapins.

Il a compris et se précipite dans l'étable pour ramasser son frère qui chiale maintenant comme un gamin. Il parvient à le relever et glisse son bras sous son épaule. Ils s'éloignent sur le chemin de terre pour rejoindre leur voiture qui était garée en contrebas de la départementale.

Je ne peux me retenir de lancer un conseil :

– Ne tarde pas trop à nettoyer sa plaie, sinon ça va s'infecter.

Sans se retourner, l'aîné lève sa main gauche, le majeur pointé vers le ciel.

Cela faisait deux jours que je n'avais pas rencontré un humain vivant. Le dernier habitant d'ici est mort avant-hier. Il s'appelait Yffig. C'était un homme pragmatique. Dès qu'il a appris par la télé l'ampleur de l'épidémie provoquée par le virus U4, il s'est préparé au pire. Il s'est rendu chez Kiloutou pour louer une pelleteuse avec un godet adapté pour creuser les tranchées.

Avec son engin, nous avons inhumé les neuf autres personnes du hameau. Il m'a montré comment l'utiliser au cas où j'en aurais besoin. Il a eu bien raison parce que c'est moi qui l'ai enterré. J'en ai profité pour creuser mon propre trou. Quand le mal me rattrapera ou bien que je n'en pourrai plus, je plongerai dedans. Et tant pis s'il n'y a personne pour m'ensevelir à ce moment-là.

8 NOVEMBRE

Encore une nuit sans vraiment dormir. Depuis le passage des deux voleurs, je me sens en danger. J'ai compris à leurs regards haineux qu'ils reviendront pour me punir de les avoir humiliés. Je partage maintenant mon lit avec ma carabine chargée et je guette le moindre bruit.

L'envie d'aller retrouver les autres dans la mort continue de me hanter. Ce qui me retient d'en finir, ce n'est pas la peur du grand saut, c'est le sentiment de commettre une faute, de transgresser un ordre naturel selon lequel on ne décide pas soi-même de la fin de son existence. Ma grand-mère m'a toujours enseigné que la vie était précieuse, celle des hommes comme celle des animaux ou même des plantes. On ne peut s'autoriser à la supprimer qu'en cas de nécessité absolue. Elle disait que nous étions les cellules vivantes d'un grand organisme qu'on appelle la Terre, qu'on y jouait tous notre rôle. Je le ressens chaque matin quand je m'occupe des bêtes. Leur chaleur, leur odeur, leurs meuglements, tout semble à sa place.

Que deviendraient mes animaux si je les abandonnais ? Je n'ai jamais assisté à la souffrance d'une vache qu'on assoiffe ou qu'on laisse vêler seule. Depuis que je suis en âge de me souvenir, j'ai vu mon père chaque matin et chaque soir auprès de ses bêtes. Je l'ai vu y aller même quand il tenait à peine debout parce qu'il avait abusé d'alcool fort avec ses potes durant la nuit. C'était comme un devoir sacré auquel rien ne permettait de se soustraire.

Maintenant qu'il n'y a plus que les animaux ici, je devrais être contente, moi qui ne cessais de répéter que je les préférais aux humains parce qu'ils sont plus simples à comprendre et à satisfaire. Eux ne se cachent pas derrière les granges pour pleurer ou ne deviennent pas hystériques parce qu'une tache de vin a résisté à un passage en machine.

Mes parents me manquent. Cette phrase, jamais je n'aurais pensé la prononcer il y a encore quelques semaines. Depuis quatre ou cinq ans, je n'avais plus qu'une idée en tête : fuir cette baraque sinistre que je qualifiais même de «tombeau». Aujourd'hui où la quasi-totalité de l'humanité a disparu, cette expression me fait honte. Je me sens coupable de l'avoir utilisée si facilement. Ceux qui croient aux signes pourraient aller jusqu'à dire que c'est ma faute si mon hameau s'est transformé en cimetière.

À 5h30, je décide de me lever. Je saisis ma torche et je traverse le champ pour rejoindre Bergamote qui s'est isolée des autres. Je croise son regard. Si elle semble si paisible, malgré l'épreuve qu'elle sent venir, c'est qu'elle sait qu'elle peut compter sur moi. Ce ne sera pas une première pour nous deux. Mais, jusqu'à maintenant, je savais que mon père n'était pas loin et qu'en cas de problème il pouvait intervenir ou appeler le véto.

Je l'encourage en lui parlant et la ramène tranquillement vers la maison. Elle se laisse faire et je l'en remercie en lui grattant les poils entre les cornes. Je vais pouvoir la surveiller plus facilement. Je l'attache dans l'étable et lui glisse à l'oreille :

– Berg, ma vieille, s'il te plaît, ne tarde pas trop.

J'entreprends un grand ménage dans la cuisine. Ma mère serait contente de constater que je suis enfin son exemple. J'ai même enfilé son tablier. Je me souviens de ces débuts de week-end où j'aurais aimé récupérer de ma semaine à l'internat et où j'étais systématiquement réveillée par des bruits de vaisselle qu'on déplaçait sans précaution. Si elle avait voulu m'empêcher de dormir, elle ne s'y serait pas prise autrement. À cet instant, je comprends mieux pourquoi elle aimait astiquer le fond des placards et javelliser le réfrigérateur. Quand on fait ça, on gamberge moins. On se fatigue et on se saoule avec l'odeur entêtante des produits chimiques. J'aperçois sur le buffet le poison que je me suis préparé après l'enterrement d'Yffig. J'ai broyé à parts égales les antidépresseurs de papa et ceux de maman avant de les diluer dans une eau colorée et sucrée avec du sirop de grenadine. L'aspect de la préparation a beaucoup changé. Un épais dépôt crayeux tapisse le fond, surmonté d'une fine couche rouge. Au-dessus, l'eau est à peine troublée. Je ne peux résister à l'envie de m'en saisir. Je le secoue violemment pour lui rendre son apparence homogène de sirop. Je reste quelques instants immobile à fixer les strates de liquide qui se reforment. Puis je le repose avec précaution. Un jour, cela me servira peut-être.

Après deux heures de travail acharné, je me sens épuisée. Je m'assois à la table de la cuisine. Pendant que le thé infuse, mes paupières se ferment et je sombre dans le sommeil. Je suis réveillée par une douleur dans le dos due à la position inconfortable dans laquelle je me suis endormie. Je ne perçois plus le ronflement rassurant du frigo. Je l'ouvre. La lumière intérieure ne s'allume plus. J'actionne alors l'interrupteur du plafonnier, en vain. Il n'y a plus d'électricité. Après Internet et la télévision, disparus il y a plus d'une semaine, c'est dans l'ordre des choses.

Je sors à l'air libre pour me réveiller tout à fait. Il tombe une pluie fine qui mouille à peine le sol. Lorsque je retire le tablier de ma mère, je respire soudain son odeur. Je ferme les yeux. La dernière fois que je l'ai vue, je l'avais trouvée transformée. Il émanait d'elle une vigueur que je ne lui connaissais pas. Nous venions d'apprendre que mon père était mort du virus dans un bar de Morlaix, au milieu de ses poivrots d'amis. Nous n'avons pas eu le droit de le revoir une dernière fois. À la vitesse où les décès se succédaient, les autorités avaient renoncé à organiser la reconnaissance des corps et l'ensevelissement individuel des cadavres. Moi, j'étais bouleversée par le décès de papa et je ne comprenais pas pourquoi ma mère ne voulait pas me prendre dans ses bras. J'imagine aujourd'hui qu'elle se sentait atteinte de la maladie et avait peur de me contaminer. L'urgence de la situation semblait l'avoir électrisée. Elle m'a parlé longuement, comme jamais auparavant.

Elle m'a déclaré plusieurs fois que j'étais une fille courageuse et que je saurais quoi faire de ma vie. À ma grande
déception, elle ne s'est pas attardée sur la disparition de
mon père, parce que cela, disait-elle, on ne pouvait pas le
changer et qu'il fallait aller de l'avant. Moi, j'avais envie
qu'on se remémore nos souvenirs heureux tous les trois et
qu'on vide notre chagrin ensemble. Elle a préféré évoquer
l'existence d'une lettre que ma grand-mère m'avait laissée
juste avant de décéder, un an plus tôt. « Une lettre, a-t-
elle précisé, que ton père ne voulait pas que tu ouvres et
qu'il hésitait à brûler. Du coup, je l'ai cachée sous mon
matelas. » Sur le moment, cette information m'a paru sans
intérêt. Ça me semblait tellement loin du drame que nous
vivions. « En attendant, a repris ma mère, il faut nous
préparer au pire, ma fille. Je t'aime, Koridwen, et je serai
toujours dans ton cœur, même si je suis loin de toi. »
« Pourquoi parles-tu comme ça ? » ai-je demandé.

Elle m'a plantée là pour aller faire à manger. La nuit
suivante, elle était morte. J'étais maintenant seule au
monde.

À suivre...

FLORENCE HINCKEL

.YANNIS

1ER NOVEMBRE, 8 HEURES

Il glisse sur l'eau.

Le monde est en train de finir. Des flammes dansent et lèchent le ciel derrière moi. Et je ne peux détacher mon regard de cette chose, là, qui flotte.

J'ai le cœur en mille milliards de morceaux, les pieds dans le chaos, et le soleil est froid sur mon visage.

Le ferry-boat dérive doucement sous le palais du Pharo, comme une coquille de noix perdue, sans attache. Le soleil éclaire le port et un reflet se fiche dans mon œil. C'est le bouton brillant d'une veste. La veste du corps qui glisse sur l'eau.

C'est le premier que je vois. Un cadavre met plusieurs jours à remonter à la surface. Beaucoup d'autres vont suivre, et le port va devenir méconnaissable. De toute façon, ce que j'ai vécu sur ces quais ne reviendra plus jamais. Rire et courir, se prélasser sur un banc, y déguster une glace, pêcher les petits poissons avec du pain au bout d'un hameçon, interpeller les pêcheurs sur leurs barques, chasser les goélands, admirer le scintillement des vagues... Plus jamais.

—

Sans ce message de Khronos, je n'aurais jamais trouvé la force de sortir de chez moi. La force de m'arracher d'eux, papa, maman, Camila : ma famille.

Je savais que je devrais sortir un jour ou l'autre, sinon je serais resté enfermé dans ma chambre pour toujours, et j'y serais mort de faim, une fois mes réserves épuisées : biscuits, canettes de Coca, pommes, oranges, yaourts conservés au frais sur le rebord de ma fenêtre. Ou bien je serais mort de froid, parce que l'hiver s'installait et que l'électricité finirait par être coupée pour de bon, et que j'étais incapable de trouver des trucs à brûler, même chez moi, où je n'osais rien toucher.

Sans ce message, je serais resté prostré pendant des jours et des jours, et le soleil aurait toujours fini par réapparaître, mais aurais-je réussi à compter combien de fois ? J'aurais perdu le fil, c'est sûr. Je me serais laissé engloutir par le néant.

Sans ce message, et sans Happy, aussi, je n'y serais jamais arrivé. Mon bon chien, fidèlement allongé près de moi. Par moments, il disparaissait, sans doute pour trouver à manger, mais il revenait toujours en couinant, et il posait son museau sur ma jambe. Ses yeux brillants m'adressaient plein de questions. Je plongeais ma main dans son pelage fourni, noir à encolure blanche, et ne lui disais rien puisque les mots m'avaient abandonné. Dans ma tête, j'étais encore un Expert de Warriors of Time, auquel je consacrais tout mon temps, avant tout ça. J'aimais tellement ce jeu que mon grand pote RV, avec qui je traînais des journées entières quand on était petits, se plaignait de ne quasiment plus me voir...

Terrorisé par le silence, j'oubliais Yannis, le garçon faiblard et paumé dans un monde en train de se liquéfier, pour devenir son avatar de WOT, le puissant Adrial, chevalier bondissant dans le temps et traversant le chaos de multiples guerres sans une égratignure.

—

Parfois, des cris fusaient. Des pleurs naissaient et mouraient. Des coups résonnaient dans les appartements voisins. Alors que tout était immobile sous le soleil, la rue s'animait à la tombée de la nuit. J'allumais trois bougies à côté de mes manuels de classe, et j'entendais des talons claquer au-dehors, doucement, puis rapidement, puis avec affolement. Des appels déchirants. Parfois, des explosions lointaines. D'autres fois, des détonations. *Bam !* Qu'est-ce que c'était ? *Paw !* On aurait dit des coups de feu. Mais qui tirait ? Sur quoi ? Sur qui ? Des hurlements fendaient l'air. Je plaquais fort mes mains contre mes oreilles, fermant les yeux et voulant disparaître...

Quand l'électricité revenait, je clignais des yeux, ébloui par ma lampe, et subitement de la musique s'échappait à plein volume ici ou là dans le quartier, créant des rires faux et nerveux. Moi, je ne pensais qu'à une chose : aller sur WOT, où on récoltait armes et techniques de combat dans le futur pour être plus puissant dans le passé. Parfois, l'inverse fonctionnait aussi, et le passé pouvait aider le futur. Dans ce jeu, j'étais fort. Beaucoup plus que dans la vie, ou à l'école... Désormais, je m'y connectais seulement pour entrer en contact avec mes potes Experts, et leur demander s'ils avaient des nouvelles de Khronos, qui avait comme disparu depuis plus d'une semaine. Qu'ils viennent de Bretagne, de Paris, de Toulouse, Metz ou Lyon, les Experts disaient tous la même chose. Le virus était partout. La panique, aussi.

SuperThor3 : Keskispasse, putain, c la fin du monde ou koi ? Ici, ça ressemble à l'enfer...

Laféedhiver : Moi je vis ds 1 village super isolé. Mais le virus é qd mm arrivé jusqu'ici...

Adrial : Les infos disent que c mondial...

Lady Rottweiler : Ouaip, pareil à Lyon, faites gaffe à vous, écoutez-moi. Surt...

Lady Rottweiler, de Lyon, avait l'air de s'y connaître en médecine et, les premiers jours, elle avait eu le temps de nous donner des recommandations d'hygiène. Puis la grande rumeur du Net s'était tue à son tour, nous laissant chacun seul. Seul au cœur de l'apocalypse...

Quand il est devenu impossible de se connecter à WOT, j'ai cru devenir fou. C'était mon dernier contact avec le monde extérieur. Et ma dernière source de courage...

Je sais que derrière les mots de mes potes Experts, même de Lady, se cachaient le chagrin, le deuil, la détresse, les larmes, la peur, un sentiment d'abandon... Moi non plus, je n'ai rien dit de tout ça. On voulait continuer à se conduire en héros, même dans ce putain de monde réel.

Se conduire en héros ! Alors qu'en fait je n'avais même pas le cran de me bouger ! Trop habitué à me faire dorloter, incapable de me débrouiller par moi-même. Mes parents ne m'ont jamais laissé préparer ne serait-ce que des pâtes, ni toucher un clou ou même un marteau. Ils préféraient que j'étudie. Et je n'ai jamais été du genre à insister pour aller chez les scouts, ce truc de bourges. Pour moi, le seul lieu où je ne perdais pas mon temps, c'était mon jeu en réseau. Le virtuel, c'était l'avenir, et le seul moyen de me créer une importance sociale qui me servirait plus tard. Et puis l'école, ce n'était pas mon fort. Au lieu de bosser mes cours, je travaillais en douce mes compétences no-life qui, j'en étais sûr, m'aideraient un jour dans la vraie vie.

Si mes parents avaient su ! Eux qui croyaient que mes bonnes notes en français étaient dues à des heures de travail. C'était juste que le français était ma matière préférée, même si je n'étais pas aidé, puisque mes parents le parlent bien mais l'écrivent mal. Enfin...

Ils le parl*aient* bien et l'écriv*aient* mal.

Ressaisis-toi, Yannis, m'ordonne Adrial. Et me voilà dans ma tête avec son apparence, vêtu de son armure, les cheveux longs, les muscles luisants, une épée à la main et une kalachnikov sanglée dans le dos. Je frappe mon poing deux fois contre mon cœur, et écrase rageusement mes larmes. OK, Adrial, mais ne m'abandonne pas, s'il te plaît. Reste avec moi, reste avec moi...

1ER NOVEMBRE, 9 HEURES

Aujourd'hui, alors que je suis des yeux ce cadavre qui danse au gré des vaguelettes, je parle à la Mort. Elle, dont j'osais à peine prononcer le nom avant, est comme une amie maintenant. Hey, la Mort, ça va ta vie ? Combien de gens t'as embrassés, aujourd'hui ? Ah ouais, quand même...

La Mort... J'attendais qu'elle frappe à ma porte, grelottant sous ma couette, fasciné par ce ciel bleu qui se moquait de tout, des vivants, des morts ou des agonisants, et surtout de moi. Ce ciel juste occupé à se diluer en élégants dégradés qui se déchiraient en début et fin de journée. L'eau du port reflétait ses couleurs comme avant, les mâts des bateaux s'entrechoquaient comme avant, les gabians criaient comme avant, mais aucune parole, aucun cri, aucun moteur, aucune musique, aucune présence humaine comme avant...

Le soir venu, je sursautais au bruit des corps jetés à l'eau. Les idiots... J'ai beau ne pas savoir grand-chose de la vie, je sais que l'eau est précieuse, mon père me le répétait souvent et ma mère avait gardé l'habitude de son enfance en Algérie de ne pas en gaspiller une goutte. Riant elle-même de ses vieilles habitudes, elle plaçait toujours une bassine sous chaque robinet au cas où il se mettrait à fuir. Jeter les cadavres dans la flotte, c'est la pire façon de se débarrasser des morts. Rien de mieux pour propager les saloperies et rendre la ville encore plus insalubre.

Et puis ce matin, je me suis réveillé en claquant des dents. J'ai consulté la montre de papa, que j'ai mise à mon poignet avant-hier, quand j'ai réalisé que bientôt mon téléphone n'aurait plus de batterie. Il était 1 h 11 très précisément. J'ai d'abord cru que c'était le froid qui m'empêchait de dormir, mais un *ding* a retenti, me rappelant que j'en avais entendu un autre dans les brumes de mon sommeil. L'électricité était revenue ! J'ai d'abord posé la main sur le radiateur à côté de mon lit. C'était chaud et ça faisait du bien dans cette atmosphère de frigo. Le *ding*, c'était le thermostat. Puis je me suis rué sur mon ordi pour l'allumer. J'avais reçu un message sur WOT. Un message de Khronos.

Je connais le moyen de remonter le temps. Je l'ai toujours connu. Mais seul, je ne peux rien faire. Rejoignez-moi. Ensemble, nous pourrons éviter la catastrophe en réécrivant le passé. Croyez en moi, croyez en vous, et nous gagnerons contre notre ennemi le plus puissant : le Virus.

Rendez-vous le 24 décembre à minuit sous la plus vieille horloge de Paris.

J'ai tout de suite pensé : pourvu que les autres Experts l'aient reçu et qu'ils l'aient lu ! J'ai alors ressenti une grande bouffée d'espoir qui a dressé un rideau très fin entre la mort et moi. J'ai relu les mots de Khronos, et je ne savais plus si je devais en rire ou en pleurer. *Je connais le moyen de remonter le temps…*

Tout ce chaos a dû faire péter les plombs au maître de WOT. Peu importe. Ce qui compte, c'est le rendez-vous. Se retrouver. Se rassembler. Les héros, virtuels ou réels, ont l'habitude de se battre. Machine à remonter le temps ou non, on se battra. Pour survivre. Pour reconstruire. Pour ne plus être seuls…

Je ne sais rien ou presque des autres, mais pour nous reconnaître, il suffira d'accomplir notre signe de ralliement : frapper son cœur par deux fois, de la main droite, poing fermé.

J'ai décidé de bouger au point du jour. C'était plus facile que dans l'obscurité. C'est moi, Yannis, qui ai fourré dans la poche intérieure de ma doudoune une photo de papa, maman, Camila et moi, prise pour les neuf ans de ma petite sœur en mai dernier. J'y ai glissé aussi une enveloppe, celle que papa avait posée sur mon bureau, comme une fleur très fragile, dès qu'il s'était senti atteint par le virus. «Tu liras ces quelques mots quand tu ne sauras plus qui tu es vraiment. Yannis, tu comprends ?» Ses yeux brillaient et pas seulement de fièvre. Je n'avais rien compris, mais j'avais gravement hoché la tête… C'est encore moi qui ai emporté mon téléphone portable et son chargeur. Moi, encore, qui n'ai pas pu résister à la tentation d'emporter l'une de mes figurines du *Seigneur des anneaux*. Je ne me voyais pas abandonner Frodon brandissant son épée, au moment d'affronter ce monde.

Par contre, c'est Adrial qui a donné le signal du départ à Happy. C'est lui qui est sorti de ma chambre, et qui a affronté l'horreur et la puanteur du salon. Lui qui a rempli mon sac à dos en mode survie : vêtements de rechange, savon, corde, briquet, allumettes, couteau suisse, duvet, et de quoi boire et manger. C'est lui qui a frôlé les corps de mes parents encore allongés sur le canapé alors que les souvenirs menaçaient de me submerger : l'attente du médecin, les soins désespérés que j'avais tenté de leur prodiguer, et puis mes cris... Adrial, parfaitement maître de lui, a ouvert la porte d'entrée et a couru hors de l'appartement.

Mon armure de chevalier s'est volatilisée dans la cage d'escaliers. J'ai soudain été frappé par une multitude d'images. Maman grimpant les marches, les bras chargés de sacs de course, me souriant ou me gueulant dessus, mais sans méchanceté. Maman portant Camila encore bébé dans ses bras, puis la tenant par la main. Camila me tirant la langue et me traitant de « tomate pourrie » en éclatant de rire. Papa, son air et sa démarche calmes, passant sa main sur son crâne presque chauve, comme il en avait l'habitude. Il me voit, son regard s'allume, son sourire s'agrandit et il dit : « mon fils »...

Sous le choc, j'ai enfoui mon visage dans le creux de mon coude. Je l'ai frotté pour en sécher les larmes. Happy a couiné, inquiet. J'ai reniflé et me suis précipité vers l'étage du dessus. Depuis deux jours plus personne d'autre que moi ne semblait vivre dans l'immeuble mais, au moins, j'en aurais le cœur net ! J'ai frappé de toutes mes forces à la porte numéro 10.

– Franck ! T'es là, Franck ?

Happy a jappé. Franck venait souvent à la maison, pour me donner des cours de maths. Il adorait taquiner Camila. En échange des cours, papa faisait des petits travaux de maçonnerie dans son appart. C'était son premier métier, maçon, avant qu'il devienne gérant de supérette. Franck, lui, étudiait à la fac. Quel âge avait-il ? Peut-être avait-il un an d'avance, doué comme il était ? U4 n'a épargné aucun individu de moins de quinze ans, ni de plus de dix-huit, on s'en est vite aperçu. On ignore pourquoi et c'est tout ce qu'on sait sur ce virus qui semble avoir tout anéanti sur son passage. Paniqué, j'ai hurlé :

– Quel âge t'as, Franck ? Quel âge t'avais ? Réponds ! C'est quoi ton âge ?

Personne ne m'a répondu. Rien n'a bougé dans l'immeuble. Combien de temps suis-je resté devant la porte numéro 10 ?

Adrial s'est réveillé, recroquevillé contre le mur, alors qu'un rayon de lumière lui chauffait la joue. Happy était serré contre lui. Adrial s'est redressé précipitamment, a inspiré et expiré à fond, avant de dévaler les escaliers. Il s'est jeté dans la rue baignée de ce grand soleil de novembre et fouettée par le mistral. Adrial a rassemblé les tas de déchets qui encombraient l'entrée de mon bâtiment et des immeubles voisins, les a disséminés dans les couloirs, dans les escaliers, partout et surtout devant notre appartement. Puis il est ressorti dans la rue et il a crié :

– Y'a plus personne là-dedans ? Si vous êtes encore là, sortez !

Il a attendu.

– Sortez, bon Dieu ! Franck ! T'es sûr que t'es plus là ? Madame Tibaut ? Younis et Majda ?

Et le vieux à la canne qui râlait tout le temps ? Et cette famille comorienne au nom imprononçable ? Et le chat Cannelle ? Est-ce qu'ils n'étaient vraiment plus là ?

Le vent sifflait en s'engouffrant dans les ruelles. Dans son dos, Adrial devinait des mouvements, des chuchotements, des présences. On l'observait sans doute derrière les vitres brisées. On se moquait peut-être de lui parce qu'il parlait à des morts. Tant pis. Tant mieux. Qu'ils en prennent de la graine. Qu'ils cessent de balancer les morts dans l'eau. Qu'ils fassent comme Adrial, qui a sorti la boîte d'allumettes. Il en a gratté une, en a observé la flamme durant quelques secondes, puis l'a jetée dans une colline de journaux et de papiers. Il a regardé les flammes grandir et monter vers le ciel, tout en caressant Happy terrifié. Brûler l'immeuble d'un coup, avec ceux qui y ont vécu des moments de joie, de chagrin, des soucis et du bonheur, c'était plus respectueux. Dans ce quartier du Panier, les vieux logements brûlent comme des fétus de paille, surtout un jour de fort mistral.

Adrial a senti des larmes sur ses joues. Il a prié les dieux qu'il connaissait. Il a rassemblé les bribes de volonté qui lui restaient, dans un effort surhumain. Ç'aurait été tellement plus facile de s'écrouler là, dans la rue, ou mieux, de se jeter dans les flammes. Oui, beaucoup plus facile. Mais il ne l'a pas fait. Il s'est redressé, parce qu'il s'appelait Adrial, chevalier de WOT, puis il a couru jusqu'ici, sur ce banc, devant l'eau du port qui brille, sous ce mistral violent, avec des flammes qui dansaient dans son dos.

Moi, Yannis, je pleure maintenant à gros sanglots. Selon la religion dans laquelle j'ai été élevé, en laquelle je ne suis plus sûr de croire, puisque je ne crois plus en rien depuis cinq jours, on ne brûle pas les morts. Le corps doit retourner à la terre pour que la fusion avec la nature soit immédiate et plus rapide. Brûler le corps l'empêche de retourner dans le grand cycle de la vie, et l'âme en souffre. J'ai supplié le dieu de mes parents de croire qu'il s'agissait d'un cas très spécial, et de comprendre que je n'avais pas le choix. Où aurais-je trouvé la force de transporter les trois corps jusqu'au jardin des vestiges du Centre Bourse, et d'y creuser leurs tombes ? Toi, Dieu, qui que tu sois, quelle que soit la religion de ce monde qui se déglingue, pardonne-moi et sauve l'âme des miens !

Dans mon dos, un immeuble en flammes. Devant moi, la mer qui vomit les cadavres. Droit devant sur une colline, la Bonne Mère immobile et dorée, celle qui est censée protéger les Marseillais. À mes pieds, mon chien bâtard, croisement de border collie et de race inconnue. Dans ma tête, l'idée d'une horloge à Paris, dont j'ignore tout. Et sur mon cœur, l'image de ma famille.

À suivre...

VINCENT VILLEMINOT

U4

.STÉPHANE

2 NOVEMBRE

Ils sont une vingtaine. Ils ont l'air d'avoir mon âge, dix-sept ou dix-huit ans, des filles et des garçons. Ils sont nus, au bord du fleuve, corps miraculeux – sains, indemnes – dans cette morgue immense à ciel ouvert.

Ils se lavent à grandes eaux, sur les marches du quai, malgré le vent froid. À proximité, sur deux grands feux de bois, des bassines fument, dans lesquelles ils ont fait bouillir l'eau du fleuve avant leurs ablutions, sans doute. Dans une autre bassine chauffe du linge que deux jeunes filles étendent sur les marches. Je ne peux me détacher de ce spectacle irréel. Depuis la rambarde du pont de la Guillotière qui enjambe le Rhône et d'où je les observe, je les vois s'éclabousser. Ils poussent des cris quand l'un d'eux asperge les autres d'eau froide, rient parfois, s'apostrophent. J'avais oublié les rires.

D'ici, parce que le vent d'automne descend du nord, j'entends leurs voix, premiers éclats de vie dans la ville morte, sans comprendre leurs mots. Cela ressemble à une scène primitive : le fleuve dans lequel ils se lavent ; le feu comme combustible ; les corps nus sans pudeur, sur la berge, et ces bribes de paroles. On s'attendrait à ce que les ponts disparaissent autour d'eux, les routes, le bitume, les immeubles, la ville de Lyon tout entière. Peut-être est-ce le cas? Peut-être sont-ils les derniers survivants, dans Lyon rendu à la sauvagerie; et dans quelques jours, plus rien de la civilisation que nous avons connue n'aura existé.

L'un d'entre eux m'aperçoit, soudain. Il me fait de grands signes, m'invitant à les rejoindre. Puis plusieurs se tournent vers moi, m'appellent. Je souris malgré moi, accoudée à ma rambarde, mais le charme est rompu. Je traverse le fleuve, les laissant derrière moi, abandonnant le pont, désert comme l'était toute la Presqu'île, depuis l'appartement de mon père. La ville est déserte. À part ces baigneurs miraculeux, il n'y a pas un survivant.

Dans la rue Saint-Michel, je croise deux nouveaux cadavres. Difficile de les ignorer, ceux-là, ils sont au beau milieu de la chaussée. Ils se tiennent par la main, deux amoureux tragiques dont la mort n'a pu séparer l'étreinte, fauchés là par les fièvres au pied de leur immeuble, peut-être, ou bien se sont-ils retrouvés à cet endroit pour en finir? Avaient-ils vingt ou soixante ans? Seuls leurs vêtements me font pencher pour la première hypothèse. Pour le reste, c'est impossible à dire : ils n'ont plus de visages, couverts de sang séché, leurs mains sont déjà travaillées par la putréfaction. Roméo + Juliette?

Ne compatis pas, ne brode pas.

« Que sais-tu, Stéphane? Que comprends-tu? Analyse... »

Le sang. Les croûtes de sang. Les fièvres.

Des faits. Quels faits? Les gens ont commencé à saigner il y a onze jours. Les symptômes ont été les mêmes pour chacun : céphalées, migraines ophtalmiques, hémorragies généralisées, externes et internes. Le sang suintait des yeux, des narines, des oreilles, des pores de la peau. Ils mouraient en moins de quarante heures. Fièvre hémorragique, filovirus nouveau, proche de la souche Ébola, mais infiniment plus virulent. Dénomination officielle : U4, pour « Utrecht 4ᵉ type », l'endroit où la pandémie a commencé. 90 % d'une population étaient atteints, et tous ceux qui étaient frappés mouraient – tous, sauf nous, les adolescents.

Seuls les adolescents de quinze à dix-huit ans ont survécu. La grande majorité, du moins. C'est ce que j'ai pu lire sur les principaux sites d'information, au début. Puis les webjournalistes sont morts, comme tous les adultes, comme les enfants. Les sites sont devenus indisponibles les uns après les autres. Les coupures d'électricité ont fait sauter Internet de plus en plus souvent. Le site du ministère de l'Intérieur continuait d'afficher ses consignes dépassées : rester calme, ne pas paniquer, porter des gants et des masques respiratoires, éviter tout contact avec les contaminés, abandonner sans tarder les maisons ou les appartements touchés par le virus. Ne pas manipuler les cadavres. Rejoindre les « R-Points », les lieux de rassemblement organisés par les autorités.

Ensuite, Internet s'est tu. Tout s'est tu.

Je me répète pour la centième fois la chronologie des événements pour garder l'horreur à distance, tandis que je dépasse les corps des deux amants. Ma présence a dérangé les prédateurs habituels de cadavres-insectes, mouches, et rats, car des milliers de rats règnent maintenant sur la ville. Ça grouille, ça pue. Cette vermine se nourrit des morts, de ce que nous étions.

Analyse, ne pense pas. Anticipe.

Les rongeurs vont propager d'autres épidémies. Les rares survivants en mourront. Le choléra ou la peste semblent dérisoires à côté d'U4, mais ils tueront aussi.

Mon père disait toujours : « Pendant les interventions, il faut se concentrer sur les informations scientifiques, ce que l'on sait et ce que l'on ignore, pour ne pas se laisser submerger par les émotions. » Il me le répétait pour m'apprendre à maîtriser le trac avant les examens. Où qu'il soit, se doute-t-il combien ses conseils me sont utiles, aujourd'hui, dans cette ville défunte ?

Voitures abandonnées, débordantes de bagages ; déchets et détritus. Un tramway renversé bloque l'avenue, couché sur le flanc. Son chauffeur a dû être pris de convulsions pendant le trajet et perdre le contrôle du véhicule... Ses passagers ont-ils été tués dans l'accident, ou ont-ils eu le temps de retourner chez eux pour mourir ? J'évite de regarder les fenêtres du tram, couvertes de buée quand elles ne sont pas brisées.

Il y a peu de corps gisant dans les rues, je m'attendais à pire. Il n'y a plus que la vermine et le silence des hommes.

Les médias parlaient de morts par millions et j'ai vu d'innombrables images de charniers sur Internet. Ici, les malades doivent être restés chez eux pour mourir décemment, discrètement, à la lyonnaise. Ou bien se sont-ils tous précipités dans les hôpitaux devenus à la fois les morgues et les principaux foyers de propagation de l'épidémie ? Les deux premiers jours, quand on croyait avoir affaire à des méningites ou des purpuras fulminans, les malades foudroyés par la fièvre et les hémorragies ont été emportés vers les services d'urgence. Les précautions usuelles se sont révélées insuffisantes. Ils ont contaminé les personnels médicaux qui ont fait partie du contingent suivant.

Mais pas tous les médecins.

Pas les épidémiologistes qui essayaient de contrer la maladie, dans leurs laboratoires. Mon père ?

Nous y voilà. J'arrive enfin sous les plus hauts immeubles du quartier de Gerland. La boule que j'ai au ventre, elle me taraude comme un ulcère.

Tu as peur, Stéphane. Peur de savoir.

J'aperçois la tour P4 et m'arrête, un instant. Le laboratoire où travaillait mon père est plongé dans le noir. Je ferme les yeux, inspire profondément. Il faut continuer, aller voir, faire quelques pas de plus.

Papa. Es-tu parti, es-tu mort ?

S'il restait des chercheurs, il y aurait des groupes électrogènes qui fonctionneraient même en pleine journée. Rien ne serait plus vital pour l'avenir que le travail effectué par mon père, ses collègues, leurs équipes qui étudiaient les virus mortels, dans ce laboratoire unique en Europe.

La tour est obscure, donc vide.

Es-tu parti? Es-tu mort? Quand reviendras-tu?

Deux jeunes gens discutent, à quelques dizaines de mètres de l'entrée. Ils fument. Je les aborde :

– Il reste quelqu'un, par ici?

– Ça dépend. Tu cherches qui? me demande le plus grand d'entre eux, l'air méfiant.

Il a mon âge et un fusil sous le bras. Je montre la tour :

– Mon père, le Dr Certaldo. Il bossait au labo P4.

– Alors oublie, répond le deuxième, plus gentiment. Les militaires ont évacué le labo avec des hélicos, il y a neuf jours. Les deux étages les plus bas sont minés et l'accès est interdit avant le retour de l'armée.

Trop d'informations, d'un coup… Je vacille. Il reste des adultes, l'armée, les militaires. Vivants. Ils ont évacué les chercheurs il y a neuf jours. Évacués, mais vivants.

Partis. Mon père est parti.

«Suis de retour dès que ce sera possible», m'a-t-il écrit voici dix jours. Et dès le lendemain, il prenait la fuite. Sans moi. Sans même me prévenir.

A-t-il essayé?

– Tu comptais sur lui? demande le moins rude des deux jeunes fumeurs. Si tu n'as nulle part où aller, tu peux te rendre sur une zone de ravitaillement, un R-Point. Il y en a un tout près d'ici, au campus de l'École normale supérieure. Tu es élève où?

– Au lycée du Parc.

– Alors, tu dois aller t'inscrire à la Tête d'Or. Ils te diront où loger.

– Ça ira, balbutié-je. Je vais me débrouiller.

NUIT DU 2 AU 3 NOVEMBRE

La nuit m'a presque surprise au retour. Je remonte nos quatre étages à tâtons dans l'obscurité. La coupure d'électricité dure depuis vingt-quatre-heures maintenant. Est-elle définitive ? Il n'y a plus assez de survivants pour faire tourner les centrales…

Dans l'escalier, mon cœur se met à battre plus fort. Au moment où j'introduis la clé dans la porte, l'espoir, cette déraison, me submerge. Je ne peux m'empêcher de croire à son retour, encore, les mains tremblantes… J'ouvre.

Personne. Il n'est pas revenu, pas aujourd'hui, pas davantage qu'hier. J'avais laissé un mot à son intention, devant sa photo posée sur la table de la salle à manger : « Je suis partie te chercher à Gerland. Je reviens dans trois heures. S. »

Je prends le portrait encadré, le regarde pour la centième fois. La photo a été prise lors d'une de ses missions « Ébola » en Guinée. Sur le cliché, le Dr Philippe Certaldo est sale, fatigué, torse nu et en sueur sous sa blouse blanche largement ouverte, mais il sourit…

Je saisis mon propre reflet sur le verre du cadre.

Moi aussi, j'ai l'air épuisée, mais je ne souris pas. Je continue pourtant à lui ressembler : même haute silhouette maigre et nerveuse, même visage trop long avec des cheveux prématurément gris coupés courts dont les épis se rebellent, mêmes mains osseuses, un peu trop pâles pour quelqu'un qui aime le soleil. Joli tableau... On dit que j'ai ses yeux, aussi, des yeux gris ; chez lui, ils brillaient d'intelligence pendant nos conversations. Mon père est un homme séduisant, qui a eu «des aventures» avec de nombreuses femmes-médecins, sans se soucier de ma mère. Moi, je suis une fille. Une fille à laquelle ses parents ont donné un prénom soi-disant mixte, un prénom à la con, Stéphane ; une fille dont les cheveux sont gris depuis l'enfance, comme une vieillesse précoce.

J'essaye d'ouvrir les stores électriques qui masquent les fenêtres. À quoi bon rester cloîtrée, désormais ? Aujourd'hui, j'ai respiré l'air vicié de Lyon à pleins poumons et je ne suis pas morte.

Quand je parviens finalement à forcer un des stores avec un pied de chaise en métal, la nuit est définitivement tombée. L'appartement a plongé dans les ténèbres. J'allume une bougie dont la flamme vacille. 2 novembre, fête des morts. Ma mère, bretonne et catholique, croyait à ces choses-là : la mort, la résurrection. Peut-elle encore y croire, quelque part, parmi des survivants, ou a-t-elle reçu finalement l'ultime réponse ?

À suivre...

Mise en pages : DV Arts Graphiques à La Rochelle
N° d'éditeur : 10222981
Achevé d'imprimer en janvier 2016
par CPI Brodard et Taupin (72200 La Flèche, Sarthe, France)
N° d' impression : 3015256